1967

Jean-Pierre Charland

1967

tome 2

Une ingénue à l'Expo

Roman historique

www.quebecloisirs.com

UNE ÉDITION DU CLUB QUÉBEC LOISIRS ULC.
Avec l'autorisation des Éditions Hurtubise inc.

© 2015 Éditions Hurtubise inc.
Dépôt Légal --- Bibliothèque et Archives nationales du Québec, 2016
ISBN Q.L. 978-2-89666-398-9
Publié précédemment sous ISBN 978-2-89723-631-1

Imprimé au Canada

Avant-propos

En soixante-sept tout était beau
C'était l'année d'l'amour, c'était l'année d'l'Expo

Le blues d'la métropole – Beau Dommage

Terre des Hommes, l'exposition universelle de Montréal, Expo 67. Trois façons de désigner un lieu composé de trois îles dans le fleuve Saint-Laurent, en face de Montréal. Le point de rencontre, le temps d'un été, des Québécois et du monde entier. Pour la plupart de ceux qui arrivaient à l'âge adulte à ce moment, cela demeure le plus bel été de leur vie.

J'évoque beaucoup de chansons dans ce roman. Vous pourriez les écouter tout en lisant ces pages (on les trouve sur Internet, légalement), pour remonter plus facilement dans le temps et renouer avec les émotions de l'année de l'Expo.

Jean-Pierre Charland

Les personnages

Berger, Adrien : Né en 1926, fils de Perpétue et Ernest Berger, frère de Maurice et de Justine. Il est curé de la paroisse Saint-Jacques.

Berger, Ann (née Johnson) : Née en 1929, elle épouse Maurice et donne naissance à Marie-Andrée en 1950. Elle meurt dans un accident de voiture en 1963.

Berger, Ernest : Né en 1899, père de Maurice, Adrien et Justine, il fait commerce de machines agricoles en périphérie de Saint-Hyacinthe.

Berger, Justine : Née en 1928, fille de Perpétue et Ernest Berger. Religieuse hospitalière (portant le nom de sœur Saint-Gérard), elle travaille à l'Hôtel-Dieu de Saint-Hyacinthe.

Berger, Perpétue : Née en 1901, épouse d'Ernest Berger, mère de Maurice, Adrien et Justine.

Berger, Marie-Andrée : Née en 1950. Son père, Maurice, l'élève seul depuis la mort de sa mère, Ann, en 1963. En 1967, elle termine son année de Versification, la quatrième du cours secondaire classique, et entrera à l'école normale (pour la formation d'enseignants) en septembre.

Berger, Maurice : Né en 1924, fils de Perpétue et Ernest Berger, il a suivi le cours classique. À la déception de sa mère, plutôt que d'entrer dans les ordres, il devient enseignant en 1944.

Brousseau, Pierre : Ami de Clément Marcoux, il termine tout juste ses études de droit à l'Université de Montréal.

Léveillé, Jeannot : Élève de la classe de Versification de Maurice Berger, il fréquente Marie-Andrée.

Marcoux, Clément: Étudiant à la maîtrise ès science politique à l'Université de Montréal, il milite pour le Rassemblement pour l'indépendance nationale (RIN).

Marois, Denise: Fille des voisins de Maurice Berger. Meilleure amie de Marie-Andrée depuis la petite enfance.

Niquet, Louise: Étudiante à la dernière année de science politique à l'Université de Montréal, elle fréquente Pierre Brousseau et est amie de Clément Marcoux.

Tanguay, Mary (née Johnson): Née en 1927, elle est la sœur d'Ann, feu l'épouse de Maurice Berger. Le nom de Tanguay lui vient de son époux, policier à Montréal, lui aussi décédé.

Tanguay, Nicole: Fille de Mary Tanguay. Née en 1947, elle devient hôtesse à l'Expo 67.

Trottier, Émile: Né en 1922, il a été frère de l'instruction chrétienne jusqu'en 1965. Ayant quitté la congrégation, il épouse Jeanne Poitras en 1966.

Trottier, Jeanne (née Poitras): Veuve, elle épouse Émile Trottier en 1966.

Chapitre 1

Le trio qui marchait dans les rues de Saint-Hyacinthe formait une famille bien improbable : un homme dans la quarantaine faisant chacune des années de son âge, une femme de trente-deux ans paraissant un peu plus jeune, et un enfant. Celui-là surtout attirait l'attention avec son visage rond, ses yeux en amande un peu exorbités, sa bouche entrouverte laissant parfois échapper un filet de salive, son corps rappelant vaguement la forme d'une quille avec ses jambes plutôt courtes, des fesses et un ventre trop volumineux. Estimer son âge aurait été hasardeux. D'après son extrait de baptême, il avait célébré son douzième anniversaire peu de temps auparavant.

Ils arrivaient près d'une Volkswagen, l'une de ces fameuses *beetles*. L'enfant fit les derniers pas en courant, puis appuya ses mains et son front contre la vitre du côté conducteur tout en disant :

— C'est moé qui vas chauffer. Vroummm !

Le garçon faisait un bruit de moteur avec sa bouche, postillonnant d'abondance contre la plaque de verre.

— Antoine, commença Diane Lespérance en posant la main sur son avant-bras, arrête de t'énerver comme ça.

Ce fut peine perdue. L'enfant se dégagea pour cavaler sur le trottoir, les mains tendues devant lui comme s'il tenait le volant d'une voiture, sa mère à ses trousses. Le «vroummm!» s'éleva d'un cran.

Maurice Berger déverrouilla la portière, regardant la scène avec un pli au milieu du front. Être ainsi l'objet de cette attention lui déplaisait. Tous ces regards d'inconnus fixés sur lui disaient: «Tiens, il a un enfant mongol, celui-là!»

La mère et le fils finirent par revenir près du véhicule.

— J'm'assis d'vant.

Au moins, le garçon n'aspirait plus à prendre le volant. Maurice s'empressa de monter pour occuper la place du conducteur, puis il tendit le bras pour déverrouiller la portière côté passager.

— Tu montes derrière, ordonna Diane d'un ton qui ne tolérait pas la réplique. Sinon, nous rentrons chez grand-maman.

La menace agit comme une douche glacée; Antoine se calma tout de suite. Sa mère fit basculer vers l'avant le dossier du siège du passager afin de permettre à son fils de se faufiler sur la banquette. Elle s'assit la dernière, alors que son compagnon tournait la clé de contact.

— Je suis désolée. Antoine ne monte presque jamais dans une voiture, c'est nouveau pour lui. Et avec la promesse d'aller au zoo en plus... Le pauvre ne se contrôle plus.

— Je me montrais tout aussi enthousiaste à son âge. Enfin, cela aurait été le cas si mes parents avaient eu la bonne idée de m'emmener au zoo!

Ces mots atténuèrent un peu le malaise de Diane. Elle saisit cette occasion de connaître un peu mieux ce compagnon résolument distant.

— Ils préféraient quel type de sortie? Un 24 juin, ça devait être la parade de la Saint-Jean, à Montréal, non?

L'enseignant laissa échapper un ricanement tout en engageant le véhicule dans la rue.

— La fête nationale des Canadiens français ne les excitait pas beaucoup. À Montréal, l'oratoire Saint-Joseph était la destination habituelle. Dans le bout de Trois-Rivières, Notre-Dame-du-Cap…

— Et dans la région de Québec, Sainte-Anne-de-Beaupré.

— Tu as tout compris.

Antoine se pencha pour glisser sa tête entre les épaules des occupants de la banquette avant. La menace d'annuler le projet de la journée n'agissait déjà plus sur lui.

— Moé 'si, j'pourrais conduire.

— Sans doute, admit l'homme en se tournant à demi, mais je parie que tu n'as pas ton permis.

L'enfant demeura silencieux un moment, puis demanda en se tournant de l'autre côté :

— M'man, c'est quoi, un permis ?

L'explication les occupa pendant la majeure partie du trajet de Saint-Hyacinthe à Granby.

Dans la ville de Longueuil, l'autobus prit un virage de façon un peu raide, suffisamment pour que Marie-Andrée Berger soit projetée contre le passager occupant le siège voisin du sien.

— Oh ! Pardon. Excusez-moi.

Le rouge montait facilement au visage de cette jolie jeune femme âgée de dix-sept ans, à la fois timide et charmante.

— Pas d'offense, répondit le passager avec un sourire goguenard. Pour être franc, j'ai aimé ça.

Depuis le départ de Saint-Hyacinthe, le quidam la draguait sans insister. Tout de même, l'ingénue n'en avait guère l'habitude. Elle ne serait pas fâchée d'arriver à la gare d'autobus. Pendant le trajet, il lui avait décliné des pans de sa biographie, vraiment peu captivante. Comme tous les deux approchaient de leur destination, le jeune homme devait maintenant susciter l'intérêt de sa voisine, ou se résoudre à ne jamais la revoir.

— Tu vas où, comme ça ? À Terre des Hommes ?

Pendant l'été 1967, tous les chemins semblaient conduire à l'exposition universelle, qui se tenait à Montréal.

— Oui, mais pas pour faire du tourisme. J'espère trouver un emploi.

— Dans l'journal, y disent que des milliers d'jeunes vont faire la même chose. Ça va se bousculer à la porte des pavillons et des commerces.

Il aurait fait une bonne équipe avec le père de Marie-Andrée lorsqu'il s'agissait de saper l'optimisme de la jeune femme. Encore ce matin, Maurice lui rappelait la rude concurrence, tout en l'incitant quand même à prendre quelques vêtements, juste au cas… Il tentait de la préparer à la fois à l'échec et à la réussite, elle le savait. Cependant les commentaires du passager, ajoutés aux mises en garde de son père, l'énervaient.

— L'une de mes cousines y travaille déjà comme hôtesse. Elle doit me présenter des gens.

— Ah ! Si tu l'dis.

Malgré cette allusion à un *pushing* en bonne et due forme, le jeune homme ne cachait pas son scepticisme. Son interlocutrice lui présenta ensuite un air buté. Qu'autant de gens formulent des réserves sur ses projets pesait sur son humeur, à la fin.

Il tardait à Marie-Andrée de s'engager dans sa nouvelle aventure. Heureusement, le véhicule approchait maintenant de la gare d'autobus de Longueuil, un immeuble de béton construit tout récemment. Quand il s'immobilisa, son voisin se leva parmi les premiers et, debout dans l'allée, il récupéra le sac de la jeune fille sur le porte-bagages. Alors qu'elle tendait la main pour le prendre, il proposa :

— J'vais le porter pour toé jusque dehors.

— Ce n'est pas nécessaire…

— Passe devant moé.

De son corps, il empêchait les occupants des sièges derrière lui d'avancer. Autant quitter sa place et se diriger vers la sortie. Sur le quai, malgré la main tendue de Marie-Andrée, l'autre refusa encore de lui remettre son sac.

— J'vais le porter pour toé, j'te dis.

Une telle insistance lui déplut souverainement.

— Quand même, je ne suis pas infirme.

Debout, elle le défiait du regard. La petite châtaine utiliserait sans doute ce même ton, dans quelques années, pour ramener les élèves récalcitrants de sa classe à l'ordre. Le métier d'institutrice devait lui convenir, car devant son autorité, le jeune homme abdiqua et lui rendit son bagage.

Toutefois, il ne se tenait pas encore pour battu :

— J'aimerais te revoir. Donne-moé ton numéro de téléphone.

— Je n'en ai pas.

— Tout le monde a le téléphone.

— Moi, je ne sais même pas où je serai ce soir…

Pourquoi lui dire tout cela ? L'obstination de ce garçon devenait de plus en plus lourde, et elle se donnait l'impression de l'encourager.

— Tu veux dire que tu sais pas où aller coucher ?

Avant que cet inconnu ne lui offre le gîte et le couvert, Marie-Andrée lui tourna le dos en disant : «Bonne fin de journée.» Elle marcha d'un bon pas vers l'entrée donnant accès au métro. Depuis sa visite avec Jeannot, quelques semaines plus tôt, elle parvenait à se diriger sans problème. Derrière elle, elle crut entendre quelque chose comme « Sainte-Nitouche », sans toutefois en être certaine. Le séducteur tolérait sans doute mal qu'on ne succombe pas à son charme.

La gare d'autobus accueillait de nombreux commerces, dont un kiosque à journaux juste au centre. L'éventail des souvenirs destinés aux touristes s'étalait un peu partout. Le grand stationnement situé à proximité, les multiples autobus des villes de la Rive-Sud ainsi que ceux de toute la province alimentaient un flot continu de passagers désireux de monter dans le métro. À cette heure du jour, à peu près personne n'en descendait.

La jeune fille se laissa emporter par cette marée humaine jusque dans un large escalier. Après l'avoir descendu, elle dut marcher jusqu'à l'extrémité du quai afin d'augmenter ses chances de trouver une place dans le train suivant. Tout ce vaste espace fut bientôt noir de monde, et aucune voiture ne se montrait. La queue risquait de s'étendre au-delà des tourniquets.

Quand la chaîne de wagons s'arrêta enfin, Marie-Andrée se laissa une nouvelle fois emporter par la foule. Son sac encombrant lui valut plusieurs regards sévères, car elle bousculait les autres passagers.

— C'est ton lunch que tu traînes là-dedans ? grogna quelqu'un dont elle venait de frapper les jambes.

Une réponse comme « Quelques vêtements, car j'espère obtenir un emploi dans deux ou trois heures » ne la rendrait pas plus excusable.

Elle passa tout le trajet vers le nord les yeux rivés au sol. Cette affluence l'effrayait, comme si la foule risquait de l'écraser. Combien de centaines de personnes se déversaient-elles simultanément dans la station de l'île Sainte-Hélène quand un métro venu de Montréal et un autre de Longueuil se délestaient de leurs passagers ? En plus, ce 24 juin tombait un samedi, et la plupart des Québécois profitaient d'un congé. Marie-Andrée croyait avoir la population entière de la province autour d'elle.

La popularité de l'exposition universelle dépassait toutes les attentes. Les médias évoquaient un demi-million de visiteurs par jour. Une fois la part faite de l'exagération des journalistes, cela donnait tout de même bien du monde. En une semaine, plus de gens passaient par les tourniquets qu'il n'y avait d'habitants dans la grande région de Montréal.

Comme un bouchon emporté par une rivière, la jeune fille arriva à l'air libre. Dehors, elle chercha à se mettre un peu à l'écart pour éviter la bousculade, incertaine de la stratégie à adopter. Que sa cousine la retrouve dans la cohue tiendrait du miracle.

Pourtant, elle entendit bientôt :

— Hé ! Marie-Andrée, je suis là !

La voix venait de sa gauche. Elle aperçut Nicole Tanguay juchée sur un socle de ciment portant un lampadaire, agrippée de ses deux mains gantées au poteau d'aluminium.

— Viens me rejoindre !

La traversée de la foule se révéla difficile, de nouveau le sac de Marie-Andrée lui valut des remarques peu amènes. Elle arriva auprès de sa cousine au moment où celle-ci revenait sur le sol en s'appuyant à la main d'un touriste serviable. Les parentes s'embrassèrent avec chaleur.

— Laisse-moi te regarder, la pria Nicole en reculant d'un pas.

L'examen mit la jeune fille mal à l'aise.

— Wow ! Mon oncle Maurice devient un homme dans le vent, pour te laisser porter une robe si courte.

Marie-Andrée hésitait entre prendre la défense de son père – «Il n'est quand même pas si colon!» – et lancer: «Elle n'est pas si courte!» Sa cousine ne lui laissa le temps de formuler ni l'une ni l'autre des réparties.

— En plus, tu as choisi la même couleur que notre uniforme!

Les hôtesses préposées à l'accueil des visiteurs portaient une robe bleu pâle et un pull sans manches blanc. Bien sûr, on avait prévu des variantes pour les journées moins clémentes, puisque les festivités, commencées fin avril, se termineraient fin octobre. Certains jours, toutes ces jeunes femmes s'affublaient d'un imperméable avec une ceinture à la taille et un couvre-chef assorti. Pour parer à la fraîcheur du soir ou pour paraître plus solennelles, les hôtesses possédaient une veste, et même un curieux petit chapeau composé de triangles de deux teintes de bleu.

— Je n'y avais pas pensé. Cela tient du hasard…

— Comme si tu voulais lancer la mode des hôtesses en minijupe.

Marie-Andrée portait une robe reprenant la *A-line* de l'Anglaise Mary Quant. Le vêtement plutôt court, sans manches, lui avait paru flatteur lors de son achat, mais maintenant elle se demandait s'il n'en révélait pas trop. Déjà, dans l'autobus, un homme l'avait draguée sans égard pour la bienséance… Peu rassurée sur ses choix, la jeune fille en aurait pour la journée à se sentir un peu trop exposée.

— *Miss, miss!* appela une voix derrière les jeunes femmes.

Elles se retournèrent pour découvrir le parfait stéréotype de la famille américaine: le père, la mère, un garçon et une fille, tous blonds, présentant une dentition d'une blancheur impressionnante et une peau trop rouge à cause d'une exposition imprudente au soleil.

— Accepteriez-vous de prendre une photo avec nous?

Nicole adressa un sourire aux visiteurs, mais en croisant les yeux de sa cousine, elle lut dans son regard : « Pas encore ! » Comme le fils semblait réticent à hériter du rôle du photographe, Marie-Andrée se dévoua :

— Si vous voulez vous joindre aux autres, je vais m'en occuper.

Son anglais s'avérait à peine accentué. Il rendait sa voix plus charmante encore. L'attention lui valut un « merci » et un regard appréciateur. L'instant d'après, les Américains satisfaits continuèrent leur visite de la *wonderful exhibition*.

— Tu ne me croiras pas, mais ça m'arrive vingt fois par jour.

Ses bouclettes brunes, son sourire avenant et sa plastique parfaite valaient sans doute à Nicole ce genre d'attention. L'hôtesse semblait avoir suivi le cours des pensées de sa cousine, puisqu'elle ajouta :

— Pas juste moi, c'est pareil pour toutes mes collègues.

Cela se pouvait bien, car au moment du recrutement, les grosses ou les laides, même si elles étaient polyglottes, n'avaient pas retenu l'intérêt de la direction. Que l'embauche soit basée sur l'apparence physique ne troublait personne, sauf les candidates rejetées.

— Les photos, puis la même sempiternelle question… « Mademoiselle, les toilettes, vous avez caché ça où ? »

On voyait des panneaux donnant cette information partout sur le terrain de l'exposition, mais le sens du pictogramme pourtant très clair échappait malgré tout à la plupart des visiteurs.

La suite parut tenir d'un scénario soigneusement écrit. Une dame vint s'enquérir à voix basse de l'endroit où se trouvaient les commodités ; Nicole y alla d'une explication limpide, accepta quelques mots de reconnaissance, puis redonna son attention à sa cousine.

— Voici tout ce que je fais dans ma journée : décorer des albums de photos de visiteurs venus du Missouri et empêcher les vieilles dames de noyer l'île Sainte-Hélène avec leur pipi. Moi qui pensais faire des rencontres intéressantes !

Deux mois plus tôt, la jolie brunette ne dissimulait pas son enthousiasme à l'idée d'occuper cet emploi. Qu'elle déchante si rapidement surprenait Marie-Andrée.

— Bon, es-tu toujours prête à travailler ?

— Je suis venue pour ça.

— En m'informant ici et là, j'ai pu te ménager quatre entrevues. La première dans l'île Notre-Dame, les suivantes à La Ronde. N'oublie pas ton sac.

Marie-Andrée ramassa le bagage posé sur le sol, puis emboîta le pas à Nicole. De longues queues se formaient devant les pavillons les plus populaires. Sur tous les bancs, sur les socles des statues, sur les marches donnant accès à certains pavillons, déjà des familles s'étaient assises pour partager le goûter apporté de la maison. Pour les moins prévoyants, des cornets de crème glacée payés trop cher faisaient taire les récriminations des enfants les plus affamés.

Malgré l'affluence, les deux jeunes femmes atteignirent bientôt l'île nouvellement construite – une « île inventée », disait la chanson *Un jour un jour* interprétée par Donald Lautrec – avec la terre accumulée par l'excavation des tunnels et des accès au métro de Montréal. En approchant du pavillon thématique « L'Homme à l'œuvre », l'hôtesse s'arrêta pour désigner une affiche.

— Connais-tu ça ?

L'image montrait un coq arborant une généreuse crête rouge, portant la main – en l'occurrence, l'extrémité de son aile gauche – vers son bec pour souligner le repas exquis.

— Évidemment, je connais. Il s'agit de la publicité du St-Hubert Barbecue.

— Le gérant cherche une serveuse.

Le souvenir de Diane Lespérance accompagnée de son fils trisomique vint à l'esprit de Marie-Andrée. Que dirait son père à l'idée d'avoir une blonde et une fille employées dans des restaurants?

— Je te conseille de te montrer prudente. Les vrais restaurateurs, comme ici, ou les propriétaires de casse-croûte que tu verras plus tard abusent de leur personnel. Il y a foule dans ces commerces de onze heures à deux heures de l'après-midi, puis ensuite de cinq heures à neuf heures. Alors, ils ne paient que sept heures de travail, même si tu passes dix heures sur l'île. N'accepte pas de telles conditions.

La châtaine hocha la tête, tout en se disant que profiter de deux ou trois heures de liberté tous les jours pendant deux mois ne serait pas un bien grand désagrément. Les journaux mentionnaient des jeunes Montréalais munis d'un passeport pour la saison, qui passaient absolument tout leur temps à l'exposition.

— Le gars s'appelle Patenaude. Georges Patenaude. Je vais t'attendre ici pour te conduire ensuite à La Ronde, mais après, tu te débrouilleras seule.

Nicole lui adressa un clin d'œil avant d'ajouter:

— Présentement, je me trouve au travail.

— Et là, je t'accapare…

— Alors, vas-y. Ça ne devrait pas te prendre plus de dix minutes.

Marie-Andrée prit une grande inspiration, puis marcha résolument vers le pavillon L'Homme à l'œuvre. Des femmes à l'œuvre, on ne disait pas un mot.

Granby comptait parmi ces villes du textile si nombreuses au Québec, mais on la connaissait surtout à cause de son jardin zoologique. Un samedi, celui de la fête nationale en plus, l'affluence menaçait d'être insupportable. En entrant dans l'immense stationnement, Maurice se dit que n'importe quel autre jour de l'été aurait mieux valu que celui-là.

Il leur fallut faire la queue afin de payer l'entrée.

— On va voir des lions, hein?

Le garçon voulait être rassuré, comme s'il tenait à ce que cet homme lui confirme tout ce que sa mère avait évoqué.

— Oui, dans quelques minutes, nous pourrons voir tous les animaux.

— Les lions?

Aux yeux d'Antoine, tous les autres animaux de la création paraissaient représenter des quantités négligeables. Autour d'eux, les familles se rassemblaient par centaines, certaines comptant cinq, six, parfois sept enfants. La province venait tout juste de rompre avec la revanche des berceaux. Les femmes utilisaient de plus en plus la pilule anticonceptionnelle, malgré l'opposition de l'Église catholique.

— M'man, t'as vu le garçon?

Dans la longue file, une gamine d'une dizaine d'années brandissait son doigt en direction d'Antoine. Elle jugea bon d'exprimer le fond de sa pensée:

— Y est laitte.

Diane passa son bras autour des épaules d'Antoine.

— Ne les écoute pas, mon chéri.

La mère utilisait spontanément le pluriel. Devant son enfant différent, il n'y avait pas qu'une fillette, mais tout un monde hostile.

— C't'un mongol. R'garde-le pas, dicta la mère.

Cette femme ne trouvait rien de mieux à suggérer que de détourner le regard, ou de faire la sourde oreille à des êtres qui, à ses yeux, menaçaient de déranger.

— L'monde m'aime pas, remarqua l'enfant trisomique.

Son enthousiasme pour les lions s'était érodé d'un coup, et des larmes coulaient de ses yeux.

— Madame, intervint Maurice d'un ton sec, les Mongols habitent en Mongolie. Ce garçon est tout aussi canadien-français que vous et moi.

— Bin, on voué qu'vous l'avez pas r'gardé.

— Sa condition s'appelle la trisomie. Vous devriez vous estimer chanceuse que ce ne soit pas arrivé à vos enfants, et vous retenir de dire des méchancetés aux autres.

L'enseignant passa son bras autour des épaules du garçon pour le mettre devant la mégère. Une heure plus tôt, il souffrait des regards que lui valait sa présence, maintenant il volait à sa défense.

— Entre lui et vous, je ne me demande même pas qui a le plus d'humanité.

Le ton du professeur réprimandant un élève impertinent lui venait spontanément. Ensuite, il tint Antoine à côté de lui, défiant la femme des yeux. À la fin, elle se détourna pour fixer résolument les tourniquets.

Pour se rendre au restaurant, Marie-Andrée devait traverser une grande partie du pavillon L'Homme à l'œuvre. Son regard se porta sur la ligne de montage totalement automatisée d'une automobile. Dans peu de temps, tous les produits offerts à la consommation seraient fabriqués de cette façon. Plus personne ne travaillerait. Les médias parlaient de civilisation des loisirs. Un jour, des machines remplaceraient sans doute aussi les institutrices. L'idée la troublait.

Le pavillon thématique donnait sur un canal, et au-delà se tenait l'élégant édifice construit par l'Italie. Son toit présentait un rectangle un peu concave, avec une sphère posée dessus. Les clients du restaurant St-Hubert profitaient d'un beau coup d'œil dans cette direction. Le loyer devait coûter une fortune. Au-delà, on voyait l'île Sainte-Hélène.

Derrière un comptoir, trois jeunes femmes affublées d'un affreux uniforme brun faisaient le service. Même aussi tôt que onze heures, des gens savouraient des cuisses ou des poitrines de poulet avec des frites.

— Monsieur Patenaude ? demanda-t-elle à la fille derrière la caisse.

— Par là, lui répondit-elle en désignant vaguement une porte.

La succession ininterrompue de clients l'empêchait de se montrer plus loquace. Marie-Andrée entra dans un petit local encombré de boîtes de carton et de paperasse. Un gros homme s'affairait à sa table de travail. Chauve, il portait une chemise d'un vilain beige. La sueur dessinait de grands cernes sous ses bras. En transparence, on voyait sa camisole. Tout pour le rendre séduisant !

— Monsieur Patenaude ? répéta Marie-Andrée, pour se présenter, cette fois.

Lui aussi se livra à un examen détaillé de la nouvelle venue, et un petit sourire signifia son appréciation. Puis son regard se posa sur le sac de voyage.

— Toé, tu viens icitte pour passer la semaine ?

— Je me cherche un emploi.

— Bin je pensais, avec ta valise.

Tout de même, il lui désigna une vieille chaise et se détourna de son travail pour lui faire face. La jeune femme s'assit et posa son sac près d'elle.

— Tu dois être la p'tite Berger. Une grande brune m'a parlé de toé, une hôtesse.

— Nicole Tanguay. Il s'agit de ma cousine.

— Ouais.

Son interlocuteur affichait un sourire nostalgique, comme s'il gardait une image agréable de cette belle jeune femme.

— Bon, t'as déjà travaillé dans un restaurant, j'suppose.

— Euh… Non, jamais.

Les rêves de Marie-Andrée semblaient de nouveau frôler le naufrage. Son visage exprima son inquiétude.

— T'as travaillé où, alors?

— Nulle part.

La jeune fille fut sur le point d'ajouter: «Sauf pour garder des enfants.» Mais quelque chose lui disait que l'information n'aiderait pas sa cause.

— Tu sais rien faire, alors.

Pouvoir réciter des déclinaisons latines ne comptait pas vraiment, dans ces circonstances.

— Un restaurant, c'est d'l'ouvrage.

— Je peux apprendre.

Patenaude semblait apprécier ses jambes, au point où la jeune fille serra les cuisses et ramena ses pieds sous sa chaise, comme on le lui avait appris au couvent lorsque le temps venait de prendre les photos de classe. Voilà qu'elle regrettait d'avoir mis cette minirobe.

— Ouais… au moins, parles-tu anglais?

— Ma mère m'a appris cette langue en premier.

Bien sûr, ces mots prononcés dans sa «langue seconde» ne suffisaient pas, aussi elle se livra à un petit exposé sur les nombreux Irlandais vivant au Canada, sur leur mariage avec des francophones et sur la présence de rejetons bilingues. À voir les yeux perdus de son interlocuteur, elle comprit qu'à un moment, il s'était égaré dans son raisonnement. Autant arrêter là sa démonstration de compétence linguistique.

— Parce qu'icitte, des Anglais, y en a en masse. Ceux des États, ceux de l'Ontario, pis d'autres places que j'connais même pas. Viens à côté.

Un bref instant, Marie-Andrée pensa à une suggestion scabreuse, puis se reprocha son attitude si craintive. Elle entendait le bruit d'une cuisine, ils ne seraient pas seuls. Dans la pièce voisine, des garçons réduisaient des poulets entiers en poitrines et en cuisses. Ils levèrent les yeux vers la nouvelle venue, quelqu'un laissa échapper un petit sifflement admiratif.

— C'est pas trop compliqué. Les gars rôtissent et préparent le poulet, au comptoir des filles prennent les commandes, celles qui sont là-bas préparent les plateaux… Tu penses que tu pourrais faire une de ces jobs-là ?

— Oui, je pense. Après tout, il y a tout au plus une douzaine de produits au menu.

La remarque sembla vexer le gérant.

— Bon, toé, tu prendras les commandes, tu feras payer les clients, pis tu leur passeras leur plateau.

— … Vous m'embauchez ?

Le dénouement la surprit un peu. De nouveau, Patenaude la soumit à un examen attentif, puis il conclut :

— T'es pas bin grosse, j'pense que tu pourras mettre le costume de Thérèse.

La minute suivante, ils revenaient dans le petit bureau sans fenêtre. Le bonhomme fouilla dans une armoire, puis lui tendit un uniforme soigneusement plié. Le tissu synthétique s'avéra désagréable au toucher.

— C'est toé qui t'occupes d'le laver. R'viens pas icitte avec des taches.

La précaution de se munir d'une valise se révélait utile. Elle y plaça le vêtement.

— Tu commences demain matin à onze heures. J'serai pas là, les autres te diront quoi faire. Tu finiras quand y aura pus personne.

Cela signifiait une présence d'une dizaine d'heures. La prédiction de Nicole se réalisait. Elle reprit son sac, puis tendit la main.

— Merci, monsieur Patenaude.

L'homme la lui serra. Quand elle s'apprêta à partir, il demanda :

— Tu vas où, là ?

Une nouvelle inquiétude sur les intentions du patron lui vint.

— … Visiter un peu, puis rentrer après.

— Laisse ça icitte.

Comme elle soulevait les sourcils, il précisa :

— Ton sac. Tu vas pas le trimballer su' l'terrain de l'Expo, tu vas te ramasser avec une épaule plus basse que l'autre. Tu le reprendras t'à l'heure.

— Merci, monsieur.

Sa méfiance du moment précédent lui parut ridicule. Après tout, dans un endroit comme celui-là, il ne pouvait rien lui arriver. En sortant, elle fut attirée par les présentations du pavillon, mais il lui était impossible de s'attarder, car sa cousine l'attendait dehors.

Chapitre 2

Nicole se tenait à quelques dizaines de verges du pavillon L'Homme à l'œuvre. Un homme grand, bien bâti, plutôt jeune était planté devant elle. L'hôtesse avait une façon bien séduisante de toucher ses cheveux en jouant à la minaude. Celui-là ne lui demandait certainement pas le chemin des toilettes. Dans ces circonstances, Marie-Andrée ralentit le pas.

Sa cousine la remarqua. Elle termina sa conversation en acceptant la carte professionnelle de son interlocuteur après que celui-ci y eut écrit quelque chose, puis vint la rejoindre.

— Ça a marché ! Je commence demain.

— Le salaire ? L'horaire ?

— … Quelle idiote je fais. Je ne lui ai même pas demandé le salaire. Quant à l'horaire, de onze heures à la fermeture.

Nicole ne se priva pas de rire, puis elle commenta :

— Franchement, partie de cette façon, tu vas mourir pauvre. Bon, à ton âge, le salaire minimum est de quatre-vingt-dix cents. Un dollar quand tu auras vingt et un ans. Et ton sac ?

— Je l'ai laissé là, je le reprendrai tout à l'heure.

L'adolescente se demandait encore s'il s'agissait d'une bonne idée.

— Tant mieux. Tu paraissais étrange avec ça à la main. Les autres entrevues sont à La Ronde.

Tout en parlant, Nicole sortit une feuille du petit sac à main pendu à son épaule.

— C'est inutile, j'ai déjà un emploi.

— Alors, va leur dire que tu n'es plus disponible. J'ai pris ces rendez-vous pour toi, je ne veux pas perdre ma réputation si tu ne te présentes pas.

Évidemment, c'était la moindre des choses. La jeune fille timide ne trouverait pas la démarche agréable, elle aurait l'impression de leur faire faux bond, mais il lui était impossible d'y échapper sans paraître grossière. Autant satisfaire sa curiosité pour se changer les idées.

— Cet homme, tout à l'heure ?

— Un Américain. Un entrepreneur, d'après ce qu'il a dit. Mais un gars qui se promène à l'Expo avec une carte d'affaires pour la distribuer aux hôtesses, ça me semble louche. Je parierais sur un entreprenant.

Un coureur à la recherche d'une jeune femme dans le vent : ce genre de stratégie ne devait pas la surprendre.

— Alors, nous nous reverrons ce soir, ma belle.

Après avoir fait la bise à Marie-Andrée, Nicole s'éloigna dans une ondulation des hanches capable de capter l'intérêt de tous les touristes américains âgés de douze à quatre-vingt-dix ans.

Marie-Andrée espérait pouvoir parler quelques minutes à son père. Le prix de la communication lui était inconnu, mais ses deux dollars en pièces de monnaie suffiraient certainement. À la station de métro de l'île Sainte-Hélène, elle jugea le flot de touristes susceptible de rendre la conversation tout à fait inaudible. Autant profiter du changement de voiture à la station Berri-de-Montigny.

Rendue là, il lui fallait d'abord s'orienter. Sur le quai, la jeune fille consulta le plan du réseau métropolitain affiché au mur. À cette station, la ligne jaune, qui venait de Longueuil, se terminait. La verte, d'est en ouest, allait des stations Frontenac à Atwater. L'orange, du nord au sud, commençait à Henri-Bourassa pour se terminer à Bonaventure. Ensuite, il suffisait de monter à l'étage des tourniquets pour trouver un appareil téléphonique.

Son sac posé par terre entre ses jambes afin de ne pas se le faire chiper – les journaux présentaient le terrain de l'Expo et les couloirs du métro comme les royaumes des voleurs à la tire –, elle glissa des pièces dans la fente et demanda d'être mise en communication avec la maison de la rue Couillard, à Saint-Hyacinthe.

— Papa, lança-t-elle en entendant son «Allô», j'ai trouvé du travail!

Après un court silence, Maurice Berger répondit sans grande conviction, comme s'il n'acceptait pas encore de perdre sa fille:

— Bravo, je te félicite… Que feras-tu?

— Serveuse, au St-Hubert Barbecue.

Dans sa demeure, l'homme regarda Diane. Elle passait son bras autour du cou d'Antoine tout en répétant à mi-voix:

— Chut, ne fais pas de bruit. Il doit entendre la personne à l'autre bout du fil.

Depuis son retour de Granby, le garçon ne cessait de babiller, encore surexcité par les découvertes de la journée.

— C'est un drôle de hasard! Lors de notre visite, nous avons mangé là. C'est bien celui du pavillon L'Homme à l'œuvre?

— Oui. Tous les jours, je devrai le traverser. Je suis certaine qu'à la fin août, j'y découvrirai encore de nouvelles choses.

Maurice devinait ses émotions devant cette nouvelle expérience, simplement au timbre de sa voix : l'excitation mêlée de crainte, justement à cause du caractère inédit de l'aventure.

— Je suis content pour toi. Tu verras, après quelques jours, tu maîtriseras la situation.

— Merci. Je me dis la même chose pour me rassurer.

En entendant son ton enjoué à l'autre bout du fil, le père mesura de nouveau combien elle lui manquerait. Une voix s'interposa :

— Il reste une minute, mademoiselle.

Maurice entendit une pièce tomber dans un conduit métallique.

— Tu n'avais pas d'autres entrevues ?

— Une boutique pour vendre de beaux souvenirs de Montréal *made in Japan* et deux petits stands à hot-dogs. Je suis passée pour leur dire que j'avais déjà trouvé.

Maurice regarda une nouvelle fois Diane, toujours occupée avec son fils. Sa blonde et sa fille exerceraient le même métier, au moins pendant les mois à venir.

— Maintenant, vas-tu te rendre chez ta tante pour le souper ?

— Ma fortune ne me permet pas encore de fréquenter les grands restaurants.

La jeune fille demeura silencieuse un instant, puis poursuivit :

— Ça me gêne un peu.

— Tu sais bien qu'elle t'attend. Je peux l'appeler, si tu veux.

— Non, pas question…

La seule façon de gagner une certaine assurance était de faire les choses elle-même au lieu de se fier à autrui. Sur un ton moins abrasif, elle enchaîna :

— Tu ne pourras pas toujours intervenir pour me faciliter la tâche. Je dois apprendre à me débrouiller.

— Mademoiselle, il reste moins d'une minute, signala encore une voix autoritaire.

— Bon, là, je dois y aller, papa.

— Bonne soirée, prends bien soin de toi.

— Dis bonjour à Diane et à son fils. Bye.

Un bruit métallique interrompit la communication. Maurice raccrocha en disant :

— Marie-Andrée vous salue tous les deux.

— … Belle, dit Antoine en posant sur lui ses yeux un peu globuleux.

— Oui, belle. Avec de longs cheveux châtains et des yeux gris.

L'image de la jeune fille ce matin-là, dans sa petite robe bleue, lui resterait toujours en mémoire. Pour ce gamin, il s'agissait d'un coup de foudre, dans toute sa simplicité.

— Si j'ai bien compris, commenta Diane, elle travaillera…

— Au restaurant St-Hubert de l'Expo, là où nous avons mangé.

— Des semaines à servir du poulet… Il y a mieux comme travail, mais il y a pire, aussi.

Ce genre de commentaire visait sans doute à le rassurer. Antoine intervint :

— On a vu des lions, hein ?

Il s'agissait de son second coup de foudre de la journée.

— Oui, de gros lions, renchérit l'enseignant.

Son attention se porta sur la jeune femme :

— Veux-tu manger, maintenant ?

Diane Lespérance lui adressa un sourire reconnaissant. Une fois habitué à la présence étrange de l'enfant, toute la journée Maurice s'était montré patient, attentionné. Que son fils se montre si confiant, dès leur première rencontre, témoignait de la gentillesse de son compagnon. Cet enfant ne se trompait jamais quand il s'agissait d'apprécier l'attitude des gens à son égard.

— Malheureusement, nous n'aurons pas le temps, intervint la mère.

De nouveau, son horaire contraignant s'imposait. Elle précisa :

— Ma collègue a accepté de prendre le relais jusqu'à sept heures à cause de services rendus dans le passé, mais je ne pense pas qu'elle y consacrerait tout son samedi soir.

La jeune femme se tourna à demi vers son fils pour dire d'un ton faussement enjoué :

— Maintenant, Antoine, nous allons voir grand-maman.

— Manger…

Du doigt, il désignait la cuisine à côté.

— Oui, tu vas manger avec grand-maman.

Déjà elle se levait, puis lui tendait la main. Même si la tristesse se lisait sur son visage, le garçon se soumettait à sa volonté. Maurice quitta aussi son siège pour les accompagner à la porte. Diane dit encore :

— Antoine, tu dis merci pour cette belle journée ?

Une nouvelle fois, l'enseignant sentit les deux bras autour de sa taille, entendit : « Merci pour les lions. » Sa mère le poussa vers la sortie, puis embrassa son compagnon avec chaleur, mêlant sa langue à la sienne avant de lui dire à voix basse :

— Je t'appelle demain matin, en me levant.

Pendant un moment, debout sur le pas de la porte, Maurice les regarda s'éloigner. La mère posait son bras sur les épaules du fils, plutôt petit pour ses douze ans. Il devait accepter les deux dans sa vie, ou aucun, car l'un ne survivrait pas sans l'autre.

Puis il ferma la porte, et retourna dans son salon terriblement vide.

Pour se rendre chez sa tante Mary, Marie-Andrée avait dû descendre à la station de métro Mont-Royal, puis marcher vers l'est jusqu'à la rue Saint-Hubert. Un coup de fil lui avait permis d'avertir sa tante de son arrivée prochaine. Trente secondes bien comptées après qu'elle eut frappé, la porte s'ouvrit brusquement devant elle.

— Fais-moi penser de te donner une clé tout à l'heure, car je ne veux pas passer mon temps à courir dans le couloir.

Une bise sur la joue gauche puis une autre sur la joue droite adoucirent le ton décapant. La femme s'essuyait les mains avec une petite serviette. L'arrivée de sa pensionnaire interrompait une tâche ménagère.

— Pose ton sac dans la chambre de Nicole, puis passe dans la salle à manger.

— Je vais vous aider.

Mary n'insista pas pour la voir jouer à l'invitée. La jeune fille pensa qu'une autre réponse aurait plutôt mal inauguré cette cohabitation. Dans la pièce qui l'abriterait au cours des semaines à venir, le lit lui apparut bien plus étroit que lors de sa visite précédente. Et pourtant, il lui faudrait le partager.

Quand elle entra dans la cuisine, sa tante posait une assiette sur un plateau.

— Si tu veux lui apporter ça... Il s'agit d'une Américaine, *miss* Dunton.

— D'habitude, tes clients viennent des États-Unis?

— Pas tous. Comme j'ai indiqué "bilingue" dans mon annonce, Logexpo ne m'envoie que des gens qui parlent anglais : Américains, *Canadians*, Britanniques.

Marie-Andrée apporta le repas dans la pièce voisine, puis entendit la cliente vanter la beauté de l'exposition grâce à une bonne moitié des superlatifs épiçant la langue de Shakespeare. Ensuite, elle revint dans la cuisine manger avec sa tante. Son travail au restaurant occupa la conversation. Vers huit heures, elles allèrent dans le salon afin de regarder la télévision une petite heure.

Tandis que Diane Lespérance cheminait vers chez elle, la manie qu'avait Antoine de s'extasier sur une voiture, une maison ou une plante lui tomba sur les nerfs. La patience de son employeur pour ses retards s'avérait bien courte. Aussi, elle entoura les épaules de son fils avec son bras pour lui faire accélérer le rythme.

Dans la rue de l'Hôtel-Dieu, elle pénétra directement dans le logement du rez-de-chaussée, chez sa mère. La grosse femme s'affairait déjà à la préparation du souper. Dès qu'il eut passé la porte, le jeune garçon s'engagea sur-le-champ dans un compte rendu de la journée où les lions figuraient en bonne place.

La vieille femme l'interrompit bien vite :

— Attends une minute, mon grand, j'veux dire un mot à ta mère. Tu comprends, nous aut', nous aurons toute la soirée pour jaser.

Sans marquer de pause, elle enchaîna :

— Pis, ton professeur, y est comment ?

— Bin fin avec Antoine.

En l'absence de témoins, Diane retrouvait spontanément la langue première de son enfance, sans s'encombrer des règles de grammaire ou de syntaxe.

— Ça va-tu finir d'vant l'autel, c't'histoire-là ?

La jeune femme haussa les épaules pour signifier son ignorance.

— On sait bin, asteure que tu y as donné son bonbon, pourquoi y s'donnerait la peine de te marier ?

La serveuse ne voulut pas s'engager dans un long exposé sur la façon dont les choses se passaient entre son amant et elle, en cette année de l'amour libre. Une femme ne pouvait plus faire miroiter les félicités conjugales pour amener un homme au mariage, ni s'assurer du gîte et du couvert toute une vie durant en lui donnant accès à son entrejambe. L'intimité se monnayait moins facilement que par le passé.

— Bon, bin moé, j'monte mettre mon uniforme pour aller travailler.

Diane embrassa son fils. Elle passait tout juste la porte quand Antoine recommença le récit de sa journée, remplie de rencontres avec des fauves effrayants.

Maurice comprenait que Diane Lespérance s'empresse de retourner au travail – déjà, elle s'estimait chanceuse d'avoir obtenu une heure de grâce. Puisque sa blonde servait des hamburgers six soirs par semaine au petit restaurant de la gare routière, désormais les soirées de Maurice s'écouleraient dans la solitude.

D'ailleurs, ce n'était pas cette femme qui lui manquait le plus. Durant tout le trajet du retour de Granby, il s'était imaginé retrouver Marie-Andrée dans le salon en train de parcourir une revue, ou un roman. Cette partie de son existence était terminée, jamais plus il ne profiterait de sa présence.

Pendant quelques semaines, sa fille travaillerait dans un restaurant. Ensuite, elle fréquenterait l'école normale, puis occuperait un poste d'institutrice. Un jeune homme – Jeannot ou un autre – ferait d'elle sa femme. Rien de plus naturel. Désormais, elle lui accorderait une journée ou une soirée de temps en temps. Elle avait été son soleil pendant ces dernières années ; se séparer d'elle s'avérerait aussi difficile que son veuvage.

Cette pensée le troublait. Sa meilleure action en tant que père avait été de permettre à Marie-Andrée de prendre ses distances, le printemps précédent. Pour tromper sa solitude, mieux valait décapsuler une bière et essayer de se concentrer sur le défilé de la Saint-Jean-Baptiste, diffusé sur les ondes de Radio-Canada.

Marie-Andrée avait regagné son lit avant dix heures afin d'échapper à l'ambiance lourde du salon. La présence d'une étrangère avec qui les deux autres n'avaient aucune affinité mettait tout le monde mal à l'aise. Avec la chaleur de ce 24 juin, une simple nuisette lui servait de vêtement. Après avoir lu un magazine de la première à la dernière page, elle éteignit la lampe de chevet pour s'endormir très vite.

Après un temps très court, lui sembla-t-il, un bruit l'éveilla en sursaut.

— Il y a quelqu'un ? demanda-t-elle en s'asseyant, les bras croisés sur sa poitrine comme pour se protéger.

Une ombre se déplaça devant ses yeux, puis une voix féminine murmura :

— Désolée, je ne voulais pas te réveiller, mais je ne suis pas tout à fait… tout à fait à jeun.

Puis vint un fou rire. Les pupilles de Marie-Andrée se dilatèrent au point de distinguer sa cousine dans la pénombre, comme une image en noir et blanc. Elle avait déjà enlevé la jupe de son uniforme d'hôtesse, s'activait à ôter son pull, avant de dégrafer son soutien-gorge. En pleine lumière, tout le monde aurait aperçu le rouge aux joues de l'adolescente; jamais elle n'avait vu une autre poitrine que la sienne. La silhouette de sa cousine avait les formes généreuses de ces mannequins faisant réclame de produits miracles vendus aux femmes.

Nicole enfila ce que la publicité annonçait comme un *baby-doll*. Quand elle la rejoignit dans le lit, Marie-Andrée sentit son haleine avinée. Cette jeune femme ne passait pas ses samedis soir avec les Filles d'Isabelle…

— As-tu apprécié ta soirée avec la nouvelle pensionnaire de maman?

— Je suis venue lire ici dès que possible.

Nicole eut un ricanement bref. Visiblement, elle aussi préférait se trouver ailleurs, pour éviter ces inconnues.

— Elle a besoin de l'argent, car l'assurance vie de papa ne lui permet pas de rouler sur l'or. Comme tu reviendras ici entre neuf et dix heures le soir, après ton travail, ce ne sera pas un problème pour toi.

Marie-Andrée n'écoutait pas vraiment. La proximité du corps à peu près nu de sa cousine la gênait. Son père tenait soigneusement ses distances, et même Jeannot respectait sa pudeur… Pareille situation la laissait totalement démunie.

— Maintenant, autant dormir, demain tu connaîtras ta première journée de travail. Bonne nuit.

Sa cousine lui tourna le dos. Marie-Andrée lui adressa le même souhait, puis essaya de retrouver le sommeil. Elle se tenait au bord du matelas, pour éviter tout contact de peau à peau. Finalement, un lit de cinquante-quatre pouces de largeur se révélait très étroit.

La jeune fille se réveilla un peu appuyée contre Nicole. Au trouble causé par cette proximité succéda un sourire moqueur. Nicole ronflait bruyamment, sans doute à cause de l'effet combiné de l'alcool et de sa position, sur le dos. Même ainsi, sa poitrine montrait un joli galbe.

La veille, Marie-Andrée avait posé son uniforme sur le dossier d'une chaise. Encore une fois, le contact du tissu fut désagréable sur sa paume. Elle enfila le peignoir prêté par sa tante. En se rendant à la salle de bain, elle en tint par pudeur le col à deux mains, le serrant jusque sur son cou. Elle espérait ne croiser personne, surtout pas la touriste américaine. Quand elle en ressortit une vingtaine de minutes plus tard, vêtue de son vêtement de tissu synthétique brun, sa tante Mary détourna son attention de la cuisinière électrique pour commenter, après un examen sommaire :

— Celle qui le portait avant devait le remplir mieux que toi.

Un moment plus tôt, la jeune fille s'était fait la même remarque devant le miroir.

— Mes seins sont un peu timides. Ils n'osent pas sortir.

La pointe d'autodérision ne masquait pas totalement ses doutes sur l'attrait de ses propres charmes.

— Il s'agit du vêtement d'une certaine Thérèse, continua-t-elle. Le gérant aurait dû mieux me regarder.

Pourtant, la veille, Patenaude lui avait semblé la détailler de près, assez pour avoir une bonne idée de ses mensurations.

— Bof, tu sais, ces accoutrements viennent en deux tailles : trop petits ou trop grands. Alors, tu peux te compter chanceuse, il ne te pète pas sur le dos. Un œuf ou deux ?

La nouvelle serveuse dînerait probablement tard dans l'après-midi, alors la seconde option l'emporta. Nicole les rejoignit au moment où Marie-Andrée s'apprêtait à sortir pour se rendre à Terre des Hommes.

— Beurk! Je préfère mon uniforme au tien.

Cette fois, la jeune fille se sentit vexée.

Le trajet en métro vers le site de l'exposition n'était pas tellement long. Marie-Andrée le parcourut dans un océan de touristes. Après être descendue à la station de l'île Sainte-Hélène, il lui fallait encore se rendre à pied jusqu'à l'île Notre-Dame. Sur son passage, un jeune homme lui lança : « *Pout pout pout, que désirez-vous, pout pout pout, St-Hubert Barbecue !* » Elle regarda l'insolent, un garçon d'une vingtaine d'années juché sur un pédicab, ce curieux véhicule fabriqué à partir d'une bicyclette bleue et doté d'une banquette capable d'accueillir deux personnes. La compagnie de location d'autos Tilden offrait ce service à l'Expo. La balade ne coûtait que quelques sous.

— Va livrer du poulet, dit-elle sur un ton aigre, si tu connais la chanson.

La répartie témoignait d'une grande impatience, et même de colère. D'habitude, elle tentait de s'exprimer sur un ton mesuré. Le jeune homme la regarda avec un sourire moqueur, puis s'éloigna en lui lançant :

— Bonne journée, beauté.

« Si je veux éviter ce genre d'attention, songea-t-elle, je ferais mieux de transporter mon uniforme dans un sac, et de me changer en arrivant au travail. » Les toilettes de l'établissement, ou même celles du pavillon thématique L'Homme à l'œuvre, le lui permettraient.

En continuant son chemin, elle remarqua au passage une station de l'Expo-Express, un train gratuit qui, en partance de la Cité du Havre, faisait le tour de l'exposition. La jeune fille se promit de demander à ses collègues s'il était plus court de prendre ce moyen de transport pour se rendre au travail, plutôt que le métro.

Au restaurant, une serveuse se trouvait déjà de faction derrière le comptoir afin de mettre tout en ordre pour l'arrivée des premiers clients. Marie-Andrée s'approcha pour dire :

— Bonjour. Je commence ce matin.

Sa nouvelle collègue la détailla des pieds à la tête, puis lança par-dessus son épaule :

— Germaine, la nouvelle est arrivée.

La jeune femme paraissait déterminée à ne pas lui accorder une seconde d'attention de plus. Elle recommença à mâcher sa gomme, ce qui accentuait son air bovin. « Bravo pour l'accueil ! » songea la nouvelle venue.

Une autre serveuse, un peu plus avenante, s'approcha.

— C'est toé qui parles anglais ?

— … Oui.

— Tu prendras les commandes avec moé. Quand y en aura un, tu m'aideras.

Elle voulait dire : un anglophone. Le fait que l'on puisse avoir suffisamment de mal à maîtriser cette langue pour être incapable de décliner la douzaine de mets offerts au comptoir St-Hubert laissa Marie-Andrée perplexe. Son interlocutrice jugea nécessaire de se justifier :

— Moé, j'les comprends, c'est eux autres qui me comprennent pas.

La serveuse devait avoir une vingtaine d'années. Trop costaude pour être jolie, elle lui parut néanmoins pleine de bonne volonté.

— Le plus dur, c'est de maîtriser l'accent, admit Marie-Andrée.

Reconnaître la difficulté de l'exercice lui valut un sourire amical.

— Bin, viens me r'joindre, si tu travailles icitte.

La châtaine passa par le même petit bureau que la veille, traversa la cuisine et vint à ses côtés.

— C't'assez simple. Les clients te donnent le numéro de leur commande. Dans certains cas, ça comprend le breuvage. S'ils demandent autre chose qu'une assiette combinée, tu leur offres d'la liqueur ou du café. Après ça, tu punches, tu annonces le total, tu ramasses l'argent. Les commandes vont aux filles en arrière, pis quand elles ont tout mis sur un plateau, tu remets leur repas aux clients.

Ainsi, elles seraient deux derrière une caisse. Pendant les heures de grande affluence, une troisième les aiderait. Une demi-douzaine d'employés s'affairaient du côté de la cuisine surchauffée. En comparaison, la tâche de Marie-Andrée se révélait d'une facilité enfantine. Pourtant, à l'arrivée de son premier client, le fonctionnement du clavier de la caisse enregistreuse demeurait encore mystérieux pour elle.

— Tu t'en occupes, lança sa collègue.

Le cœur battant très fort, elle commença :

— Monsieur, que voulez-vous commander ?

Chacune des étapes se déroula lentement, mais sans la moindre erreur. Le consommateur se montrait sensible à son sourire timide et à sa voix douce, et le temps d'attente ne lui enleva pas sa bonne humeur. Quand Marie-Andrée présenta un air vainqueur à Germaine, l'autre répliqua :

— Bravo. Dans dix minutes, y s'ront cinquante en ligne, pressés de retrouver l'Expo, avec des enfants braillards dans les jupes des femmes. Tu vas voir !

Bien sûr, Germaine ne se trompait pas. Les petites opérations toutes simples deviendraient très complexes sous la pression.

43

Décidément, prendre congé de la messe dominicale devenait une habitude pour Maurice. Il se leva après neuf heures avec un léger mal de tête. Finalement, remplacer le souper par quelques bières n'était plus de son âge. Après avoir bu un grand verre d'eau, il se consacra à la préparation du déjeuner. Pour une personne! Il lui faudrait du temps pour se faire à cette solitude.

Passé midi, toujours en pyjama, il chercha de la musique classique sur son poste de radio. La sonnerie du téléphone l'interrompit. La voix joyeuse de Diane répondit à son « Allô ».

— Maurice, je veux te remercier encore pour la belle journée d'hier. Nous avons tellement aimé.

Plus exactement, elle se sentait touchée par sa façon d'agir avec Antoine. Dès le moment de sa naissance, le pauvre devait avoir été un obstacle à toutes ses histoires d'amour.

— Je suis content que ça vous ait plu. Puis tu avais raison, il s'agit d'un enfant attachant.

À l'autre bout du fil, des larmes montaient aux yeux de la jeune femme. Un silence un peu trop prolongé en donna la preuve à Maurice.

— Je me demande s'il a connu une journée plus heureuse que celle-là, dans toute sa vie.

D'habitude, les hommes placés sur son chemin s'irritaient plutôt de sa présence.

— Je ne puis pas en juger. Cependant, son plaisir de voir des lions ne faisait aucun doute.

— Tu sais ce que je veux dire. En dehors de sa famille immédiate et des enseignants à l'école, personne ne lui fait un bon accueil.

L'attitude de cette femme si méprisante, dans la file d'attente devant les tourniquets, devait se répéter tous les jours. De son côté, le gamin ne le rebutait pas trop. «Après tout, songea-t-il, un trisomique pose moins de difficulté que les adolescents normaux présents dans ma classe de septembre à juin. Toute sa vie, il demeurera un enfant aimant.» À haute voix, il demanda :

— Peux-tu sortir avec moi, aujourd'hui ?

— Antoine fait toujours une longue sieste au cours de l'après-midi. Comme maman peut garder un œil sur lui, je disposerai de tout mon temps jusqu'à l'heure du souper. Ce soir, je devrai toutefois le retrouver.

— Alors, que proposes-tu ?

— Si j'allais chez toi ? Nous avons couvert bien des milles hier, je serai heureuse de simplement passer du temps avec toi.

Diane venait de lui signifier qu'ils avaient quelques heures devant eux pour un tête-à-tête intime.

— Viens tout de suite me rejoindre.

— J'arrive.

Devait-il se vêtir, ou rester en pyjama ? La seconde éventualité lui paraissait afficher trop clairement ses intentions. D'un autre côté, tous les deux savaient qu'ils se rendraient très vite dans la chambre à coucher.

Chapitre 3

Diane Lespérance arriva à peine vingt minutes plus tard, pour découvrir son compagnon toujours en pyjama. Elle esquissa un sourire ironique en s'approchant pour l'embrasser. Maurice présenta sa joue tout en expliquant :

— Je deviens un peu trop bohème. Je me suis levé tard, je dois encore faire ma toilette et me brosser les dents.

— Ah ! Je croyais qu'en me recevant dans cette tenue, tu m'entraînerais directement dans ta chambre.

— Honnêtement, l'idée m'en est venue, mais j'ai encore le goût de la bière dans la bouche.

La jeune femme se réjouit de cette gentille attention. Au cours de sa vie, bien des hommes empestant la bière ou autre chose ne s'étaient pas privés de lui faire des avances pressantes.

— En m'attendant, regarde dans la cuisine si quelque chose à manger ou à boire te tente.

Puis l'enseignant disparut dans la salle de bain. Laissée seule, Diane alla dans le salon pour examiner les lieux. Le canapé et le fauteuil dataient de quelques années, de même que le téléviseur. Une pièce confortable, en bon ordre. Dans la cuisine, elle put faire le même constat.

Le bruit de la douche lui indiqua que son hôte en aurait pour quelques minutes encore. Assez pour lui permettre de poursuivre sa visite discrète de la maison. La porte de la chambre de Marie-Andrée était fermée. Elle l'ouvrit pour contempler le petit lit soigneusement fait la veille, avant le départ vers Montréal. Quelques livres formaient une pile bien régulière sur la table de travail. Diane n'en possédait aucun, et l'idée de passer une soirée à s'abîmer les yeux pour en déchiffrer les lignes ne lui disait rien. Une commode contenait sans doute tous ses trésors de petite fille – des images, des rubans, des bijoux de pacotille – et des vêtements. Les traces d'une enfance heureuse. L'endroit rendit Diane mélancolique. Dans ses souvenirs, rien ne ressemblait à cela.

La chambre de Maurice lui était familière, inutile d'y aller. Il restait une petite pièce, transformée en bureau. Là, des dizaines de livres s'entassaient sur des étagères toutes simples, constituées de planches posées sur des briques. Oui, cet homme était bien un «liseux», un intellectuel, disait-on à la télévision. D'autres ouvrages se trouvaient éparpillés sur un vieux bureau, certains tenus ouverts avec divers objets: un encrier, une agrafeuse, une règle. Comme si son ami avait abandonné la préparation d'une leçon pour venir lui ouvrir la porte.

Cette petite maison confortable ressemblait à un château, en comparaison du vieil immeuble de la rue de l'Hôtel-Dieu. Aucun cri n'avait jamais dû y retentir. L'image de Marie-Andrée, jeune fille parfaite, jolie, réservée et sage, lui restait dans la tête. Son attitude témoignait d'une existence remplie d'affection, pas d'un foyer déserté par un père brutal où on ne savait jamais s'il y aurait suffisamment à manger le lendemain.

Quand le bruit de la douche cessa, la jeune femme revint dans le salon pour s'asseoir sur le canapé. Maurice la rejoignit, vêtu de son seul peignoir. Sa tenue indiquait clairement que l'homme ne lui proposerait pas d'aller marcher dans la nature.

— Veux-tu que je te verse un verre de vin ?

— D'accord, mais si tôt après midi, ce serait étrange.

— Alors, je peux te préparer à dîner.

— Non, non, le vin fera l'affaire.

Le professeur, debout au milieu du salon, avait une vue en plongée sur les jambes de sa compagne. La minijupe lui permettait de voir la culotte blanche. Son sexe se manifesta tout de suite, lui donnant une allure plutôt indécente.

— Bon, je nous verse un verre, déclara-t-il en se dirigeant vers la pièce voisine, un peu embarrassé par cette réaction spontanée.

Devant l'affluence, la nervosité de Marie-Andrée s'accentua. Souvent, elle se trompa au moment de remettre la monnaie. Germaine jugea bon de lui glisser :

— Quand tu oublies de leur donner un cinq cennes, y s'plaignent ; quand tu donnes trop, y disent pas un mot. Mais si ta caisse balance pas à souère, le boss coupera ça su' ta paie.

Au moins, certains laissaient un pourboire. À coups de cinq ou dix cents, quelques dollars rempliraient au fil de la soirée le verre placé près de chacune des caisses enregistreuses. Deux fois sur trois, on s'adressait à elle en anglais, ainsi qu'à sa collègue. Sa présence s'avérait essentielle, finalement.

L'achalandage dura jusqu'à deux heures. Ensuite, les employés purent souffler un peu. Marie-Andrée fut en mesure de constater que l'effectif pourrait sans mal être réduit de moitié jusqu'au moment du repas du soir. Comme le gérant ne venait jamais au travail le dimanche, personne ne se fit dire de profiter d'une longue pause pour visiter l'Expo.

Adossée au mur – car les employés ne disposaient d'aucun siège –, Marie-Andrée tendit la main vers le contenant rempli de pièces de monnaie.

— À la fin de la journée, ça doit représenter quelques dollars, remarqua-t-elle à haute voix.

— Qu'est-ce que tu penses que tu fais là ? intervint d'une voix dure l'employée au visage bovin.

— Je voulais compter…

— Hé ! Vous savez quoi ? reprit l'autre. La nouvelle veut prendre tous les *tips* !

L'affirmation provoqua un ricanement moqueur. Germaine prit sur elle de lui expliquer :

— Icitte, comme on sert pas aux tables, on n'a pas de *tips*, enfin pas des vrais. Certains clients laissent leur p'tit change. À la fin de la journée, on partage tout en parts égales. Sinon, les personnes qui sont pas aux caisses auraient jamais une cenne.

La pratique parut légitime à la châtaine. Légitime et, surtout, équitable. À ce sujet, son interlocutrice apporta tout de même une nuance :

— Le gérant aussi prend sa *cut*, même quand y vient pas de la journée.

Pour la première fois de sa vie, Marie-Andrée se dit que la syndicalisation des serveuses présenterait des avantages.

Leurs premiers ébats s'étaient déroulés dans la cuisine du café de la gare quelques semaines plus tôt. Pareille audace demeurait inédite pour l'enseignant au secondaire. Ce dimanche, il poursuivit ses expérimentations dans le salon. Le confort d'aujourd'hui valait bien le piquant du lieu public. Une station de radio américaine diffusait de la musique de jazz, un accompagnement idéal.

Peu après, appuyés l'un contre l'autre, ils reprirent le cours de la conversation commencée plus tôt au téléphone.

— Antoine était très heureux de sa journée, répéta Diane.

— Je n'ai jamais rencontré un garçon aussi enthousiaste. Le zoo de Granby pourrait recourir à ses services pour faire sa publicité.

— Au moins, il a découvert l'existence d'autres animaux que les lions…

La jeune femme était étendue sur le canapé complètement nue, la tête sur la cuisse de son compagnon. Maurice lui caressait un sein du bout des doigts, très légèrement.

— Ce n'est pas juste le zoo, insista Diane. Le pauvre n'a jamais eu de relation avec un homme. Je l'élève seule, ma mère est seule aussi depuis des années, je n'ai pas de frère. Tu as été très gentil, très protecteur. Je suis contente que ce premier contact se soit si bien passé.

Ces mots ramenèrent Maurice à sa lecture, devenue assidue, des lettres adressées à l'agence de rencontres du journal *Nos Vedettes*. Des veuves, ou des mères célibataires, avouaient chercher un père pour leur enfant. La serveuse logeait aussi à cette enseigne. Pourtant, il s'attarda à une autre partie de sa confidence.

— Depuis sa naissance, il n'y a eu personne dans ta vie ?

Le garçon avait douze ans. Au moment de sa venue au monde, elle en avait vingt. Tout ce temps écoulé représentait un long intermède.

— … Pas vraiment, non.

— Voyons, impossible qu'une aussi jolie femme que toi n'ait attiré l'attention de personne.

— Ce n'est pas ce que j'ai dit. Tu m'as demandé s'il y avait eu quelqu'un dans ma vie. La réponse est non.

Le silence se fit de plus en plus lourd, l'homme arrêta sa caresse. La conversation prenait l'allure d'une enquête de moralité.

— Je travaille dans un endroit public, reprit-elle à contrecœur après cette pause. Il ne se passe pas une journée sans que quelqu'un me fasse une proposition cochonne. Nous en avons déjà parlé.

C'était vrai. À ce moment, la serveuse avait éludé ses questions.

— Ça ne conduit nulle part, des histoires de ce genre. Penses-tu que ça m'intéresse ?

Ensuite, le silence dura suffisamment longtemps pour que tous les deux se sentent embarrassés. Finalement, Diane retrouva la position assise, serra sur sa poitrine les pans du peignoir qui traînait maintenant par terre.

— Je suis sortie avec trois ou quatre gars.

— Voilà qui est très peu, pour une période aussi longue.

— Les mots « j'ai un enfant » ont un curieux effet sur les hommes. Y compris sur toi. Quand je te l'ai dit, j'aurais aimé filmer la surprise sur ton visage.

Une réaction tout à fait naturelle aux yeux de Maurice : autant prendre soin quotidiennement de sa fille lui avait plu, autant s'occuper de la progéniture d'un autre ne lui disait rien. Enfin, il en avait toujours été convaincu.

— Quand j'ajoute qu'il est trisomique, le candidat disparaît immédiatement. Alors, dans les circonstances, trois ou quatre, ça devient beaucoup.

Bien sûr, ce handicap condamnait Antoine à rester à la charge de ses parents pour toujours, comme un éternel enfant.

— Quelque chose me dit que ceux-là se sont montrés plus réceptifs à l'égard de mon fils juste pour coucher avec moi.

La remarque aurait dû lui valoir une réponse comme : « Je t'assure que ce n'est pas le cas pour moi. » Pourtant Maurice demeura silencieux. Grâce à sa manière de se comporter avec Antoine la veille, il avait mérité un accueil fort chaleureux de la part de la mère, cet après-midi torride le lui confirmait joliment. Le désarroi de sa compagne le mit mal à l'aise.

— Je m'excuse pour ma curiosité… malsaine. Je n'aborderai plus le sujet.

La promesse lui valut un sourire bienveillant, puis Diane se rapprocha au point de s'appuyer contre son corps. Ils restèrent dans cette position jusqu'à ce que la sonnerie du téléphone vienne rompre la magie du moment. Maurice attendit jusqu'à la quatrième sonnerie, puis Diane lui dit :

— Tu ferais aussi bien de répondre. C'est peut-être important.

Ce ne pouvait être Marie-Andrée, car elle se trouvait au travail… à moins qu'un accident soit survenu.

— Dans ce cas, excuse-moi.

L'appareil se trouvait près de son fauteuil habituel, il s'y installa pour répondre. Au lieu de la jeune voix de sa fille, ce fut celle de son collègue, Émile Trottier, qu'il entendit.

— Alors, hier, as-tu bien célébré la fête des Canadiens français ?

— Avec une visite au zoo. Cela valait sans doute mieux que d'attendre l'arrivée d'un gamin blond et frisé debout sur un char allégorique.

Des centaines de milliers de personnes avaient contemplé le défilé. Et pour les malheureux forcés de rater ce spectacle, il restait sa diffusion à la télévision de Radio-Canada.

— De toute façon, renchérit-il, nous n'avons aucune célébration de ce genre à Saint-Hyacinthe.

— Montréal n'est pas plus loin que Granby.

Sur le canapé, Diane Lespérance s'était assise bien droite, posant sur lui des yeux interrogateurs.

— C'est un collègue du collège Saint-Joseph, murmura-t-il en mettant la main sur le combiné.

— Je vais m'habiller, annonça-t-elle, formulant les mots sans émettre un son.

Diane se dirigea vers la chambre, au passage son compagnon lui effleura la main.

— Là, tu n'es pas seul, devina l'ancien religieux.

— Mais oui, que vas-tu chercher là ?

— Dans ce cas, j'aimerais bien que tu m'invites à prendre une bière, dit l'autre au bout du fil.

Comme le silence s'allongea, l'ancien membre des Frères de l'instruction chrétienne ajouta :

— À moins que tu ne sois pas seul…

Trottier tenait à son idée.

— Non, ce n'est pas ça.

Saint Pierre devait lui ressembler, au moment de trahir Jésus-Christ avant le chant du coq.

— Écoute, je peux te téléphoner plus tard cette semaine, proposa Trottier.

— Non, non… Peux-tu passer vers cinq heures ?

— Sans problème. À tout à l'heure.

Le professeur raccrocha. Peu après, Diane Lespérance revenait dans le salon, tout habillée.

— Il s'agissait de l'un de mes collègues.

— C'est ce que j'avais compris. Je vais rentrer à la maison, maintenant.

— Voyons, il est encore tôt.

L'instant précédent, Maurice se demandait pourtant comment lui demander de partir.

— Je dois retrouver Antoine. Ses siestes ne durent jamais tout l'après-midi.

— Dans ce cas, je vais te raccompagner.

— Ce n'est pas la peine...

Déjà, il se dirigeait vers sa chambre.

— Je ne suis pas encore sorti ce matin. Une promenade me fera du bien.

S'habiller lui demanda tout au plus quelques minutes. Sur le trottoir, Maurice n'osa pas offrir son bras à Diane, encore moins sa main, comme si, de tous ses sentiments, la honte prévalait toujours. Le regard des voisins déterminait son comportement. Sa fréquentation de la mère célibataire d'un enfant handicapé ferait jaser. En marchant côte à côte, ils ressemblaient à un couple d'amis, à des parents peut-être, mais pas à des amants. Du moins l'espérait-il.

Une quinzaine de minutes suffisaient pour se rendre au domicile de la jeune femme. Devant la maison à deux étages, un duplex, tous deux se firent face.

— Merci d'être venue me voir aujourd'hui, commença-t-il.

— Ça m'a fait plaisir.

Quelque chose dans son regard, dans son ton un peu moqueur, lui rappela leurs ébats. Oui, il espérait vraiment que le plaisir ait été réciproque.

— Je passerai te voir au café, afin que l'on organise quelque chose cette semaine.

— Antoine ne va plus à l'école, je devrai m'occuper de lui.

— C'est bien ce que j'avais compris. Alors, nous chercherons une activité pour nous trois.

Cette perspective ramena un sourire sincère sur le visage de Diane. Maurice obtenait de nouveau la confirmation que ses attentions pour le fils lui vaudraient les plus belles démonstrations d'affection de la part de la mère.

— Puis je t'appellerai ce soir.

Le dernier baiser ne faisait penser ni à une relation amicale ni à une relation fraternelle. L'homme s'inquiéta de ce que l'on puisse les voir depuis les maisons voisines.

L'après-midi, l'achalandage au St-Hubert diminuait de façon sensible. Cela permettait aux employées de reprendre leur souffle. La jeune fille au visage bovin faisait un effort particulier pour ignorer la nouvelle et ne bavarder qu'avec Germaine. Marie-Andrée se plaça en retrait, cherchant à se faire oublier.

Une voix provint de l'ouverture séparant la cuisine de la section du commerce où se trouvaient les caisses enregistreuses :

— Tu commences à t'habituer ?

Elle se pencha pour découvrir une brunette ; cette employée était affectée à la préparation des plateaux.

— Je suppose que dans trois jours, je ne ferai plus d'erreurs en rendant la monnaie, répondit Marie-Andrée. Tu travailles ici depuis longtemps ?

— À ce comptoir, depuis trois jours. Mais au cours de la dernière année, je faisais les dimanches au restaurant de la rue Saint-Hubert, sur la Plaza.

La Plaza. Jamais elle ne s'était rendue dans ce lieu, prisé des Canadiens français qui aimaient y faire leurs emplettes. Sa marraine habitait pourtant la même rue, plus au sud. Elle se promit d'y aller bientôt.

— Il s'agit du premier restaurant de la chaîne, non ?

— Oui. Tu verras, un jour, nous en trouverons partout aux États-Unis. Le colonel Sanders vend son poulet dans tout le Québec, bientôt ce sera le tour des Léger.

Le sourire de son interlocutrice indiquait que mieux valait ne pas toujours la prendre au pied de la lettre. Elle tendit la main dans l'ouverture pour se présenter.

— Je m'appelle France Delisle.

— Marie-Andrée Berger.

Les détails biographiques attendraient, car à ce moment entrait au restaurant une famille d'Ontariens. Mieux valait s'en occuper, les Léger commenceraient peut-être leur conquête du monde par la province voisine.

— Reprendras-tu l'école au mois de septembre prochain ? demanda la brunette quand les clients se furent éloignés.

— Oui, à l'école normale Jacques-Cartier.

— J'y ai pensé aussi, surtout à cause des deux mois de vacances pendant l'été. Mais l'idée d'avoir à m'occuper d'une trentaine de petits monstres dans une classe m'a découragée. Je commencerai à l'école des gardes-malades.

— Vider des bassins vaut sans doute mieux qu'enseigner aux enfants…

Toutes les deux s'amusèrent de la répartie. Leurs projets professionnels les retinrent lors de tous les temps morts de l'après-midi. Ce jour-là, elles furent surtout payées pour faire la conversation.

Quand Maurice Berger retourna chez lui, ce fut pour trouver Émile Trottier assis dans sa voiture stationnée devant la maison. L'ancien religieux descendit pour venir à sa rencontre, la main tendue.

— Je sais, je fais un peu pitoyable, à t'attendre comme ça à ta porte. Les voisins vont penser à un amoureux déçu.

— Au point où j'en suis, un péché de plus n'y changera rien... Voilà des semaines que je manque la messe.

— Ouais, mais ce n'est rien à côté d'avoir un amoureux qui porte un pantalon ! La tolérance de nos compatriotes ne va pas jusque-là. Les fifs sont mieux de rester dans les congrégations.

Maurice se troublait toujours devant de telles remarques. Il était entré au collège à douze ans pour n'en jamais ressortir, passant sans transition du statut d'élève à celui de professeur. En trente ans, il avait entendu de nombreuses histoires de mœurs plus ou moins sordides, mais sans jamais rien remarquer de scabreux autour de lui. Cela tenait sans doute à sa naïveté.

— Dans ce cas, on ne va pas passer le reste de la journée sur le trottoir. Va m'attendre dans la cour arrière, je te rejoins avec une bière.

Le visiteur longea la Volkswagen pour pénétrer dans la cour pendant que Maurice entrait dans la maison. Quelques instants plus tard, il ressortait derrière avec deux bouteilles décapsulées.

— Je pensais me faire une jolie terrasse avec une table, des chaises, mais après... Le cœur n'y était plus.

Maurice voulait dire : après le décès d'Ann, sa femme.

— Tu sais, moi, je m'en contenterais.

Le gazon était tout jauni, de grandes plaques manquaient. Trois chaises d'un ensemble de cuisine datant des années 1950 constituaient le seul ameublement. L'ancien religieux en occupait une. Maurice en prit une autre. Celui-ci commenta :

— Avec Jeanne, ça ne suffirait pas. Si un jour tu as une cour, elle voudra que tout soit impeccable. Pas un brin d'herbe plus haut que les autres, et une terrasse construite selon les règles de l'art.

Émile Trottier rit un peu de la description, porta sa bière à sa bouche, puis concéda :

— Tu as probablement raison. Mon petit bungalow ser assorti de son lot de corvées. Si je peux me le payer un jour…

Voilà qui le chagrinait beaucoup : avoir déjà entamé la quarantaine sans un dollar d'économie. Il y eut un long silence, puis Maurice demanda :

— Pourquoi as-tu quêté mon hospitalité, aujourd'hui ?

— La grossesse commence à lui peser.

Émile s'amusa de son humour involontaire, avant de continuer :

— Elle accouchera avant le début des classes. À son âge, ce n'est pas facile, et je ne pense pas être toujours à la hauteur. Là, elle est allée passer quelques jours chez sa mère.

Maurice soupçonna que la migration de l'épouse chez l'auteure de ses jours ne s'était pas faite dans le calme, mais son ami choisirait de lui en dire plus ou non. Celui-ci changea plutôt totalement de sujet.

— Tout à l'heure au téléphone, j'ai eu l'impression d'interrompre quelque chose.

Convenait-il d'évoquer Diane à la légère, comme la dernière fois où le sujet avait été abordé entre eux ? Dans une ville de la taille de Saint-Hyacinthe, rien ne restait secret bien longtemps. Tous les efforts de discrétion du professeur ne donnaient sans doute rien. Ses visites répétées au café de la gare d'autobus, la scène d'hier au moment du départ de Marie-Andrée, les visites de la serveuse rue Couillard : des dizaines de personnes connaissaient son existence.

Et puis, Émile Trottier était son seul ami. Mieux valait que le récit de cette idylle ne lui vienne pas d'un autre.

— Je vois la même femme depuis des semaines, une serveuse du café de la gare d'autobus.

Maurice ne doutait pas que son collègue s'y rendrait bientôt, sans doute en rentrant chez lui tout à l'heure, juste «pour voir». Comme le dimanche était le jour de congé de Diane, le pauvre rentrerait bredouille.

— C'est devenu sérieux, entre vous?

— Je ne sais pas. C'est une gentille fille, jolie et tout, mais il n'en demeure pas moins qu'elle est serveuse, et mère célibataire de surcroît.

— Mais si tu es bien avec elle... rien d'autre ne compte.

L'enseignant se disait exactement la même chose depuis leur visite à l'Expo 67. Jamais il ne s'ennuyait avec Diane, mais lui trouvait-il d'autres qualités que ses jambes bien tournées et sa poitrine rebondie?

— Oui, je suis bien. Toutefois, qu'est-ce que cela signifie vraiment? Après mes années de veuvage, je t'assure que les plaisirs de la conversation ne viennent pas au premier rang.

C'était une façon assez directe de dire que ceux de la chair l'emportaient sur tous les autres.

— Seigneur, de quoi penses-tu que je parle avec Jeanne? Elle a bien essayé de m'entretenir sur l'oreiller des romans de Réjean Ducharme, mais franchement, les échanges à ce sujet dans le salon des professeurs me suffisent.

Maurice se souvenait très bien d'avoir recommandé la lecture de *L'avalée des avalées* à l'épouse de son ami. De nouveau, il eut la désagréable impression que pour compagne, Jeanne lui aurait mieux convenu, et peut-être Émile se serait-il trouvé mieux avec Diane. Aucune chance que l'échange ne se produise un jour, ne serait-ce que parce que les histoires compliquées l'effrayaient.

— Je ne sais trop quoi penser de ma situation avec elle.

Jusqu'où pouvait-il faire preuve de candeur?

— Par exemple, je n'oserais pas l'inviter à un souper à quatre avec toi et ta femme. Je serais gêné… De quoi pourrions-nous discuter ?

— Franchement, tu me déçois !

— Je sais, je suis sans doute ridicule, mais je me sentirais tout à fait mal à l'aise. Honteux, même.

Pourquoi ? S'agissait-il de snobisme pur et simple ? Lui fallait-il une compagne parlant avec la bouche en cul de poule, capable de faire toutes les liaisons sans en rater une et d'aligner quelques locutions latines ? De la main, Maurice indiqua qu'il ne souhaitait pas poursuivre sur le sujet. Émile abandonna le filon sans se faire prier.

— Tu as lu les journaux ? La loi des collèges d'enseignement général et professionnel sera adoptée au cours de la semaine.

— À moins qu'un autre sujet ne vole la vedette.

— Que penses-tu faire ?

Depuis des mois, tous les deux rêvaient de quitter l'ordre secondaire pour se joindre à ces nouvelles institutions dont on ne savait encore rien. Une fuite en avant, en quelque sorte, afin de quitter un milieu de travail frustrant.

— Attendre que la loi soit adoptée. Présentement, personne ne connaît les villes retenues, ni les conditions de recrutement.

— Bien sûr, de nous deux, tu es le plus raisonnable.

La réflexion ne ressemblait pas à un compliment.

— Nous continuerons de parler de cela à table…, proposa Maurice. Si tu veux te contenter de steak haché et de pommes de terre en flocons Sheriff, je t'invite à souper.

— Des pommes de terre en flocons ?

Émile ouvrit de grands yeux devant pareille déchéance.

— Tu sais, cuisiner quand on est seul…

— Ta fille est partie hier !

Décidément, ces deux hommes adoraient s'apitoyer sur leur sort.

La douleur avait commencé à la plante des pieds, pour monter ensuite dans les jambes, jusqu'aux hanches. La station debout pendant de longues heures pouvait se révéler insupportable. Marie-Andrée remarqua que ses collègues portaient de grosses chaussures noires sans élégance, munies de semelles épaisses. Il lui en faudrait des semblables. Voilà qui ne lui plaisait guère : les religieuses avaient les mêmes au couvent. Puis sa situation la déprimait un peu : après une journée de travail exténuante, elle serait sans doute déficitaire à cause du coût de nouveaux souliers et de la nécessité de faire « balancer la caisse », c'est-à-dire de rembourser la monnaie rendue en trop.

Vers cinq heures, des queues se formaient de nouveau devant les caissières. À ce moment de la journée, les familles, moins nombreuses, laissaient la place à des couples ou à de jeunes gens célibataires des deux sexes. La présence d'un joli minois derrière le comptoir déclenchait les instincts de chasseur des représentants du sexe fort.

— Toé, c'est quoi ton p'tit nom ?

Invariablement, elle donnait le montant de l'addition, ou si c'était déjà fait, elle y allait d'un : « Monsieur, voulez-vous vous déplacer un peu ? Je dois prendre la commande du client suivant. » Cependant, passé sept heures, elle ne pouvait plus plaider l'achalandage pour éviter d'entamer la conversation. D'ailleurs, si son interlocuteur maîtrisait mieux la syntaxe et la grammaire, la châtaine se montrait plus loquace.

Le restaurant était déjà presque vide quand un jeune homme vint lui demander une poitrine de poulet et des frites. Au moment de payer, il enchaîna plutôt maladroitement :

— Je suppose que tu es là depuis l'ouverture ce matin.

Voilà qui ne demandait pas un très grand sens de l'observation : la fatigue se lisait sur son visage, puis elle faisait sans cesse passer son poids d'un pied sur l'autre pour soulager ses jambes !

— Oui, mais ici, on ne commence qu'à onze heures.

L'autre regarda sa montre, l'air de dire : « Cela fait tout de même neuf heures. »

— Nous fermons dans moins d'une heure.

Marie-Andrée songea aussitôt que sa formulation ressemblait beaucoup à un rendez-vous. Le rose lui monta aux joues. Son interlocuteur comprit effectivement sa réponse ainsi.

— Si je te croise de nouveau, je te demanderai de sortir avec moi. Malheureusement, ce soir ce ne sera pas possible.

Tandis qu'il prononçait ces mots, le client la regardait cependant des pieds à la tête sans afficher un grand enthousiasme. Il ne fallait pas prendre la proposition au pied de la lettre. Donner son bras à une serveuse affublée d'un uniforme trop grand et sans aucune élégance ne convenait qu'aux boutonneux ou aux bigles.

Mal à l'aise de s'être ainsi avancé, il reprit :

— Ce dimanche, il n'y a pas de spectacle intéressant sur le site. Ni à la Place des Nations, ni au Jardin des étoiles de La Ronde.

Il arrivait à trouver les mots du dragueur, mais sa timidité transpirait. Ces situations ne lui étaient visiblement pas familières. Une autre employée vint poser un plateau devant lui. Sous peine de manger froid, il devait mettre fin à cette conversation et aller s'asseoir à une table. Marie-Andrée le regarda s'éloigner. Grand, mince, avec un veston pas trop usé. L'intérêt de celui-là devait se porter sur de meilleurs partis que les serveuses de restaurant.

Chapitre 4

Neuf heures étaient passées quand Marie-Andrée se dirigea vers la station de métro de l'île Sainte-Hélène. Même si le soleil était déjà couché, un peu de clarté subsistait. Si la présence de quelques collègues la rassurait, Montréal la rendait méfiante.

Pour la première fois, elle prenait le métro avec une petite chance d'y occuper une place assise. Les jeunes fréquentant La Ronde seraient plusieurs centaines à regagner leur domicile, mais beaucoup plus tard. À cette heure de la soirée, les passagers étaient essentiellement des employés des pavillons ou des commerces.

Comme elle entrait dans un wagon, un garçon se leva pour lui céder son siège. Il comptait se faire payer cette gentillesse avec une conversation. Décidément, pendant cet été de l'amour, toutes les jeunes filles un peu présentables recevaient nombre d'attentions, désirées ou pas.

— Je te vois pour la première fois, t'es nouvelle ?

— J'ai commencé aujourd'hui au…

— Restaurant St-Hubert, je sais.

Comme elle haussait les sourcils pour exprimer sa surprise, le garçon dit en riant :

— On sent l'odeur du poulet rôti dans tout le wagon.

Elle était trop fatiguée pour avoir le moindre sens de la répartie. Cette situation lui rappela les sensations désagréables qu'elle avait éprouvées quand elle avait essuyé les mesquineries de son ancienne amie Denise, à l'époque où cette dernière l'utilisait comme faire-valoir.

Le jeune homme se montra bien un peu compatissant :

— Personne n'y échappe. Certaines sentent le caramel, d'autres le chocolat ou la bière. Les cochers, dans le Vieux-Montréal, sentent le cheval.

L'énumération ne soulageait que très peu le malaise de la jeune fille. Savoir que d'autres empestaient n'améliorait guère son odeur. Elle pouvait demeurer silencieuse, ou tenter de détourner l'attention de sa petite personne.

— Où travailles-tu ?

— Au pavillon des pâtes et papier. Nous sommes une demi-douzaine à tout maintenir en ordre, alors que les filles reçoivent les visiteurs. Avec leur uniforme, on dirait des sapins.

Par sa forme et ses couleurs, l'édifice en question ressemblait à un bouquet d'arbres. Les jeunes femmes qu'il désignait des yeux à l'autre bout du wagon portaient un uniforme blanc et vert, et une cape de cette dernière couleur. C'était certainement l'un des moins charmants sur le site, mais de là à les confondre avec des conifères…

— Comment fait-on pour avoir un emploi de ce genre ?

— D'abord, on ne doit plus étudier au secondaire.

Marie-Andrée rougit un peu à cette allusion à son âge. Ce garçon arrivait à la blesser sans même s'en rendre compte. Que cela ne soit pas par méchanceté ne l'excusait pas tout à fait. L'envie lui vint de protester en disant : «Je vais entrer à l'école normale en septembre», juste pour paraître un peu moins petite fille.

— Il fallait être disponible fin avril. Les hôtesses ont été embauchées au moment de l'ouverture de l'exposition, ou peu après. Maintenant, les patrons comblent certains départs, sans plus. D'un autre côté, avec le début des grandes vacances, le nombre d'employés a augmenté partout ailleurs. Aujourd'hui, il paraît qu'on serait dix mille à travailler sur le site.

Cela rendait bien compte de la réalité. Le garçon disparut au moment du transfert, à Berri-de-Montigny. Marie-Andrée continua seule jusque chez sa tante. À cette heure du soir, Montréal lui parut grande et très sombre.

La veille, elle s'était couchée peu après son retour du travail, fourbue, pour dormir ensuite comme une bûche. Nicole Tanguay l'avait rejointe puis quittée sans qu'elle s'en aperçoive. Quand elle arriva dans la cuisine, vers neuf heures, sa tante demanda :

— Alors, la vie de serveuse ?

— Difficile. J'ai déjà mal aux jambes, et j'ai encore toute ma journée à faire.

— Bah ! Tu vas t'habituer. Pis tu sais, avec une job assise, tu te ramasserais avec un cul comme le mien.

La ménagère s'affairait devant le comptoir de sa cuisine, tournant le dos à sa pensionnaire. Celle-ci évalua les assises de sa parente, trop amples, surtout à cette époque favorable aux mannequins rachitiques et aux minijupes. Toutefois, cela tenait moins à la position assise qu'à son inclination à manger chaque fois qu'elle trouvait un siège.

La jeune fille déjeuna de façon copieuse, puis annonça son intention de partir aussitôt.

— Ma tante, pouvez-vous me prêter un sac de papier ? Je vais faire le trajet habillée comme ça, aujourd'hui.

Elle était vêtue d'un pantalon de toile beige et d'une chemisette bleue.

— Tu as raison, ce sera plus flatteur. Hier, les gens devaient penser que tu faisais des livraisons en métro.

Marie-Andrée aurait préféré entendre cela la veille. Cela lui aurait évité de se montrer aussi mal attifée.

Bientôt, elle passait la porte, incertaine d'avoir meilleure allure avec son sac arborant le gros « D » de la chaîne de grands magasins Dominion. En plein jour, la station Mont-Royal lui parut moins éloignée. À Berri-de-Montigny, avant de prendre la ligne jaune, elle monta jusqu'à l'étage des tourniquets pour se rendre dans une boutique offrant des souvenirs aux touristes. De nombreux visiteurs se promenaient sur le site de l'exposition avec un sac bleu portant le sigle de Terre des Hommes : le cercle composé de bonshommes allumettes se tenant deux par deux. Bien sûr, peut-être vendait-on ce sac un peu plus cher dans cette boutique, mais le temps de courir les magasins lui manquait. Son uniforme soigneusement plié y logerait très bien. Cette précaution ne visait qu'à lui éviter les railleries… en particulier celles des jeunes hommes.

Quand elle descendit à la station de métro de l'île Sainte-Hélène, ce fut pour constater la même affluence que la veille. Pourtant, malgré le flot humain, en se rendant au pavillon L'Homme à l'œuvre, elle entendit tout près :

— Comme ça, tu as perdu ton emploi.

Marie-Andrée se retourna pour reconnaître le conducteur de pédicab qui l'avait abordée la veille en lui chantant la ritournelle de la publicité des rôtisseries St-Hubert, un garçon dans la vingtaine aux cheveux bruns, grand et mince. Il portait un casque colonial et un costume rappelant ceux des explorateurs dans les films. Quant au ridicule de la tenue, lui-même ne donnait pas sa place.

— Pourquoi dis-tu ça ?

— Tu ne portes pas ton uniforme aujourd'hui.

Elle souleva son sac comme pour le lui montrer.

— Moi, je te trouve plus belle comme ça.

Le compliment la mit mal à l'aise, malgré tous ses efforts pour se montrer à son avantage.

— Allez, monte, je t'emmène au restaurant.

— … Je ne paierai pas pour m'asseoir là-dedans.

— Qui te parle de payer ? J'ai l'air bizarre, en roulant à côté de toi. Fais semblant d'être une touriste.

Le garçon pédalait lentement pour s'ajuster à son pas. Ça ressemblait au harcèlement de la clientèle.

— Non, je préfère marcher.

— Bon, tu m'en veux pour ma petite chanson d'hier.

« Oui, je t'en veux pour t'être moqué de moi », songea-t-elle. Mais à haute voix, elle dit plutôt :

— Nous nous sommes déjà vus ? Je ne me souviens pas de toi.

« Voilà que je joue à la coquette. » Elle approchait du pavillon L'Homme à l'œuvre, son escorte l'abandonnerait bientôt.

— Tu n'es pas supposé gagner de l'argent, avec ton tricycle ?

— Le meilleur endroit, en matinée, demeure la gare de l'Expo-Express. Il y a toujours des touristes fatigués de marcher dès leur arrivée sur le site. Alors, j'y vais tout de suite.

— Quant à moi, je suis rendue.

Marie-Andrée se tourna vers lui, comme pour lui donner une chance de dire autre chose.

— Tu peux me dire à quelle heure tu termines ?

— Eh bien… À la fermeture du restaurant.

Ce n'était pas bien précis, aussi elle ajouta :

— Vers neuf heures. Même si je suis seulement à ma seconde journée, j'ai compris qu'on ne chasse pas les derniers clients, puis il faut mettre de l'ordre.

— J'attendrai ici, à neuf heures.

— Je rentrerai directement à la maison.

— Moi aussi, mais on fera un bout de chemin ensemble.

Plantée devant la porte de l'édifice composé de panneaux empruntant la forme de parallélogrammes, la jeune fille hocha la tête pour donner son assentiment. Quand elle tourna les talons, le garçon lança :

— Je m'appelle Robert.

— Marie-Andrée.

Trois minutes plus tard, en enfilant son uniforme dans des toilettes trop exiguës, elle se morigénait. Trente-six heures auparavant, elle rassurait Jeannot qui s'inquiétait de la voir s'éloigner. Maintenant, l'idée de rentrer en compagnie de cet inconnu lui plaisait.

Quand Marie-Andrée était entrée dans la cuisine, les « casseurs » de poulet la suivirent des yeux jusqu'à la porte des toilettes. Une nouvelle fois, quelqu'un émit un petit sifflement. Un pantalon très étroit et une chemise légère suffisaient à les détourner de leur travail. Les nouvelles s'attiraient toujours ce genre d'attention, comme si la bande d'employés se trouvait toujours en période de rut.

Quand elle réapparut vêtue de son uniforme, Patenaude l'interpella :

— Pis, la petite, tu t'es sortie d'affaire, hier ?

— Assez bien pour revenir ce matin.

— Bon, tant mieux. Écoute, t'as vu qu'y a presque pus de monde au milieu de l'après-midi. Alors, vers deux heures, tu iras visiter un peu autour, pour revenir à cinq heures.

Diane l'avait prévenue de cette stratégie des employeurs, en lui enjoignant de refuser de s'y conformer. Mais comme ce temps de liberté lui serait agréable, elle ne protesta pas. D'autres questions la préoccupaient toutefois.

— Samedi dernier, vous ne m'avez pas parlé du salaire.

— Bin… comme pour toutes les autres, le salaire minimum. T'as pas vingt et un ans ?

Malgré le ton très affirmatif du marchand, la jeune fille crut nécessaire de bouger la tête de droite à gauche. Il s'agissait de l'âge de la majorité au Québec. Les personnes plus jeunes ne recevaient pas le dollar de salaire horaire prévu pour les adultes, mais seulement quatre-vingt-dix cents.

— Quant au jour de congé…

— T'as vu comment y a du monde le dimanche. C'est pareil le samedi. Tu prendras congé le mercredi.

Même si la semaine de cinq jours et de quarante heures se répandait dans la province, travailler six jours ne s'avérait pas exceptionnel. Pendant un moment, Marie-Andrée regretta de ne pas avoir demandé plus d'informations lors de ses brèves rencontres avec quelques autres employeurs deux jours plus tôt. Peut-être l'un d'eux traitait-il mieux ses employés.

L'arrivée des premiers clients la ramena derrière sa caisse enregistreuse.

Tout en travaillant, Marie-Andrée avait eu l'occasion de demander à ses collègues la meilleure façon de se rendre rue Sainte-Catherine. Prendre le métro exigeait qu'elle marche jusqu'à la station de l'île Sainte-Hélène. France lui recommanda plutôt de prendre l'Expo-Express, dont le terminus se trouvait tout à côté.

À deux heures, la jeune fille remettait ses habits de ville pour se rendre à la gare. Les rames arrivaient à une cadence rapide, toutes les quinze minutes. Elle fit le trajet jusqu'à la Place d'Accueil, à la Cité du Havre. De là, un autobus de la ligne 168 la conduisit à la station de métro Peel.

Quand elle arriva rue Sainte-Catherine, Marie-Andrée constata de nouveau la grande affluence. En cet été de l'exposition, tous les commerces multipliaient les profits. Le magasin Eaton comportait un rayon de chaussures. En choisir une paire à la fois laide et confortable lui prit peu de temps. Ensuite, elle put se promener dans la rue marchande, s'arrêtant devant les vitrines les plus riches.

Au coin de la rue Drummond, elle remarqua un petit rassemblement sur le trottoir, devant une succursale de la Banque de Montréal. Des hommes, pour la plupart. Elle s'arrêta pour suivre leur regard. Juste en face se trouvait la discothèque La Cage. Aux fenêtres de l'étage, deux filles en bikini dansaient en se tortillant. Comme on n'entendait pas la musique à l'extérieur, leurs mouvements paraissaient un peu étranges, et surtout très suggestifs.

— Bin, elles sont pas gênées, commenta un badaud.

— Des salopes, oui, intervint un deuxième.

Le gros bonhomme dans la cinquantaine ne détournait pourtant pas les yeux. Suivre le cours de ses pensées aurait sans doute révélé bien des turpitudes. Toutes les jeunes filles en minijupe connaissaient les regards visqueux de ces personnages, prompts à lancer les pires accusations contre « la jeunesse d'aujourd'hui » tout en se rinçant l'œil.

L'année de l'Expo, c'était ça aussi : des filles de vingt ans placées en vitrine pour le plaisir des voyeurs.

À la fin de sa journée de travail, la jeune fille se lava les mains encore et encore, dans les toilettes, devant un minuscule lavabo, puis prit des serviettes de papier pour se nettoyer le visage. Malgré tous ses efforts, l'odeur lui paraissait incrustée dans ses pores. Comment y échapper, après une journée entière ? On trouvait des parfums bon marché dans toutes les boutiques de vêtements pour adolescentes, mais le mélange avec les effluves du restaurant ne serait pas du meilleur effet.

À la fin, un regard à sa montre lui permit de constater qu'il était déjà neuf heures cinq. Aussitôt, elle se reprocha cette pensée. « Tu n'es pas sérieuse, là. Ce gars a certainement mieux à faire que d'accompagner une écolière jusqu'au métro. » Tout de même, elle s'empressa de boutonner son chemisier, ramassa son sac et quitta les lieux en lançant un « bonsoir » à la ronde. Vraisemblablement, aucune de ses collègues ne deviendrait son amie, mais leurs rapports perdraient de leur froideur avec le temps.

Robert, le jeune homme du pédicab, faisait les cent pas à la sortie du pavillon. Sa présence tira un sourire à Marie-Andrée, et pourtant ses premiers mots furent :

— Tu n'aurais pas dû m'attendre.

— Bonsoir aussi, Marie-Andrée.

Son ton moqueur la mit mal à l'aise. Il ne devait pas en être à ses premières approches d'une ingénue empestant le poulet.

— Bonsoir, Robert. Tu n'aurais pas dû m'attendre, répéta-t-elle.

La prenant au mot, le garçon lui tourna le dos pour marcher vers l'île Sainte-Hélène. D'abord interdite, la serveuse accéléra le pas pour le rejoindre.

— Tu fais de longues journées, sur ton tricycle.

— Mon pédicab. Puis ce n'est pas le mien. Je ne sais pas si tu as remarqué, le service est offert par Tilden, la société de location d'autos.

— Non, je n'avais pas remarqué. Mais c'est vrai que tu fais de longues journées !

Le garçon lui adressa cette fois un sourire exempt de toute ironie.

— C'est gentil de t'en préoccuper. Comme le programme de bourses d'études du gouvernement n'est pas tellement généreux, je dois garnir mon compte en banque.

— En quoi étudies-tu ?

— En économie. Je commencerai ma seconde année en septembre. Comme ça, je pourrai gérer ma fortune, quand je posséderai une flotte de mille pédicabs.

Ils se turent ensuite. La marche au rythme rapide rendait les confidences difficiles. En descendant sur le quai du métro, Robert demanda :

— De ton côté, pourquoi t'es-tu retrouvée dans ce restaurant ?

— Pour la même raison que toi. J'entrerai à l'école normale en septembre.

Le garçon acquiesça. Pourquoi le rôle de maîtresse d'école la transformait-elle en idéal féminin ? Dans le wagon, Marie-Andrée refusa la place qu'un usager lui offrait, puis posa les mains sur le tube d'aluminium placé à la verticale pour éviter d'être déséquilibrée par les mouvements du véhicule. Quand son compagnon fit la même chose, elle s'éloigna jusqu'à s'appuyer contre la cloison, derrière elle.

— Je suis désolé de te serrer de trop près.

En même temps, son expression disait combien il trouvait ce comportement d'ingénue ridicule.

— Non, ce n'est pas ça… J'empeste le poulet.

— *Pout pout pout que désirez-vous…*

Cette fois, Marie-Andrée éclata franchement de rire. Puis l'image de Jeannot lui traversa l'esprit. Après seulement quelques jours d'absence, elle appréciait l'intérêt d'un autre garçon à son égard. Elle se découvrait volage, maintenant.

À Berri-de-Montigny, tous deux s'arrêtèrent sur le quai, face à face.

— Je prends la ligne orange, annonça la jeune fille.

— Et moi la verte, vers l'est. Alors, à la prochaine.

— À la prochaine.

Quelques secondes s'écoulèrent avant qu'elle ne tourne les talons en murmurant :

— Bonne nuit.

Robert la regarda se diriger vers l'escalier. « Une jolie fille, si on les aime menues. » Elle lui rappelait les mannequins anglais. Marie-Andrée cadrait parfaitement avec ces nouveaux canons de la beauté.

Vivre seul pendant toutes les vacances d'été conduirait sans doute Maurice Berger à la plus grande indiscipline. Maintenant, il pouvait regarder, à Radio-Canada, les films de fin de soirée en sous-vêtements, une bière à la main, sans se soucier de respecter un couvre-feu. Cela lui valait une migraine le lendemain matin.

Le bruit de sa boîte aux lettres, ouverte et refermée par le facteur, attira son attention. Avec la fin du mois toute proche, sans doute s'agissait-il de factures. Il entrouvrit la porte pour ne pas se montrer à demi nu, tendit le bras afin de prendre les lettres.

— Qu'est-ce que c'est ? marmotta-t-il.

Il tenait une missive n'indiquant pas d'expéditeur. Pourtant, malgré la question qu'il venait de se poser à lui-même, pas un instant il ne douta. Ces grandes enveloppes brunes venaient de l'agence de rencontres du journal *Nos Vedettes*.

— Ça fait des semaines, maintenant.

Avant qu'il ne donne rendez-vous à Diane Lespérance sur un coup de tête, il avait rencontré une femme efflanquée à Place Versailles. Quant aux autres lettres, leur contenu avait suffi à le déprimer.

— Non, moi, je ne joue plus à ça.

Pourtant, au lieu de mettre l'enveloppe dans la poubelle, il la jeta sur la table, puis se consacra à la préparation des œufs. Tout en mangeant, il ne la quitta pas des yeux. Le temps de laver la vaisselle, sa résolution l'abandonna tout à fait. L'enveloppe contenait deux lettres. La première commençait par une ligne comportant sept mots et huit fautes. D'abord au mot «Monsieur», dont Fleur d'automne – le pseudonyme indiquait une correspondante d'un certain âge – avait amputé le «r». La missive datait de deux mois plus tôt. Au journal, on devait l'avoir perdue et retrouvée.

— Bon, après toutes ces semaines, elle doit être mariée et partie pour la famille.

Cette correspondante s'avérait fertile, avec déjà neuf enfants, dont quatre filles et un garçon toujours à la maison. Maurice déchira la feuille de papier en petits morceaux, comme s'il craignait que les éboueurs ne la lisent pour se moquer ensuite de lui.

Du pouce, il décolla le rabat de la seconde enveloppe. Cette nouvelle candidate à l'amour fou signait Agathe, tout en précisant entre parenthèses: «C'est mon vrai prénom.» Cela lui tira un sourire.

Quelle façon étrange de rencontrer quelqu'un. Cela doit être la manière des gens dans le vent. Je ne sais pas si j'apprécie.

— Deux lignes, et voilà que nous avons quelque chose en commun.

Il s'agissait d'une secrétaire « bilingue », disait-elle. À trente-neuf ans, elle demeurait toujours célibataire. Cela tenait-il à une tare physique ? À en croire son jeune collègue débile de l'école Saint-Joseph, l'omission du poids permettait de soupçonner un grave embonpoint. La plastique irréprochable de Diane lui revint en mémoire. Impossible de trouver vraiment mieux à ce chapitre. L'agence de rencontres du journal *Nos Vedettes* l'avait déjà mis en contact avec une maigrichonne, peut-être lui proposait-on cette fois l'autre bout du spectre.

Je crois à la possibilité du bonheur à base de compréhension, d'entente et de dialogue.

Bien sûr, le dialogue. Selon les médias, c'était la panacée pour tous les problèmes de couple. Les courriéristes du cœur dépensaient des gallons d'encre pour prêcher cette bonne parole.

Dans mes moments de loisir, mes divertissements sont la musique, le cinéma, la lecture. Les voyages et balades en auto me plaisent beaucoup, car j'aime la nature.

Voilà quelques occupations que cette inconnue et lui partageaient. À cet égard, elle se distinguait de Diane Lespérance.

— Mais j'ai déjà quelqu'un dans ma vie, se raisonna-t-il à voix basse.

Toutefois, au moment de partir vers la librairie pour enrichir sa provision de romans, il laissa le feuillet sur la table. À son retour, une nouvelle lecture le laissa encore plus hésitant.

Rencontrer une autre femme ne ferait de mal à personne. Son expérience s'avérait si limitée dans ce domaine. Son incertitude quant à l'attitude à prendre avec Diane tenait certainement à cela. Comme on disait pour excuser les comportements dissolus des jeunes hommes, il fallait bien que jeunesse se passe. Cela valait certainement aussi pour les quadragénaires qui en avaient été privés, comme lui.

Un peu avant cinq heures, le téléphone sonna. Maurice échangea quelques mots avec sa blonde pour préciser le programme du lendemain. Ils prévoyaient de se rendre au cinéma avec Antoine, afin de voir *Docteur Dolittle*. L'enseignant aurait dû se réjouir de la présence du garçon : il s'agissait d'un enfant qui ne se lasserait peut-être jamais de ce genre de films, contrairement à Marie-Andrée. Intellectuellement, il ne mûrirait pas.

En soirée, la lettre d'Agathe demeura sur la table basse du salon. Les yeux de Maurice passaient de l'écran de télévision à la feuille de papier. À neuf heures, il n'y tint plus. Le numéro de téléphone se trouvait juste sous le prénom. Cette femme habitait Montréal. Surmontant son malaise, il le composa. Au « Allô », il dit :

— Agathe, il s'agit bien de vous ?

Devant le silence à l'autre bout du fil, il dit encore :

— J'ai reçu votre lettre aujourd'hui. Une lettre transmise par le journal *Nos Vedettes*.

— Mon Dieu ! Voilà une éternité que j'ai écrit là-bas.

— Même chose pour moi. Je suppose qu'ils nous avaient oubliés.

Des oubliés de l'agence de rencontres, ou de la vie ? La voix de cette femme contenait une certaine tristesse. La sienne ne devait pas paraître plus gaie.

— Ces temps-ci, continua Maurice, le personnel des journaux doit se consacrer à couvrir l'Expo, au point de négliger le reste. On ne voit plus que ça à la télévision et dans les médias.

Un silence suivit, embarrassé. Ni l'un ni l'autre ne se sentaient à l'aise dans cette situation. L'inconnue le lui confirma :

— Je ne sais trop comment poursuivre. Pourtant, je passe ma vie au téléphone.

— Difficile d'imaginer une façon plus étrange de se rencontrer.

Après ce constat, ils s'arrêtèrent encore, à court d'imagination. Maurice aurait pu simplement dire : « Je m'excuse de vous avoir dérangée, madame. Bonne soirée. » Après tout, Diane se montrait toute disposée à lui consacrer sa vie, et Antoine ne présentait pas un obstacle réel à leur bonne entente. Au contraire, comparé à n'importe quel enfant « normal », il ne dérangerait jamais leurs projets, sauf par son état de perpétuelle dépendance. Il était programmé pour aimer toute personne un peu attentionnée qui passait à sa portée.

— Nous pourrions nous voir, proposa-t-il, au lieu de demeurer muets chacun à notre bout du fil.

Tout de suite, il se demanda si c'était l'attitude à adopter.

— Vous êtes rapide en affaires.

Il eut l'impression de l'avoir bousculée avec son empressement. La suite lui apprit le contraire.

— Mais nous pourrions nous raconter nos vies au téléphone sans nous connaître mieux, commenta Agathe. Un regard vaut la plus longue dissertation.

La répartie parut fort sage à Maurice, mais peut-être ne faisait-elle que répéter les notions de psychologie distillées par les magazines féminins. Ceux-ci empruntaient parfois le ton des conseillers spirituels d'antan, tout en se référant à un credo inspiré de Freud. Au lieu de se soucier de son âme et du diable, on s'en remettait au subconscient.

— Au timbre de votre voix, je vous devine honnête. Est-ce que je me trompe ?

Certaines lisaient dans les lignes de la main. Agathe faisait peut-être carrière dans la lecture des intonations au téléphone.

— Mademoiselle, je me vois mal vous dire le contraire.

La pointe d'ironie ne la vexa pas.

— Je ne suis vraiment pas du genre à traîner dans les bars ou les cafés. Si vous pouvez venir à Montréal, je vous recevrai chez moi.

La proposition le laissa pantois. Son hésitation à accepter amena la femme à se justifier.

— L'idée de me rendre dans un endroit public pour rencontrer un inconnu me met très mal à l'aise. Porter un chapeau vert, lui un chapeau bleu, puis adresser des sourires à tous ceux qui s'approchent en me demandant : « Est-ce lui ? »

Cette Agathe n'en était pas à son premier rendez-vous de ce genre. Combien de fois s'était-elle livrée à l'exercice ? La question ne se posait pas.

— Je n'en ai pas plus envie que vous.

Maurice ne souhaitait pas du tout renouveler son expérience avec la maigrichonne.

— Quel jour vous convient le mieux ? s'enhardit-il encore.

— Comme je travaille, il faudra que ce soit la fin de semaine. Dimanche prochain ?

Ce jour-là, Diane Lespérance profitait de sa seule journée de congé. Il tenait à lui réserver tout son temps.

— Que diriez-vous de samedi plutôt ? En soirée.

Après tout, c'était le jour habituel des rencontres sociales. Son interlocutrice hésita un moment. Peut-être devrait-elle déplacer une activité.

— D'accord, consentit-elle enfin.

Diane travaillerait au restaurant ce soir-là. Il n'aurait pas à trouver un prétexte pour se dérober.

— Accepterez-vous de souper avec moi ?

Après sa première réticence, l'inconnue entendait mettre les petits plats dans les grands afin de faire la meilleure impression.

— Je pourrais être chez vous vers six heures. Peut-être un peu plus tard, si j'ai du mal à trouver mon chemin. Je ne connais pas très bien Montréal.

Ainsi, s'il passait l'après-midi avec Diane et désirait s'attarder un peu, son excuse serait toute trouvée.

— Vous verrez, ce n'est pas trop compliqué. Connaissez-vous le tunnel Lafontaine ?

— Comme tout le monde.

Elle habitait donc l'est de la ville, comme la précédente correspondante. Pendant quelques minutes, elle lui expliqua comment se rendre rue de Marseille.

— Alors, bonne nuit, Maurice, conclut-elle. J'ai déjà hâte de vous voir.

— Moi aussi, Agathe. Bonne nuit.

En raccrochant, le professeur ne se sentait pas très fier de son hypocrisie. « Il faut que jeunesse se passe... mais moi, je n'ai jamais eu de vie de jeunesse. » Dans son esprit, Perpétue lui avait dérobé le moment le plus précieux de son existence. Le récupérer valait bien quelques indélicatesses.

Chapitre 5

En terminant sa troisième journée de travail, Marie-Andrée se sentait moins fourbue que les soirs précédents. Cela tenait à ses robustes chaussures, mais surtout à son accoutumance à la situation nouvelle. Dire «Monsieur – ou madame –, que désirez-vous?» avec son sourire le plus affable, prendre la commande, recevoir l'argent, tous ces actes devenaient comme une seconde nature. Sa timidité s'allégeait, et les efforts un peu – ou très – maladroits de certains clients pour la convaincre de sortir avec eux l'amenaient à croire en son propre pouvoir de séduction.

Surtout, pour la seconde fois en sortant du pavillon L'Homme à l'œuvre, elle reconnut la silhouette de Robert Duquet. À vingt-deux ans, il lui paraissait être un homme, pas un garçon, et visiblement il s'intéressait à elle. Ce seul fait lui permettait de se sentir plus belle et plus intelligente.

— As-tu passé une bonne journée? demanda-t-il après son «bonsoir».

— Je commence à me faire à ce travail. Et toi, passes-tu vraiment une dizaine d'heures par jour à transporter des touristes dans ton pousse-pousse?

Le pédicab évoquait bien ce moyen de transport chinois.

— Plutôt douze. Je terminerai l'été avec des jambes d'acier.

— Ou tu vas t'épuiser tout à fait.

Tous deux marchaient côte à côte en direction de la station de métro de l'île Sainte-Hélène. Le jeune homme, encore une fois, parut apprécier sa sollicitude.

— Les gens ne me croient pas, mais l'effort physique n'est pas si grand. Les allées sont parfaitement planes, sans la moindre bosse, le moindre trou.

— Tout de même, pédaler toute une journée sans rien tirer est déjà épuisant. Toi, tu as toujours une ou deux personnes dans ta petite voiture.

L'étudiant esquissa le geste de passer son bras autour de sa taille, mais se retint.

— Ces quelques mois doivent me permettre de vivre toute l'année, alors j'essaie de travailler le plus possible. Mes parents m'offrent le gîte et le couvert, pour le reste, je dois me débrouiller.

Ainsi, ce garçon ne comptait pas parmi les héritiers de bonne famille. Marie-Andrée se retint de le questionner sur ses origines. En réalité, le fait qu'il vienne d'un milieu semblable au sien la rassurait.

Une fois dans la station de métro, les jeunes gens descendirent sur le quai avec les centaines d'autres employés désireux de rentrer se reposer, et un nombre équivalent de visiteurs heureux d'une journée riche en émotions. Dans le wagon, Marie-Andrée, réconciliée avec la détestable odeur de poulet qu'elle exhalait, ne chercha pas à prendre ses distances.

— Tes journées ne sont pas plus faciles, remarqua Robert.

— Je suis à la caisse. Cela me paraît moins dur que la cuisine.

— Ton patron t'accorde-t-il un jour de congé ?

— Demain… Enfin, je veux dire tous les mercredis.

Depuis son arrivée au St-Hubert, Marie-Andrée avait compris que certains et certaines travaillaient sept jours sur sept. Eux aussi devaient avoir un projet leur tenant à cœur. Son compagnon esquissa une grimace.

— Moi, c'est le vendredi. J'ai réclamé de travailler le samedi et le dimanche parce que ce sont les journées les plus payantes.

Il demeura un moment silencieux, puis ajouta :

— Si nous avions fait relâche le même jour, nous aurions pu faire quelque chose ensemble.

— Oui, c'est dommage.

Tous deux se tenaient à une barre métallique verticale. Sous prétexte de fuir le contact d'un autre garçon, en déplaçant un peu sa main, il effleura la sienne.

Une fois à Berri-de-Montigny, ils se firent face, empruntés.

— Alors, à jeudi, dit le jeune homme.

— Oui, à jeudi.

Après une nouvelle hésitation, ils se séparèrent. Il s'agissait bien d'un rendez-vous, songea la jeune femme.

Déjà, Marie-Andrée obéissait à une nouvelle routine. À son retour à la maison, elle commençait par se présenter à la porte du salon afin de saluer sa marraine et son locataire du moment. Chacun restait quatre ou cinq jours. Le temps de s'habituer à l'un, et un autre arrivait. Depuis ce matin-là, il s'agissait d'un épicier de Buffalo tout étonné de découvrir un territoire francophone près de chez lui. La jeune fille eut l'impression qu'il aimait aussi découvrir les jambes des Canadiennes françaises.

« Demain, la minijupe restera dans la garde-robe », pensa-t-elle en gagnant la cuisine. Il restait toujours des vestiges du dîner ou du souper dans le réfrigérateur. Le jambon ou le fromage recevaient sa préférence, tandis qu'elle feignait de ne pas voir les morceaux de poulet. Tous les après-midis, elle lunchait d'un sandwich de cette viande – déductible de sa paie, bien sûr. À la fin de l'été, le cœur lui lèverait sans doute devant tout ce qui portait des plumes.

Ce soir-là, au lieu d'aller se débarbouiller tout de suite dans la salle de bain, elle déplaça une chaise sous le téléphone accroché au mur, puis composa le numéro de son père. Celui-ci décrocha à la quatrième sonnerie, prononça un «Allô» hésitant. Maurice avait pensé à un appel de sa correspondante, Agathe, ou alors de Diane Lespérance. L'une ou l'autre l'aurait culpabilisé. Alors, quand il entendit: «Papa, vas-tu bien?», cela le soulagea.

— Oh! Oui, oui. Et toi, comment ça se passe au restaurant, et chez ta marraine?

Son plaisir si évident fit chaud au cœur de l'adolescente. Elle s'engagea dans une description optimiste de ses longues journées au St-Hubert et de ses nuits dans le lit étroit de Nicole.

— Toi qui es habituée à avoir ta propre chambre, tu dois trouver cette promiscuité difficile.

— Bof! C'est comme si j'avais une grande sœur.

Cette fois, elle était franche. Cela ne voulait pas nécessairement dire qu'elle se réjouissait chaque minute de la présence de Nicole, mais somme toute, les choses prenaient une belle tournure.

— Elle rentre tard tous les soirs. Je me réveille pour un bout de conversation, puis je me rendors. Le matin, j'essaie de me lever sans bruit afin de ne pas troubler son sommeil.

— Il est bien normal que certaines hôtesses travaillent le soir. C'est juste dommage que vous n'ayez pas le même horaire.

Dans le cas de Nicole, le temps de travail semblait bien irrégulier. Sa présence à l'Expo semblait se négocier au jour le jour. Et à son arrivée, toujours passé minuit, son haleine portait une petite odeur d'alcool.

Tous les deux tournaient autour du pot. Le père n'osait demander : « Quand viendras-tu me voir ? » Et la fille n'osait pas lui dire que le lendemain, pour son premier jour de congé, elle préférerait se promener dans la ville. À la fin, Maurice ne résista plus :

— Les journaux insistent sur le fait que les étudiants sont soumis à des horaires difficiles à l'Expo. Pourras-tu te reposer un peu ?

— Demain, je compte faire connaissance avec Montréal. Le patron a décidé de me donner mes mercredis. J'aimerais en profiter aussi pour récupérer un peu de sommeil.

— Une seule journée par semaine ?

— J'ai rencontré des employés qui ne prennent jamais congé. Les patrons demandent beaucoup, et les étudiants tiennent à faire des économies pour la prochaine année scolaire.

L'allusion à Robert la gêna un peu. Le garçon commençait à s'installer dans son esprit.

— Autrement dit, tu ne viendras pas à Saint-Hyacinthe.

— Je passerais la journée dans l'autobus.

Maurice ne releva pas cette exagération. Sa fille pouvait sans mal venir dîner avec lui et rentrer à Montréal à temps pour le souper. Cependant, il ne pouvait laisser l'oiseau quitter le nid et ensuite tenter de lui mettre un fil à la patte. À la place, il évoqua la logistique.

— Samedi dernier, tu es partie avec bien peu de vêtements.

— Je fais une petite lessive tous les deux jours.

— Comme je comprends que tu ne veux pas perdre de temps dans les transports, mercredi de la semaine prochaine, je viendrai à Montréal avec des vêtements.

— Nous passerons toute la journée ensemble, s'empressa de proposer Marie-Andrée. Tiens, nous pourrions aller au Jardin botanique. Ce n'est pas bien loin d'ici.

Elle fit cette promesse pour amadouer son père. Ainsi, ils passeraient dix jours sans se voir, après une existence à se côtoyer sans cesse. Le professeur décida d'exprimer sa frustration en évoquant un tiers.

— Tu voyais Jeannot quasiment tous les jours. Le pauvre doit s'ennuyer.

— Il comprend certainement que je dois travailler. D'ailleurs, c'est la même chose pour lui.

Cela ressemblait à une petite trahison, la voix de la jeune fille manquait d'assurance. Tout à coup, il lui tardait de mettre fin à la conversation.

— Je dois aller faire ma toilette, maintenant. Après ma journée de travail, j'empeste le poulet.

— Oui, bien sûr. Alors, prends soin de toi.

— Toi aussi, papa.

En raccrochant, la jeune fille se sentait vaguement coupable d'abandonner ainsi son père. Toutefois, sa petite autonomie se révélait grisante, au point qu'elle voulait en profiter à sa guise.

Après une enfance et une adolescence plutôt solitaires, avec pour seule véritable amie Denise Marois, Marie-Andrée se passionnait pour la grande ville, pour les endroits où se trouvaient les foules les plus nombreuses. Le meilleur secteur demeurait la rue Sainte-Catherine. Elle descendit à la station Beaudry pour marcher vers l'ouest, jusqu'à la station Atwater.

Pour quelqu'un n'ayant pas les moyens de dépenser, aller d'un commerce à l'autre témoignait sans doute d'un certain masochisme. Dans les rayons de vêtements du magasin Dupuis Frères, elle se surprit de l'audace des dernières minijupes « inspirées de la *designer* anglaise Mary Quant ». Londres dictait la mode aux jeunes, désormais.

En réalité, tout le vent de modernité venait de l'Angleterre. Pour être *in*, il fallait apprécier les Rolling Stones, Procol Harum, The Hollies, The Kinks, Pink Floyd et surtout les Beatles. À cause de son écoute régulière de la radio, Marie-Andrée connaissait tous les succès de ces groupes.

Néanmoins, dans un magasin de disques, elle s'enferma dans une cabine pour écouter le *single* passé en première position des palmarès un peu partout dans le monde : *A Whiter Shade of Pale*. La chanson avait mis Procol Harum à l'avant-scène. Puis elle plaça la version française de Donald Lautrec sur le tourne-disque :

Je sais qu'il viendra le jour du dernier jour
Il viendra le dernier jour et toi tu seras là…

La grandiloquence du texte tombait un peu à plat, la musique d'orgue inspirée de Bach n'y changeait rien. En revenant sur le trottoir, refoulant un fou rire, la jeune fille fredonnait : « *Le jouuur du dernier jouuur.* » Allonger les « ou » ne rendait pourtant pas la prestation plus impressionnante, ni le français plus châtié.

Devant la Place des Arts, elle se promit de revenir bientôt pour assister à un spectacle. Son père avait évoqué cette possibilité après l'avoir emmenée voir Jacques Brel. À l'ouest de la rue Saint-Laurent, les magasins demeuraient aussi nombreux et se révélaient beaucoup plus chics. Tous ces produits de consommation la firent rêver tout l'après-midi de devenir riche, mais elle revint à la réalité en marchant vers la maison de sa marraine Mary : les maîtresses d'école n'achetaient pas leurs vêtements chez Ogilvy ou Holt Renfrew. Même Eaton demeurait plutôt hors de portée.

Après le souper vint le moment de faire la lessive, non seulement de ses vêtements personnels, mais aussi de son uniforme. Son père avait eu raison la veille : tous les deux jours, elle étendait ses sous-vêtements sur la corde à linge. Le temps de cette corvée, elle ressassa ses obligations, dont celle de donner signe de vie à Jeannot Léveillé. Le fait qu'elle y pense comme à une obligation en disait beaucoup sur ses sentiments.

— Ma tante, l'interpella-t-elle en croisant celle-ci dans la cuisine, je dois encore téléphoner à Saint-Hyacinthe. Je vous paierai les communications.

— Ça, je l'avais bien compris. Je te donnerai le montant quand arrivera la facture.

Dans le dos de sa marraine, l'adolescente eut une petite grimace. Le montant de ses dettes s'élevait tous les jours. Il lui resterait bien peu d'argent de sa première paie quand elle la toucherait le samedi suivant.

Chez les Léveillé, la mère devait passer son temps près de l'appareil, car elle décrocha dès la première sonnerie.

— Madame, dit Marie-Andrée, pourrais-je parler à Jeannot ?

— … T'es la petite Berger ? Comment vas-tu ?

— Je vais bien.

— Quand tu s'ras en ville, viens manger à la maison. Ça nous fera plaisir de te voir.

Impossible de répondre autre chose que : « Merci, ce sera avec plaisir. » L'invitation lancée, la ménagère appela son fils, si fort que Marie-Andrée éloigna le combiné de son oreille.

— C'est toi ? fit bientôt une voix masculine.

Le ton comportait un peu de rudesse, assez pour gêner son interlocutrice.

— Comment vas-tu, Jeannot ?

Sa douceur rendit le garçon un peu plus conciliant.

— Tu me manques, tu sais.

À ces mots, il existait une seule bonne réponse : « Moi aussi. » À la place, elle dit :

— Tu le comprends, je dois travailler pour contribuer à la poursuite de mes études.

Il y eut un silence, puis Jeannot reprit :

— Viendras-tu à Saint-Hyacinthe bientôt ?

— Je n'ai qu'une seule journée de congé par semaine. C'est plutôt court pour revenir à la maison.

— Dans ce cas, je peux me rendre à Montréal. Quand seras-tu libre ?

— Mercredi prochain, mais j'ai promis de passer la journée avec papa.

Cette fois, le silence se prolongea. Marie-Andrée se sentait affreusement mal à l'aise, mais elle n'éprouvait pas le désir de le revoir plus tôt. La raison de sa retenue lui échappait, ou plutôt elle ne voulait pas se l'avouer.

— Dans ce cas, tu me feras savoir quand tu seras disponible.

— Oui, bien sûr.

La conviction manquait dans les deux voix. Les salutations se firent de façon un peu machinale, puis tous les deux raccrochèrent.

Quand Nicole Tanguay rentra à la maison un peu après minuit, elle trouva Marie-Andrée plongée dans un livre, le dos appuyé contre des oreillers.

— L'histoire doit être passionnante, pour te garder éveillée aussi tard.

— Il s'agit de *Bonjour Tristesse*, publié il y a plus de dix ans.

Comme sa cousine haussait les sourcils pour souligner son ignorance, elle continua :

— De Françoise Sagan. L'histoire d'une fille de dix-sept ans infiniment plus dans le vent que moi.

— Là, tu me donnes envie de le lire, mais ne t'en fais pas, je me retiendrai.

Marie-Andrée esquissa un sourire. Imaginer sa cousine un livre à la main demeurait difficile. Son existence lui procurait des activités autrement plus stimulantes. Maintenant, elle se troublait moins de la voir enlever ses vêtements. Nicole ne s'exhibait pas, bien sûr, mais elle ne se dissimulait pas non plus. En se glissant sous les draps vêtue de sa nuisette, elle remarqua :

— Toi, quelque chose te chicote.

Marie-Andrée prit le temps de déposer son livre sur la table de chevet, d'éteindre la lumière et de s'étendre tout à fait.

— Au cours des derniers mois, à Saint-Hyacinthe, j'avais un ami…

Elle se surprit d'en parler au passé.

— Un ami ou un amoureux ?

Son aînée de quelques années, Nicole posait spontanément la question essentielle. Qu'était Jeannot pour elle ?

— Un ami, je pense, un bon ami. Mais lui, de son côté…

— Il était amoureux. Ce genre de chose arrive souvent.

Comment interpréter son attitude au téléphone, deux heures plus tôt, sinon comme celle d'un amoureux transi ?

— J'aimais bien me retrouver avec lui, nous ne passions pas une journée sans nous parler. Mais au cours des derniers jours, il ne m'a pas manqué, et tout à l'heure l'idée de lui téléphoner me pesait.

Son travail et l'environnement de l'exposition apportaient leur lot d'excitations, mais pas au point de s'éloigner d'un être cher. Il s'agissait d'autre chose.

— … Tu t'es fait un premier petit ami dans ton gros village. Maintenant que tu es arrivée dans la grande ville, parmi des milliers de beaux garçons, le pauvre te paraît bien fade.

Pour une autre personne, sa réalité semblait toute simple. Ne s'agissait-il que de cela ? Son arrivée à Montréal exigeait-elle une nouvelle existence, de nouvelles relations ?

— Je n'ai pas rencontré d'autres garçons, protesta-t-elle.

Comme si son plaisir de voir Robert, la veille, ne signifiait rien.

— Tu en as vu défiler des centaines en trois jours. Comme nous toutes, tu découvres le monde sans avoir à te déplacer : il vient à toi. Un monde rempli de personnes intéressantes.

L'Expo 67 devenait le lieu de rassemblement de toute la jeunesse de la région de Montréal, maintenant que les grandes vacances étaient commencées. La ville allongeait les heures d'activité du métro, offrait un service d'autobus toute la nuit afin de favoriser les va-et-vient vers les îles. Le gentil garçon de Saint-Hyacinthe perdait de son lustre, parmi tous les autres.

— Non, ce n'est pas ça…

Quelle hypocrisie ! La perspective de sacrifier une journée pour se rendre à Saint-Hyacinthe lui répugnait. D'un autre côté, l'impression de trahir son ami la rendait honteuse.

— Bon, conclut Nicole en se tournant vers le mur, moi je dois dormir. Juste un mot encore : personne n'est forcé de marier son premier petit ami. Essaie donc d'en connaître au moins deux, avant de te caser.

L'adolescente se sentit vexée par le ton moqueur. Son expérience des derniers mois ne lui avait pas vraiment donné plus d'assurance.

Pourtant, le lendemain, Marie-Andrée ne pouvait nier que l'éventualité de rencontrer Robert sur son chemin lui faisait plaisir. En montant les escaliers à la station de métro de l'île Sainte-Hélène, elle accéléra le pas. Le jeune homme se tenait bien là, penché sur le guidon de son étrange tricycle. Il la regarda s'approcher, un sourire moqueur sur les lèvres.

— Alors, cette journée de congé ?

— Je l'ai passée à traîner dans les magasins, alors que je ne peux rien me payer.

— Faire ça, c'est un peu cruel, non ?

— Je ne suis pas assez tenaillée par l'envie pour me rendre malheureuse. Juste un peu…

Évoquer l'un des péchés capitaux ne lui donnerait certainement pas la réputation d'une jeune fille dans le vent. « Est-ce que je fais innocente à ce point ? » songea-t-elle.

Le garçon était descendu de son pédicab afin de marcher à son rythme.

— Une parfaite couventine, commenta-t-il.

— Ça ne changera pas vraiment à l'école normale, répliqua-t-elle. L'établissement est sous la direction des sœurs de la Congrégation de Notre-Dame.

— À en croire tous les réformateurs du système scolaire, tu te retrouveras peut-être à l'université avant la fin de tes études.

Cela semblait probable, selon les journaux. Le sujet de la création d'une seconde université française à Montréal échauffait les esprits. Le changement d'ordre d'enseignement l'intimiderait encore plus.

— De ton côté, tu n'aimerais pas prendre congé ? s'enquit-elle pour détourner l'attention de sa petite personne.

— Mais juste en ce moment, je prends congé. Autrement, je te ferais asseoir devant et je te demanderais cinquante cents pour la promenade.

Le pédicab ressemblait en tout point à un véhicule de livraison, sauf qu'à la place d'un espace de chargement, on avait installé entre les deux roues avant une banquette étroite pour deux personnes.

— … Risques-tu d'avoir des ennuis à cause de moi ?

— J'ai tout de même droit à des pauses, dans la journée. Compte-toi chanceuse, je préfère ta compagnie à un Coke avec les *chums*.

Évidemment, la société Tilden, propriétaire de la flotte de pédicabs, exerçait une certaine surveillance sur son personnel. Robert ne pouvait arrêter de travailler simplement pour les beaux yeux d'une fille. Qu'il lui consacre ainsi son moment de repos la toucha.

Déjà, ils approchaient du pavillon thématique. Ils se firent face :

— Alors, bonne journée, Marie-Andrée. Je te souhaite de vendre beaucoup de poulet, et moi, je promènerai au moins deux douzaines d'Américains avant ce soir.

— Bonne journée. J'espère qu'ils ne seront pas trop lourds.

Les yeux du garçon paraissaient ironiques. Elle passa d'un pied sur l'autre en attendant la suite. Il se montra bon prince :

— Ce soir, nous faisons un bout de chemin ensemble ?

Nicole avait bien raison : cet étudiant était pour beaucoup dans sa réticence à partager une journée avec Jeannot, que ce soit à Montréal ou à Saint-Hyacinthe.

— Je ne peux pas te donner une heure précise.

— Alors, le premier arrivé attend l'autre.

Robert lui adressa un petit mouvement de la tête en guise de dernier salut, puis disparut vers la gare de l'Expo-Express afin de trouver des clients. Cinq minutes plus tard, Marie-Andrée gagnait le comptoir du restaurant, vêtue de son vilain uniforme. Ses collègues la reçurent avec un bonjour poli, mais peu enthousiaste. Son statut d'étudiante la mettait à l'écart des autres : le reste de sa vie active, elle serait maîtresse d'école, pas serveuse.

À la fin de sa longue journée, elle se planta devant le pavillon L'Homme à l'œuvre pour chercher des yeux le conducteur de pédicab, sans le trouver. Son absence lui fit un petit pincement au cœur. Tout près, un banc l'invitait ; l'attente serait plus confortable. Cinq minutes passèrent, puis dix.

« Nous avions pourtant convenu de nous retrouver à neuf heures », marmonna-t-elle. Combien de temps devrait-elle l'attendre ?

Soudain le jeune homme apparut, s'approchant nonchalamment.

— Désolé, fit-il en arrivant à portée de voix. Difficile de faire descendre un passager en chemin.

— Ça ne fait rien, répondit-elle en quittant son siège. Je me suis reposée un peu.

Toujours intimidés, ni l'un ni l'autre ne prirent l'initiative de tendre la main ou d'esquisser le mouvement de se faire la bise. En marchant en direction de la station de métro, ils gardèrent le silence. La fatigue aussi jouait certainement un rôle dans leur attitude. En tant que simples connaissances, ils avaient échangé les informations biographiques pertinentes. Pour qu'ils puissent aller plus loin, leur relation devait se transformer, devenir au moins une amitié. Dans le wagon, la foule les obligea à se tenir tout près l'un de l'autre, au point de se retrouver épaule contre épaule. Marie-Andrée leva les yeux pour murmurer :

— Là, si tu chantes la ritournelle de St-Hubert, je te donne un coup de pied.

À une époque où la télévision faisait la réclame des rince-bouche et antisudorifiques, son odeur de rôtisserie en venait à la mettre mal à l'aise.

— Tu me donnes envie de le faire, juste pour voir si tu oserais.

Le jeune homme se retint néanmoins. À Berri-de-Montigny, ils se retrouvèrent de nouveau face à face. Cette fois, il osa proposer :

— Samedi soir, ça te dirait de sortir avec moi ?

Comme Marie-Andrée demeurait silencieuse, il précisa :

— Nous n'aurions même pas à sortir du terrain de l'exposition. Il y a toujours de bons spectacles à la Place des Nations, ou alors au Jardin des étoiles, à La Ronde.

— Je dois travailler dimanche matin.

— Moi aussi. Donc nous ne rentrerons pas trop tard.

— D'accord.

Son acceptation tira un grand sourire à son vis-à-vis.

— Demain, j'apporterai un journal, nous pourrons décider ensemble.

Après une très brève hésitation, il se pencha pour lui embrasser la joue.

— Alors, à bientôt.

— … À demain.

Marchant rue Saint-Hubert, la jeune fille songea aux yeux myopes de Jeannot Léveillé, à ses cheveux bouclés un peu trop longs. Nicole avait raison sur toute la ligne : la vie lui réservait encore bien des rencontres, et cette fête où le monde entier se trouvait convié multipliait les occasions.

Chapitre 6

Finalement, le 29 juin, la fameuse loi fut approuvée par l'assemblée législative : les collèges d'enseignement général et professionnel avaient maintenant un acte de naissance, et quelques-uns de ces établissements ouvriraient leurs portes en septembre. Pendant longtemps, on les avait évoqués avec le nom d'institut, une appellation jugée somme toute trop peu respectable – on désignait ainsi les écoles techniques depuis trente ans. Ces nouvelles institutions seraient la porte d'entrée à l'université, il leur fallait une dénomination digne de ce rôle.

— Mais il n'y en aura pas à Saint-Hyacinthe.

Émile Trottier, assis un peu de travers pour éviter de renverser les grosses bouteilles de bière sur la table, tenait le *Montréal Matin* grand ouvert sous ses yeux.

— Peut-être pas cette année, mais l'an prochain, prédit Maurice, au pire l'année suivante.

L'ancien religieux mettait de tels espoirs dans cette nouvelle législation que la veille, il avait passé la journée à surveiller tous les bulletins de nouvelles. Dès le matin, il avait téléphoné à son collègue pour convenir de cette rencontre à la taverne.

— Pourquoi ne vas-tu pas dans l'une de ces villes ? continua Maurice. La demande de personnel demeure élevée, puis tu as de l'expérience. Plus que moi, en réalité.

«Et une meilleure formation!» songea-t-il avec une certaine amertume. Les frères enseignants additionnaient les séjours à l'université pendant les grandes vacances; lui-même n'avait jamais dépassé son cours classique.

— À tous ces endroits, ils recrutent le personnel des collèges existants. Tout le monde se précipitera pour occuper ces emplois. Il y aura beaucoup trop de candidats pour les places disponibles.

Cela se pouvait bien. Chacun trouverait sa place au secondaire, compte tenu de l'augmentation rapide de la clientèle, mais la compétition serait farouche pour avoir accès à l'ordre supérieur.

— Je n'ai qu'un seul ami dans notre petite ville, avoua Émile, je ne veux pas m'en éloigner. De son côté, Jeanne tient à quelques-unes de ses relations, et surtout à la proximité de ses parents.

Maurice réalisait combien il n'avait pas de bien grandes attaches à Saint-Hyacinthe. Depuis qu'il ne fréquentait plus la maison de ses parents, les ponts étaient quasiment rompus avec son frère et sa sœur. Le désir lui prenait parfois de se porter candidat ailleurs afin de se rapprocher de Montréal, mais ce serait faire injure à Marie-Andrée que de souhaiter la remettre sous son emprise.

— J'envie ta femme, remarqua-t-il. Il y a quelque chose de pitoyable dans notre situation: arrivés au milieu de notre vie, ni toi ni moi n'avons de racines.

L'ancien religieux eut envie de reprendre ses griefs à l'égard de la congrégation responsable de son isolement, pour finalement s'abstenir. Gaspiller son présent à pester contre son passé ne s'avérait pas bien productif.

— Voilà pourquoi j'essaie de me greffer à celles de Jeanne. De ton côté, avec ta blonde?

Maurice se demandait encore s'il avait bien fait de se confier. N'était-ce pas donner un caractère officiel à une relation dont il doutait toujours, au point d'avoir pris rendez-vous avec une autre en soirée ?

— Ça va aussi bien que possible, je suppose. Demain, je ferai la connaissance de sa mère.

Il avait répondu de si mauvaise grâce qu'Émile jugea préférable de revenir sur le sujet de leur situation professionnelle.

— Vas-tu essayer de travailler cet été ?

Les enseignants recevaient leur traitement sur une période de dix mois. Chacun devait mettre de côté de quoi vivre pendant les grandes vacances, mais la rémunération demeurait modeste, rendant difficile d'économiser.

— Non, je compte profiter de ces quelques semaines. Et pour me faire embaucher à quel endroit ? Avec mes compétences, je pourrais devenir un collègue de Marie-Andrée au St-Hubert.

Pendant ses premières années d'enseignement, Maurice travaillait dans un casse-croûte en juillet et août. L'expérience lui avait permis de rencontrer Ann. Il continua :

— Et toi ?

— Il y a bien trois ou quatre cancres désireux de faire du rattrapage. Rien pour me rendre riche, toutefois.

— Moi, je ne pourrais pas. J'ai besoin de prendre congé d'eux, et de tout le reste. Tiens, si j'étais moins peureux, je me laisserais pousser les cheveux et je me rendrais en Californie sur le pouce. Je me verrais bien au milieu de tous ces hippies.

Le festival de musique de Monterey s'était terminé dix jours plus tôt. Sous le ciel de Californie, en plus d'écouter de la musique, deux cent mille jeunes avaient fait en plein air ce que lui et ses pareils craignaient de faire derrière des portes closes et dans la plus parfaite obscurité.

— Si tu le fais, je vais crever de jalousie. Tu te rends compte : prendre part au *summer of love*, des fleurs dans les cheveux, avec des gamines aux airs de madone, seins nus dans le parc Haight-Ashbury de San Francisco !

À cette évocation, Maurice imagina Marie-Andrée dans cette posture. L'image s'avéra si nette qu'elle le mit affreusement mal à l'aise. Pour l'effacer, il reprit son attitude d'adulte grognon :

— Reste à voir si toutes ces libertés les rendront plus heureux, maugréa-t-il.

— Bof ! Imagine qu'un gars entre ici et pose les yeux sur nous. Il ne verra pas une image parfaite du bonheur, mais deux quadragénaires buvant une grosse bière en mangeant un steak haché trop cuit avec de la purée de pommes de terre.

Maurice jeta un regard circulaire sur la salle, cherchant des hommes semblables à eux. Plus vieux pour la plupart, certains clients portaient des prothèses dentaires visiblement mal ajustées, d'autres étaient totalement édentés. Comme les femmes n'étaient pas admises dans les établissements de ce genre, aucune chance qu'une robe un peu courte ne vienne égayer le paysage.

— … Tu arrives à me couper l'appétit.

— À toi comme à moi, notre jeunesse nous a été volée par des porteurs de soutane désireux de nous embrigader. Tu te rappelles ton conseiller spirituel ?

L'ancien religieux adopta une voix de crécelle :

— « M'sieur Trottier, avez-vous des mauvaises pensées ?… Vous en avez certainement, m'sieur Trottier. »

Il marqua une pause avant de s'exclamer :

— Christ, qu'elles l'intéressaient, mes mauvaises pensées !

— Seigneur ! Ne me dis pas que tu as eu le même conseiller que moi ?

En disant ces mots, Maurice eut un rire qui sonnait tout à fait faux. Pour lui, pendant toute sa jeunesse, l'inquisition ne s'était pas limitée au collège ou au confessionnal, elle s'était poursuivie à la maison avec l'acharnement de sa mère à en faire un prêtre.

— Le Québec les produisait en grand nombre, assez pour que chacun d'entre nous ait le sien. Alors quand j'entends la chanson de Scott McKenzie, je ne condamne pas la jeunesse d'aujourd'hui. Je me meurs de jalousie.

— Scott McKenzie ?

— Tu ne connais pas ? Sa chanson tourne sans arrêt depuis le mois de mai.

Comme les yeux de Maurice exprimaient la plus totale ignorance, il insista :

— À moins d'avoir été téléporté sur la planète Mars par le capitaine Kirk, tu l'as entendu.

Contrairement à son ami, Maurice ne comptait pas non plus parmi l'auditoire de l'émission *Star Trek*, le samedi à dix-neuf heures.

— Dans ce cas, je veux bien me sacrifier…

If you're going to San Francisco
Be sure to wear some flowers in your hair…

Trottier chantait plutôt juste. En entendant les deux premières lignes de la chanson, deux pépères à la table voisine tournèrent la tête pour le toiser avec un air sévère.

— Je peux vous la chanter en entier, leur proposa-t-il, moqueur.

Sans répondre, les vieux bonshommes se penchèrent sur leur assiette, fâchés. Au grand bonheur d'Émile, l'un grommela : « Maudite jeunesse. Y en a même icitte, asteure. »

— Je suis franchement impressionné, apprécia Maurice. Les apprends-tu toutes par cœur ?

— J'achète les 45 tours les plus populaires, je déniche les paroles quelque part ou je les transcris en écoutant la chanson. Avec ça, en septembre, tous mes étudiants se passionneront pour les exercices de traduction pendant mes cours d'anglais.

« Bon, pour rester dans le même ordre d'idées, songea Maurice, je devrais faire lire les albums d'Astérix aux miens, à la place de leur proposer les œuvres de Marcel Proust. » Voilà qui ferait sourciller bien fort frère Jérôme, le directeur du collège Saint-Joseph.

— Tu me sidères vraiment. Tu pourrais avoir de longs échanges avec Marie-Andrée sur les derniers succès du palmarès. Mais là, je dois y aller. J'ai promis à Diane de la conduire au centre d'achats.

Tout en disant cela, il levait la main pour attirer l'attention du serveur.

— Dommage, je m'apprêtais à te chanter *All You Need Is Love*, des Beatles. Tu as dû l'entendre à la télé, la chanson est sortie cette semaine.

Émile paya, lui aussi, et tous deux quittèrent l'établissement.

Censée sortir en soirée, Marie-Andrée avait mis sa petite robe bleue ce matin-là, la plus courte parmi ses vêtements. À deux heures, elle l'avait de nouveau sur le dos, lorsqu'elle se plaça dans l'embrasure de la porte du bureau de son patron.

— Monsieur Patenaude, je désire vous parler.

La voix était un peu trop haut perchée. Comme toutes les timides, seule la colère lui donnait l'audace de revendiquer que l'on respecte ses droits. Dans ce cas, cela lui mettait le rose aux joues et la faisait parler une octave trop haut.

— Bin assis-toé, d'abord.

Comme son bureau était poussé contre le mur, il plaçait sa chaise un peu de travers pour faire face à celle réservée aux visiteurs. Dans le cas des jeunes filles en minijupe, cela lui donnait une vue imprenable sur un bout de cuisse. Marie-Andrée serra les genoux, puis commença :

— Aujourd'hui, il s'agit de la journée la plus achalandée de la semaine, et vous me dites d'aller me promener jusqu'à cinq heures. Moi, j'ai besoin de gagner de l'argent pour payer mes études.

— Tu dois comprendre, y en a une nouvelle à former. Si tu restais, vous seriez deux filles et demie pour prendre les commandes.

De sa réponse, elle retint qu'après une semaine, il la trouvait aussi bonne que les autres employées, plus expérimentées. Car dans ce calcul, la serveuse en apprentissage comptait pour la demie.

— Ça ne change rien au coût de mes études.

— C'est pas ma faute si y en a qui restent juste deux semaines.

— Alors justement, il faut faire en sorte de les garder…

Marie-Andrée allait aussi près que possible de la formulation d'une menace : « Vous me traitez mieux, ou je vais voir ailleurs. » Un défi aussi clair lui aurait valu un renvoi ; le sous-entendu passerait mieux. Puisque tous les matins elle voyait, dans les commerces de la station de métro Berri-de-Montigny ou sur le terrain de l'exposition, de petites affiches portant les mots « Aide demandée », elle se sentait suffisamment en confiance pour prendre ce risque.

— Bon, t'es une bonne fille, alors j'te paie une heure de plus aujourd'hui. Comme ça, tu perdras rien.

Le gérant ouvrit un tiroir de son bureau, chercha dans une petite pile d'enveloppes celle portant les initiales MAB, puis sortit son portefeuille de sa proche, en retira un billet d'un dollar pour l'y glisser.

— Ça, ça va être ton salaire à partir d'asteure.

Il fallut un moment avant que l'employée ne comprenne. L'homme lui consentait une augmentation de dix pour cent en lui versant le salaire horaire minimum destiné aux plus de dix-huit ans. Sa surprise était si grande qu'elle hésita un instant avant de prendre l'enveloppe qu'il lui tendait.

— Merci, monsieur Patenaude.

— Ta part des *tips* est là aussi.

Comme elle faisait mine de se lever pour sortir, il demanda :

— Tu comptes pas ?

— Je vous fais confiance, monsieur.

Tout de même, avant d'être dehors, elle aurait fait l'addition des billets et des pièces : quarante-cinq heures – en comptant sa petite prime touchée l'instant d'avant – et un dixième des pourboires, pour juste un peu plus de cinquante dollars. La première paie de son existence.

Encore un peu, et elle se serait trouvée riche.

Quand on se sent prospère pour la première fois, il devient impossible d'aller visiter le pavillon de l'Iran, ni même celui de la France. Il faut dépenser. Marie-Andrée s'empressa de monter dans l'Expo-Express afin de se rendre à la Cité du Havre pour, de là, emprunter l'un des autobus rouges à deux étages qui la mènerait jusqu'à la rue Sainte-Catherine. Dans les deux cas, le trajet ne lui coûtait rien.

Ce fut dans le véhicule tout droit importé de Londres que la jeune femme se souvint que ce samedi était le 1ᵉʳ juillet, jour de la Fête du Canada. À la Place des Nations, le premier ministre Lester B. Pearson se lançait au même moment dans un long discours, imité ensuite par une véritable brochette de personnages officiels.

Comme il s'agissait d'un jour férié, bien des commerces étaient fermés. Tant pis pour le magasinage : seules les boutiques pour touristes demeureraient ouvertes. Cela ne signifiait pas pour autant un après-midi sans émotion. En descendant près du carré Dominion, Marie-Andrée entendit ces mots, scandés par une foule :

— *Hell no ! We won't go ! Hell no ! We won't go !*

D'abord, elle ne sut à quoi on faisait allusion. Les pancartes portées par des manifestants lui rafraîchirent la mémoire : la guerre du Vietnam ! Les États-Unis envoyaient maintenant des dizaines de milliers de conscrits à l'autre bout du monde afin de contenir l'expansion du communisme. Cela ne soulevait pas le plus grand enthousiasme au sein de la nouvelle génération.

— *Hell no ! We won't go ! Hell no ! We won't go !*

Les journaux du matin rapportaient que le boxeur Cassius Clay, qui se donnait depuis quelque temps le nom de Mohammed Ali, avait été condamné à cinq ans de prison pour avoir refusé de revêtir l'uniforme. Les jeunes Américains qui n'avaient pas les moyens de payer un avocat et de passer plusieurs jours devant un tribunal essayaient de se faire réformer en plaidant des motifs médicaux, ou alors ils refusaient de se présenter aux bureaux de recrutement et fuyaient au Canada. On les appelait les *draft dodgers*. Les journaux estimaient le nombre de ces immigrants à six mille.

Sur les trottoirs, des dizaines de policiers de la ville de Montréal s'alignaient épaule contre épaule, casqués, une longue matraque à la main. Certains montaient des chevaux, afin de pouvoir fendre la foule et renverser des piétons. Pendant cet été de l'amour, alors que se multipliaient les *love-in* aux États-Unis, des manifestations contre la participation au conflit se tenaient dans toutes les villes de l'Amérique du Nord. La plupart du temps, la situation dégénérait en affrontements violents.

— *Hell no! We won't go! Hell no! We won't go!*

Sur les pelouses du square Dominion, à l'ombre du grand édifice de pierre de la Sun Life, des centaines de personnes hurlaient des slogans, en anglais la plupart du temps. Des banderoles permettaient de connaître les organismes impliqués dans cette démonstration. Rédigées en anglais aussi, elles évoquaient des associations gauchistes : deux ligues et un forum socialistes, un mouvement progressiste de travailleurs et même un syndicat d'électriciens.

Sur le trottoir, la jeune fille se sentait un peu trop près du contingent des défenseurs de l'ordre. Puis des cris en français lui parvinrent. Elle marcha en direction de ce groupe, pour distinguer les noms d'autres associations sur les pancartes : la Voix du Québec au Vietnam, les Chevaliers de l'indépendance, le Rassemblement pour l'indépendance nationale. Seul ce dernier groupe lui était connu, car il s'agissait d'un parti politique ayant participé aux élections provinciales l'année précédente.

— Mort aux colonialistes américains ! criaient certains.

— Américains, sortez du Vietnam ! reprenaient les autres.

Ces slogans alternaient, sans grand effet toutefois. Les francophones ne représentaient pas le dixième des personnes rassemblées. Ils devaient être entre cinquante et cent jeunes gens, estima la jeune fille. Les manifestants posaient sur elle des yeux curieux, ils s'écartaient pour la laisser avancer.

— Tiens ça, lui lança soudain un homme dans la vingtaine, j'en ai un autre.

Sur un bâton, un carton portait les mots «*Fuck* la reine». Pour ces militants, d'autres objectifs s'ajoutaient à la protestation contre la guerre du Vietnam.

— Non... je ne fais pas partie de la manifestation.

— Bin, tu fais quoi icitte, d'abord? Tu te cherches un *chum*?

Des yeux faisaient l'inventaire de ses charmes, de ses sandales jusqu'à ses cheveux châtains et ses yeux gris.

— Si c'est ça, j'suis là.

Quelque chose de vulgaire dans le regard de son interlocuteur l'amena à s'éloigner de quelques pas sans regarder où elle allait. Son épaule heurta bientôt celle d'un autre protestataire.

— Pardon, monsieur.

Celui-là portait une veste grise sur une chemise bleue, un jeans, des souliers de suède. Il s'agissait de la tenue typique des étudiants universitaires décontractés. Sur son nez, des lunettes à monture de plastique noir lui donnaient l'allure d'un intellectuel. Il ne lui manquait qu'une pipe à la bouche et un air pensif pour compléter l'ensemble. Sans doute y recourait-il dans des moments plus calmes.

— Ce n'est rien...

De nouveau, elle se sentit soumise à un véritable examen, moins intimidant celui-là.

— Mais je te connais, je pense.

Cette petite phrase était sans aucun doute la plus souvent employée pour entamer la conversation avec une inconnue. D'habitude, il n'en était rien.

— Je ne crois pas, protesta Marie-Andrée.

— Oh oui! Maintenant je te replace: tu es serveuse au St-Hubert de l'Expo.

L'homme devait avoir vingt-quatre ou vingt-cinq ans. Des dizaines de ses semblables étaient passés au restaurant.

— Je travaille là.

— Je me disais aussi. Je n'oublie pas les jolis visages.

Cette fois, elle le reconnut. De nouveau, le badinage sonnait un peu faux dans sa bouche, et son malaise ajoutait de la crédibilité au compliment. Une soudaine chaleur monta à ses joues. Qu'un garçon à l'air si sérieux joue ce jeu de séduction la troubla. Elle se sentait si souvent comme une petite fille, et voilà qu'un homme lui portait de l'intérêt. Quelqu'un qui avait autre chose en tête que la musique yé-yé et la prochaine soirée de danse.

D'ailleurs, ses paroles lui en donnèrent tout de suite la preuve :

— Tu t'intéresses à la politique ?

Son interlocuteur portait une pancarte où elle lut : « Mort aux colonialistes. » D'un signe de la tête, elle acquiesça. Au milieu de cette foule, cela lui semblait être la seule bonne réponse possible.

— C'est ma passion. L'an dernier, j'ai été candidat pour le RIN. Sais-tu ce que c'est ?

Il s'agissait du Rassemblement pour l'indépendance nationale.

— Tout de même, me prends-tu pour une idiote ?…

La pointe de mauvaise humeur tira un petit sourire narquois au jeune homme. La minirobe bleue et les longs cheveux faisaient penser à l'une des fans de l'émission *Jeunesse d'aujourd'hui*, mais il lui attribuait spontanément plus de profondeur.

— Tu vois, Pierre Bourgault est venu participer à ce cirque.

Ses yeux se portaient sur un homme d'assez petite taille, aux cheveux bruns, se livrant à un discours passionné pour quelques fidèles. La plupart des mots lui échappèrent, elle entendit seulement : « C'est ça, être colonisé ! » Cette manifestation contre l'intervention des Américains au Vietnam permettait d'évoquer une autre domination, celle pesant sur les Québécois.

Son interlocuteur fouilla dans sa poche, sortit un macaron montrant une tête de bouc stylisée noire et rouge, le sigle du RIN.

— Mets ça, sinon les gars vont te prendre pour une espionne de la Gendarmerie royale du Canada.

Il arborait le même, comme toutes les personnes autour d'eux. Sans attendre son assentiment, il fit le geste de le lui piquer sur la poitrine. Cela signifiait glisser ses doigts dans l'encolure de sa robe. Elle se raidit et arrêta sa main en disant :

— Je m'en occupe.

Le jeune homme, un peu moqueur, murmura :

— Oh ! Pardon !

Tout en fixant l'insigne sur son vêtement, elle remarqua :

— Les femmes ne sont pas nombreuses, parmi vous.

— Elles ne s'intéressent sans doute pas à la politique.

— Ou elles ne se sentent pas les bienvenues.

Elles représentaient tout au plus un dixième des militants, et on les voyait surtout dans les groupes de gauche, pas au RIN. Chez les nationalistes, Marie-Andrée se sentait bien seule. En même temps, se trouver là lui procurait une certaine excitation, le sentiment de transgresser les règles tout en s'affichant comme une grande personne.

Un mouvement s'amorça à l'autre bout du square.

— Nous allons nous mettre en route. Ce n'est pas trop tôt.

— Où allez-vous ?

— Au parc La Fontaine, en empruntant la rue Sherbrooke. Viens avec nous.

— … C'est loin. Je dois aller reprendre mon poste au restaurant.

Dans moins de deux heures, la jeune serveuse revêtirait son vilain uniforme pour se remettre au travail.

— Les poulets peuvent bien attendre, clama son vis-à-vis. Aujourd'hui, nous faisons l'histoire.

Depuis quelque temps, la jeune fille se découvrait une certaine aptitude pour la colère. Sa voix couvrit le bruit ambiant quand elle répliqua :

— Je ne fais pas partie des enfants de riches qui, une fois adultes, se font entretenir par leurs parents. Mes études, j'essaie de les payer moi-même.

La répartie laissa l'autre un moment interdit, puis il convint :

— Oui, bien sûr. Je m'excuse.

Les derniers mots rendirent immédiatement la serveuse plus conciliante. Il continua :

— Écoute, fais un bout de chemin avec moi. J'ai stationné ma voiture près de la rue Sherbrooke, je te reconduirai moi-même à ton travail.

« Avec moi », avait-il dit. Cela ne concernait plus vraiment la manifestation, mais le désir de mieux la connaître. L'attention fit plaisir à la jeune fille.

— Je n'ai pas les moyens de perdre mon emploi.

— J'ai compris. Je t'emmènerai à temps, ne crains rien.

Marie-Andrée souhaitait accepter, mais son sens du devoir, ou le plaisir de toucher enfin un salaire, la rendait ponctuelle.

— Je dois être à la Cité du Havre au plus tard à quatre heures vingt.

L'Expo-Express partait de là toutes les quinze minutes, et un arrêt du train se trouvait tout près de son travail. Son interlocuteur hocha la tête pour indiquer encore qu'il avait compris.

Maintenant, les manifestants envahissaient la rue Metcalfe. Les membres du RIN suivirent les militants socialistes. Les policiers se déplaçaient aussi, pour les encadrer et pour prévenir tous les débordements. La plupart des slogans criés en français évoquaient la visite de la reine Elizabeth II, prévue le lundi suivant, deux jours plus tard. Pour ces militants, la présence de la souveraine illustrait parfaitement le statut de colonie du Québec.

— Il y aura bien des manifestations au moment de son arrivée, remarqua Marie-Andrée.

— Au contraire, ce sera très tranquille. La plupart des nationalistes vont passer quelques jours à la campagne.

Devant le regard interrogateur de sa compagne, il dit en riant :

— C'est ça ou alors un jour ou deux en prison. Les bœufs nous ramasseront par mesure préventive.

Les bovins en question étaient les policiers. Alors que le monde entier avait les yeux braqués sur le Québec, autant les protestataires voulaient saisir l'occasion de se faire entendre, autant les autorités prenaient des mesures pour les en empêcher.

Marie-Andrée faisait une drôle de militante, avec sa petite robe un peu courte et son air de jeune fille sage, conversant avec son compagnon comme s'il s'agissait d'une rencontre fortuite. Sur les trottoirs, des journalistes braquaient des caméras et des micros vers les manifestants. Seule fille, pendant un instant elle fut l'objet d'un intérêt pressant. En accélérant le pas pour leur échapper, elle imaginait avec un certain amusement la réaction de son père si jamais son visage passait au premier plan aux informations télévisées.

Les marcheurs se répandirent dans la rue Sherbrooke. Constatant que la jeune fille consultait de plus en plus souvent la montre à son poignet, le membre du RIN l'informa :

— Nous tournerons vers le sud à la prochaine intersection, mon auto se trouve là.

Il s'agissait de la rue Saint-Dominique. Il orienta sa pancarte vers le bas, lança un dernier « Non au colonialisme ! » bien senti, puis se dirigea vers le trottoir. Un sergent de la police lui obstrua le passage en disant :

— Tu t'en vas pas faire du troub', là ?

— Je vais reconduire mademoiselle à son travail.

L'agent examina la jeune fille, puis s'écarta en disant :

— Tu devrais pas te t'nir avec du monde de même. C'est des jeux pour recevoir un coup de bâton sur la tête.

— Vous ne me feriez pas ça, monsieur !

Sa candeur avait quelque chose de désarmant. Elle ne reçut pas de réponse. Après avoir fait une cinquantaine de verges, son compagnon remarqua :

— T'es une drôle de fille, tu sais.

— Si j'avais le temps, je te demanderais de préciser ta pensée. Mais là, je suis pressée.

— Nous devrons donc nous revoir. Voici ma voiture.

Tout en sortant ses clés de sa poche, il désignait une petite auto de fabrication anglaise, une Austin. Il commença par ouvrir le coffre pour y déposer sa pancarte. Marie-Andrée demanda en montrant la plaque du doigt :

— Qu'est-ce que c'est ?

Cette année-là, les plaques d'immatriculation bleu et blanc des véhicules portaient l'inscription : « 1867 Confédération 1967. » Juste au-dessous, sur un matériau identique et dans les mêmes couleurs, celle de la voiture du jeune homme disait : « 100 ans d'injustice. »

— Ah! Tu aimes?

La jeune fille éluda la question en demandant:

— C'est légal de faire ça?

— C'est un petit ajout du RIN. Des concessionnaires automobiles font la même chose pour mettre leur nom sur les plaques, et personne ne le leur reproche, du moment que la plaque du ministère des Transports demeure parfaitement visible.

Il ne répondait pas vraiment à la question, aussi Marie-Andrée garda les yeux dans les siens alors qu'il ouvrait sa portière.

— Au parti, nous rêvons qu'un membre reçoive une contravention. Cela entraînerait un beau procès, une occasion en or pour faire avancer la cause.

Le véhicule se révélait modeste, avec des banquettes recouvertes de plastique et un tableau de bord réduit à sa plus simple expression.

— Je te conduis donc à la Cité du Havre.

— Tu connais le chemin?

— Si je ne sais pas, je suivrai ces panneaux.

Du doigt, il désignait un rectangle d'aluminium fixé à un poteau. On y voyait un cercle composé de bonshommes allumettes les bras en l'air, placés deux par deux: le symbole de l'Expo. Pour se perdre dans ces conditions, il fallait y mettre une certaine mauvaise volonté.

Le trajet jusqu'à la Place d'Accueil s'effectua en quelques minutes. Comme il s'agissait de la Fête du Canada – chaque pays participant à l'Expo avait sa journée –, on voyait un plus grand nombre de policiers portant la tunique rouge de la Gendarmerie royale que d'habitude. Les limousines des personnages officiels encombraient les environs. Malgré l'affluence, il s'agissait du meilleur endroit pour accéder à l'exposition grâce à l'Expo-Express. Une fois stationné, le jeune homme se tourna vers sa compagne pour dire, en tendant la main :

— En passant, je m'appelle Clément Marcoux.

La jeune fille accepta sa main tout en lui révélant seulement son prénom. Cela lui valut un demi-sourire, mais le militant n'insista pas.

— J'aimerais te revoir. Peux-tu me donner ton numéro de téléphone ?

Dans l'esprit de Marie-Andrée, les visages de Jeannot Léveillé et de Robert Duquet se superposèrent.

— … Je suis au travail toute la journée, répondit-elle en rougissant, et ma tante n'est pas du genre à prendre les messages pour moi.

De nouveau, le jeune homme parut s'amuser de sa méfiance.

— Ce serait plus simple de me dire que tu ne souhaites pas me revoir.

— Non, ce n'est pas ça.

Pourtant, elle ne lui donna pas l'information demandée.

— Donc, je vais croire que le St-Hubert traite ses employées comme des esclaves en les retenant jour et nuit. Si tu me le permets, un de ces jours, j'irai manger une poitrine de poulet pour t'inviter à m'accompagner à une nouvelle manifestation.

Comme elle ne répondait pas, il précisa :

— Il y en aura d'autres, tu sais, et j'ai aimé marcher avec toi.

— … Si je peux me libérer, ça me fera plaisir.

Malgré ces paroles encourageantes, Marie-Andrée regarda encore une fois la montre à son poignet. Clément Marcoux s'empressa de descendre afin de venir lui ouvrir la portière.

— Alors, à bientôt, la salua-t-il en lui tendant la main de nouveau.

— À bientôt.

Marie-Andrée se dirigea vers la gare, certaine qu'il gardait les yeux rivés sur sa silhouette.

Chapitre 7

Comme le Centre d'achats Douville, à Saint-Hyacinthe, ne regroupait que quelques magasins, impossible d'y perdre de nombreuses heures. Cela valait mieux, car Antoine découvrait trop de sujets d'intérêt pour qu'il soit agréable de faire des emplettes avec lui. Aussi Maurice reprit sa voiture un peu avant quatre heures. Tout en laissant passer le garçon pour qu'il se glisse sur la banquette arrière, il proposa à Diane :

— Si tu veux, nous pouvons encore nous arrêter au Dominion. Comme ça, tu pourras faire tes courses tranquillement, et tu n'auras pas à transporter de gros sacs dans tes bras.

— Je ne voudrais pas te mettre en retard à ton rendez-vous.

L'enseignant se surprenait de son aisance à mentir. Ce soir-là, Diane croyait qu'il devait manger avec un collègue afin de discuter de la nouvelle loi sur les cégeps. D'instinct, il savait que ses inventions devaient coller le plus possible à la réalité. Il avait eu cette conversation, en réalité, moins de trois heures plus tôt avec Émile Trottier.

— Je ne dois pas le rejoindre avant cinq heures. Cela nous donne amplement le temps, si tu as la liste avec toi.

— Tu es gentil.

Diane se tourna pour s'adresser à son fils, assis sur la banquette arrière :

— Tu as bien compris, Antoine. Nous n'avons pas beaucoup de temps, alors tu ne dois pas nous retarder.

Il la regarda avec l'air de dire : « Voyons, comme si je pouvais retarder qui que ce soit. » Au cours de l'heure suivante, les deux adultes durent convenir qu'excepté ses moments d'extase devant les desserts les plus sucrés, il se montrait parfaitement discipliné.

Moins d'une heure plus tard, Maurice stationnait sa Volkswagen devant le duplex des Lespérance. Il commença par placer dans les bras d'Antoine un sac ne contenant rien de fragile.

— Penses-tu être capable de monter ça sans rien échapper ?

Avec un mouvement de la tête de haut en bas, le garçon acquiesça, puis se dirigea à tout petits pas vers l'escalier. Diane prit aussi un sac, et Maurice les deux derniers. En montant, il scruta le mouvement des fesses de sa compagne à chacune des marches. Cela suffisait à éveiller son désir.

— Antoine, tu ne pourras pas ouvrir, le prévint-elle, j'ai verrouillé. Pose les commissions par terre.

Elle fit de même, puis chercha sa clé dans son sac.

— As-tu le temps d'entrer un instant ?

— Non. Si je veux passer chez moi, ce sera trop juste.

— Dans ce cas, donne-moi ça.

En ôtant les sacs de ses bras, elle lui fit la bise.

— Nous t'attendons demain à midi. Tu sais, maman est tout intimidée de recevoir un professeur à sa table.

— Nous serons donc deux timides face à face.

Sa réplique lui valut un sourire amusé. La femme se dépêcha d'entrer pour se débarrasser de son fardeau. Ce fut au tour d'Antoine de vouloir lui faire un câlin, comme s'il ne savait pas comment dire au revoir autrement. Maurice redescendit l'escalier, attendit que Diane revienne sur le balcon afin de lui adresser un signe de la main, puis monta dans sa voiture.

En partant, Maurice Berger ressentait tout de même un certain malaise. Délibérément, il mentait à Diane Lespérance afin de rencontrer une autre femme. Pourtant, si on lui avait demandé de faire la liste de ses propres qualités, l'honnêteté et le respect y auraient figuré.

« Ça ne veut rien dire, se répétait-il. Je vais simplement rencontrer une femme. Après tout, je n'en ai connu qu'une. » Il ne faisait pas vraiment erreur. Ann demeurait la seule à avoir eu droit à toute son affection. Un peu comme l'ensemble des habitants du Québec dans ces années de Révolution tranquille, cet homme entendait faire du rattrapage amoureux… Ou était-ce du rattrapage sexuel ?

La dame qui s'appelait Agathe avait évoqué le tunnel Louis-Hyppolite-Lafontaine comme un repère facile. Dans l'île de Montréal, la meilleure façon d'atteindre la rue de Marseille était d'emprunter la rue Sherbrooke, puis de tourner à gauche à l'intersection de Langelier. Elle habitait un immeuble assez récent comportant de petits commerces au rez-de-chaussée, dont un Perrette, l'un de ces fameux « dépanneurs », ouverts tous les jours et tous les soirs. Des appartements occupaient les deux étages supérieurs.

Dans l'entrée, un tableau indiquait les noms des locataires, une bonne trentaine de personnes. Maurice trouva le patronyme Dubois, suivi d'un « A », pour Agathe. Pour une femme, il était judicieux d'éviter de signaler qu'on habitait seule. Cette réflexion relative à la sécurité lui fit songer à sa propre situation : lui tendait-on un piège ? Les faits divers regorgeaient d'histoires horribles sur des gens agressés par surprise. L'Étrangleur de Boston avait longtemps fait les manchettes... Les victimes de telles agressions étaient toutefois des femmes, la plupart du temps.

Puis le souvenir de la voix enjouée au téléphone l'amena à se sentir ridicule. Il appuya sur le bouton près du nom, entendit un « oui ? » grésillant sortir du haut-parleur.

— Maurice... Je suis Maurice.

— ... J'ouvre.

Un *buzz*, puis un déclic métallique se firent entendre, lui indiquant de tirer sur la porte.

Quand il s'engagea dans le couloir à l'étage, il la vit au bout. Une femme de trente-neuf ans, disait sa lettre. Elle portait quelques livres en trop, mais distribuées de telle façon que sa silhouette n'en souffrait pas.

Embarrassés tous les deux, ils demeurèrent un instant muets, puis se dirent bonjour en même temps, avant d'éclater d'un rire nerveux.

— Je vous ai apporté ça, Agathe, dit Maurice en lui tendant une bouteille de vin.

Il jugeait l'usage du prénom un peu plus dans le vent que « mademoiselle ». S'ils avaient eu dix ans de moins, le tutoiement se serait imposé d'emblée.

— Merci, Maurice. Entrez.

Il s'agissait d'un petit appartement, ce que l'on appelait un trois pièces et demie, sans que personne ne sache ce que désignait exactement la demie. Le visiteur hésita une seconde, puis entra pour trouver une penderie sur sa droite, une salle de bain sur sa gauche.

— Le salon donne sur la rue. C'est tout droit, vous ne pouvez pas le manquer.

En réalité, la cuisine, la salle à manger et le salon formaient un seul rectangle, pas très grand. Une porte fermée donnait sans doute accès à la chambre.

— Mon logis est plutôt minuscule, remarqua l'hôtesse.

— Pour une personne seule, c'est parfait. Si je ne devais pas garder une chambre pour ma fille, je me contenterais volontiers du même espace.

— Elle habite avec vous?

— Plus maintenant, mais je tiens à lui garder sa place, juste au cas…

Au moins, il n'espérait pas qu'un malheur quelconque la lui ramène. Pareille mesquinerie lui aurait été insupportable.

— Voulez-vous la déboucher? Nous pourrons en boire un peu en attendant le repas.

Elle lui tendit la bouteille en désignant le tire-bouchon posé sur le comptoir.

— Je n'ai pas osé préparer le repas pour six heures, vous ne paraissiez pas certain de votre chemin.

Ce serait un rôti. Dans un appartement de cette taille, impossible d'en ignorer le fumet. Deux couverts étaient dressés sur la petite table. Maurice cherchait son hôtesse des yeux dans le coin cuisine. Elle portait une robe blanc écru tombant un pouce ou deux au-dessus des genoux, dégageant de jolies jambes, nues par cette chaleur humide.

Agathe s'approcha avec deux verres quand il eut tiré le bouchon de liège.

— Vous avez fait bonne route?

Ses yeux s'attardèrent sur le décolleté carré de la robe. Joli.

— Oui. La distance n'est pas si grande, puis avec l'autoroute 20 et le tunnel, c'est en droite ligne.

— Venez vous asseoir.

Dans la section salon, un petit canapé brun jaunâtre pouvait accueillir deux personnes. Un fauteuil assorti était placé à angle droit. Maurice ne sut où s'asseoir, puis il opta pour ce dernier, comme pour ne pas se trouver trop près de la femme. De toute façon, la conversation serait certainement plus facile en se faisant face. Agathe lui adressa un sourire peut-être un brin moqueur. Une fois assise, elle enleva ses souliers pour ramener ses jambes sur le coussin. La posture que Jeanne Trottier adoptait souvent.

— Je suis contente que le journal *Nos Vedettes* ait retrouvé ma lettre pour vous la faire parvenir.

Une femme ne pouvait dire plus nettement son appréciation du charme d'un visiteur sans entacher gravement sa réputation. Son sourire avait quelque chose d'attachant, ses yeux bruns témoignaient d'une personnalité enjouée.

— J'en suis heureux aussi.

Sur le dernier mot, sa voix se brisa, l'image de Diane Lespérance lui traversa l'esprit. Un vague sentiment de honte se manifesta. Voilà qui ne le rendrait pas très souriant. Rien pour ajouter à ses attraits, dans cette entreprise de séduction.

— Vous aimez enseigner?

La pauvre ne savait pas à quel long discours sa question l'exposait. Maurice arriva de justesse à limiter le nombre de ses récriminations et à trouver un certain charme aux adolescents.

Le rôti était juste à point, le bourgogne fort convenable pour deux personnes n'y connaissant rien. Le rituel de ces rencontres exigeait la présentation des biographies. Très vite, Agathe utilisa spontanément le «tu» tandis que Maurice lui faisait part de sa difficulté à laisser sa fille prendre ses distances.

Ces rendez-vous ressemblaient beaucoup à une confession générale. Tout de même, la prudence voulait que l'on garde une certaine discrétion. Si l'un fouillait trop profondément une blessure de l'autre, il convenait de mentir pour se dérober, comme devant son curé. Toutefois, tous deux s'essayèrent à la transparence. De toute façon, ils n'auraient qu'à ne plus jamais se revoir, si cette soirée les laissait mal à l'aise.

Les questions sur son veuvage n'horrifièrent pas trop le visiteur. Avec le temps, Maurice s'était concocté un récit sur mesure pour ces circonstances, afin de produire le meilleur effet possible : les doses idéales de désespoir, de courage, d'optimisme, de détermination à se construire une nouvelle existence une fois terminé son travail à plein temps de père – et même de mère, à certains égards.

Après avoir débité son histoire avec toutes les inflexions de voix requises, il pouvait poser des questions à son tour.

— Tu n'as jamais été mariée ? C'est difficile à croire.

— Si j'étais plus susceptible, je le prendrais très mal.

Il venait de la traiter de menteuse.

— Tu sais ce que je veux dire. Il y a vingt ans, tu devais être aussi jolie qu'aujourd'hui. Des hommes devaient te tourner autour en 1947, et ils n'ont pas dû s'arrêter depuis.

La répartie amena un grand sourire sur le visage d'Agathe. À la fin, l'enseignant, très timide, se découvrait des talents de séducteur.

— Finalement, le taquina son interlocutrice, tu es un chanteur de pomme redoutable !

— Non, je suis sincère.

Un fois encore, le souvenir de Diane agit comme un coup d'épingle au cœur. Cela en faisait deux, maintenant, à croire en son honnêteté. Puis la justification habituelle lui vint à l'esprit : « Il faut que j'aie ma vie de jeunesse. » Cette pensée ne le rasséréna pas tout à fait.

— Alors, je vais essayer de t'expliquer… même si je ne suis pas vraiment certaine de comprendre comment ces choses-là arrivent. Si tu le veux bien, auparavant, débarrassons la table.

Ils en avaient déjà fini avec le repas. À deux, il ne leur fallut qu'un instant pour passer les assiettes sous le robinet. L'homme craignit de se faire demander : « Tu laves ou tu essuies ? » Mais Agathe se révélait une hôtesse parfaite. Elle proposa plutôt :

— Une bouteille est vide, nous devrions ouvrir l'autre.

Agathe Dubois avait eu la même attention que lui. La Société des alcools profitait de ces rencontres entre inconnus.

— Si c'est pour moi, ce n'est pas nécessaire.

— Peut-être pas nécessaire, mais sans doute agréable.

À cause de la nervosité, chacun vidait les verres de vin avec un bel empressement. Le fait de se trouver dans une résidence privée leur enlevait un peu de leur réserve. Maurice se fit mettre sous le nez une autre bouteille, de beaujolais celle-là, avec une injonction :

— Occupe-toi de l'ouvrir.

Pendant ce temps, Agathe regagna l'espace salon, lança un coussin sur le fauteuil. C'était une façon de désigner les places assises. L'homme la regardait faire du coin de l'œil. Son hôtesse souhaitait le voir la rejoindre sur le petit canapé, une causeuse plutôt.

— Apporte la bouteille avec toi, ce sera plus simple.

Au passage, Maurice prit les verres sur la table. Impossible de les confondre, le rouge à lèvres de sa compagne avait laissé sur l'un d'eux une marque rubis. Il les remplit, présenta le sien à Agathe, puis posa la bouteille sur le plancher. Afin de se faire à peu près face, tous deux se placèrent de biais, le genou droit de la femme contre la cuisse de l'homme. Le contact le troubla, elle ne sembla pas y prêter attention.

— Tu me demandais la raison de mon célibat en évoquant l'année 1947, tout à l'heure. À cette époque, j'avais dix-neuf ans et un fiancé. Un vrai, officiel, et même la bague qui allait avec. Le salaud a décidé d'en épouser une autre.

Pour se calmer, la femme avala la moitié de son verre de vin. Il fallait bien l'admettre, son histoire ressemblait un peu à un deuil.

— Il m'a fallu un certain temps pour me remettre du choc. J'ai eu ensuite quelques rencontres ne conduisant nulle part. En réalité, je me méfiais de tout le monde. Après ça, moi et les belles promesses…

Si elle apprenait un jour où il était ce samedi soir, Diane Lespérance dirait exactement la même chose… «Non, je ne lui ai jamais rien promis», objecta mentalement Maurice. D'un autre côté, du moment où un couple consentait à faire l'amour, un engagement implicite devait exister. Des fiançailles de la chair, au lieu du don d'une bague.

— À vingt-cinq ans, continuait Agathe, j'étais devenue une vieille fille. Toutes mes amies avaient déjà deux, parfois trois enfants. Je ne suis pas tombée sur un veuf pas trop décrépit. Cette denrée se fait rare, je pense.

Depuis la guerre, les femmes donnaient naissance à l'hôpital, ou à tout le moins avec l'assistance d'un médecin. Le risque de mourir en couches s'amenuisait, et le nombre de veufs diminuait dans la même proportion.

— Tous ceux qui étaient mariables étaient mariés, insista son hôtesse.

Elle eut un rire grinçant, puis ajouta:

— Je suppose que les vieux garçons se faisaient la même réflexion en me voyant…

Maurice se livrait aux mêmes lamentations. La situation lui semblait tellement facile pour la nouvelle génération. Marie-Andrée comptait parmi une large communauté de personnes disponibles à toutes les aventures. Quand un chanteur yé-yé publiait un microsillon, il évoquait cinq fois la découverte de la femme de sa vie, et cinq fois la perte de celle-ci au cours d'une seule année. Des ritournelles qui s'incrustaient comme des vers d'oreille.

Et j'ai crié, criééé, « Aline ! » pour qu'elle revienne.

Passé quarante ans, les esseulés formaient un petit groupe de gens remplis d'amertume.

— Tu vas m'excuser, mais je t'abandonne un instant.

En quittant sa place, la femme montra une bonne partie de sa cuisse droite, bien ronde et bronzée. Un peu pompette, les précautions inspirées par la pudeur lui échappaient. Quand elle revint, elle en révéla un peu plus, et le contact contre son invité se fit plus pesant. Elle se pencha pour récupérer son verre sur le plancher en faisant béer son corsage, révélant des seins bien ronds dans un soutien-gorge de dentelle. Pour se donner une contenance, Maurice chercha la bouteille par terre. Son mouvement fut interrompu quand, d'un geste vif, elle posa ses lèvres sur les siennes.

La surprise le laissa complètement interdit. Agathe s'éloigna un peu, les yeux dans les siens, puis répéta son geste, cette fois sans précipitation. Les bouches s'activèrent, lentement d'abord, tout en douceur, puis avec plus de fermeté. À l'effleurement des langues, l'excitation de Maurice l'emporta sur sa confusion, sur sa retenue habituelle… sans compter l'effet d'au moins une demi-bouteille de vin. Sachant qu'elle ne pouvait aller trop vite sans effaroucher son partenaire, la femme demeura passive d'abord, puis pénétra sa bouche avec sa langue, une simulation du rapport sexuel lui-même.

De nouveau, l'audace de l'initiative le surprit. Un peu machinalement, sa main droite se porta sur le genou découvert d'Agathe. La frénésie du baiser l'amena à l'avancer sur la cuisse jusqu'à la glisser sous la robe. Dans sa position, sa paume touchait l'intérieur, une peau douce, curieusement fraîche. Bientôt, le bout des doigts atteindrait l'entrejambe, toucherait la culotte. Pourtant, elle ne serrait pas les genoux, ne tentait aucunement de s'éloigner.

Ce ne fut qu'au moment où il fut sur le point d'établir le contact avec sa chair tiède et mouillée qu'elle prononça dans sa bouche :

— Viens me rejoindre dans la chambre... J'apporte la bouteille et les verres.

Un peu étourdi par la succession des événements, il la regarda se dégager, sans prendre aucune précaution, montrant cette fois sa culotte. De sa grande maladresse avec Diane, il restait peu de chose. Devait-il se considérer comme un adepte de l'amour libre ? Le scénario s'avérait si simple : une rencontre, une conversation donnant l'impression de se connaître depuis des semaines, puis un premier geste.

Son seul regret était de ne pas l'avoir fait le premier, comme si l'ombre de Perpétue flottait dans la pièce. Ce mouvement devait venir de l'homme, non ? Agathe se dirigea vers la chambre en murmurant :

— Je t'attends.

En se levant, Maurice sentit tout l'inconfort de son érection comprimée par le tissu du pantalon. Dans la salle de bain, il réprima un fou rire. Cette femme parcourait certainement bien des revues féminines pour avoir développé de pareils goûts esthétiques. Le rouleau de papier de toilette de rechange était couvert d'un tricot ayant à peu près la forme d'un chapeau, réalisé avec du fil de coton. La boîte de mouchoirs en papier était affublée d'un ornement du même genre.

— Au moins, ce n'est pas du Phentex.

La difficulté d'uriner avec une érection lui rappela son adolescence. Il dut s'asseoir et appuyer sur son sexe du bout des doigts pour ne pas gâcher la décoration de la pièce… Sa dernière douche datait du matin, son hôtesse ne l'avait pas invité à en prendre une autre. Ni à se brosser les dents… Il souffla dans sa paume, la posa sur son nez pour sentir. Le vin et la viande laissaient des traces. Une brosse, une seule, se trouvait dans un verre. Après le baiser de tout à l'heure, il se sentait autorisé à l'utiliser. Il n'échangerait pas plus de microbes de cette façon qu'avec les occupations à venir.

Maintenant, dans quelle tenue la rejoindre ? Certainement pas avec la fermeture éclair descendue et le pénis pointant à l'extérieur. Finalement, il ne conserva que sa chemise déboutonnée et son sous-vêtement. Si cette dame avait eu l'intention de finir la bouteille de vin en jouant aux dominos, elle serait surprise de l'apercevoir ainsi.

Dans la chambre, il la trouva sous le drap. Ses épaules nues laissaient deviner sa tenue. Aussi, il se débarrassa de sa chemise, puis la rejoignit en vitesse. Elle n'avait gardé qu'une petite lampe de chevet allumée, insuffisante pour pouvoir lire, mais capable de lui permettre d'apprécier la poitrine nue. Tout de même, la femme se couvrit pour ensuite reprendre le baiser. Ses quelques livres en trop devaient la gêner un peu. Pas au point de la paralyser, toutefois.

— Que fais-tu avec cela sur le dos ? demanda-t-elle en empoignant son sexe à travers le sous-vêtement.

Bientôt, chacun explorait l'autre du bout des doigts. Maurice découvrit une toison pas très dense, mais large, allant jusque dans les aines. Ou elle ne portait jamais de maillot de bain, ou elle les choisissait plutôt conservateurs. Autrement ses poils auraient dépassé de chaque côté. La peau était douce, les seins un peu mous – non, plutôt moelleux, comme tout son corps, le ventre, les fesses, les cuisses. Les jeux de mains, les doigts fouineurs, les baisers ne suffirent plus.

Quand Agathe fit mine de se mettre à califourchon sur lui, il murmura :

— As-tu des condoms ?

— Pas nécessaire, je prends la pilule.

L'information le laissa un peu interdit, mais le moment se prêtait mal à une discussion sur les utilités diverses de la capote anglaise. Sa compagne tint son sexe bien droit, puis enfourcha ses hanches comme on le faisait avec un cheval. Dans un seul mouvement, elle s'empala en laissant échapper une plainte sourde, puis commença des mouvements ondulants du bassin.

Marie-Andrée terminait sa sixième journée au restaurant. Ce serait aussi sa plus longue. Le samedi, jour de la Fête du Canada en plus, à une époque de l'année où de nombreuses personnes commençaient leurs vacances d'été, l'affluence battait des records. Elle ne connut aucun moment de relâche pendant l'après-midi, et à neuf heures, une demi-douzaine de personnes étaient encore attablées dans la salle à manger.

— Ceux-là veulent nous retenir ici toute la nuit, ragea l'une de ses collègues préposées à la caisse.

— Moi, j'ai un rendez-vous, annonça Marie-Andrée.

Puis, avant que la serveuse au visage bovin ne dise un mot, elle se retourna en direction de la grande ouverture donnant accès à la cuisine, pour continuer en imitant sa désagréable collègue :

— Hé ! La nouvelle a un rendez-vous. Elle pense être la seule dans ce cas.

Devant l'hilarité des autres, la cible de sa moquerie montra un visage buté. Enfin les derniers clients se sentirent mal à l'aise de voir trois employées alignées derrière le comptoir, les yeux sur eux. La châtaine dut encore attendre son tour pour passer dans les toilettes afin de se laver un peu et, surtout, de passer sa petite robe bleue. Cette fois, elle laisserait son uniforme dans un coin du vestiaire. À moins de vouloir lui jouer un très mauvais tour, personne ne le lui volerait.

En quittant la pièce, elle aperçut un garçon qui enfilait un pantalon propre dans un coin de la cuisine.

— Excuse-moi, dit-elle, un peu gênée.

— Oh ! Pas d'offense, répondit celui-ci. Tu prenais trop de temps au petit coin.

— Désolée.

Décidément, elle retrouvait très vite son insécurité.

— Si tu as un rendez-vous, je comprends que tu veuilles empester un peu moins le poulet. Vous irez à La Ronde ?

Un moment, elle avait voulu se parfumer, mais le résultat du mélange avec l'arôme de gallinacé sur l'une de ses collègues ne lui avait pas semblé heureux. Un peu comme une odeur de rose sur une volaille. Elle lança : « À demain ! » à la cantonade, puis traversa le pavillon L'Homme à l'œuvre d'un pas rapide.

Robert se tenait appuyé contre un lampadaire. À sa vue, il avança, souriant :

— Je commençais à penser que tu me faisais faux bond.

— Aujourd'hui…

— Je te taquinais. Je sais bien, le samedi, c'est pareil dans tous les restaurants.

« Bien sûr, je ne suis pas la première serveuse qu'il attend ainsi. » Puis elle se reprocha sa curieuse aptitude à se sentir trompée, au point d'avoir une pensée pour Jeannot. L'étudiant se pencha pour lui embrasser la joue.

— Je ne sens pas trop, j'espère ?

Il lui faudrait sans doute tout l'été avant d'accepter sa propre odeur. Robert semblait se faire moins de souci à ce sujet, car il partit d'un grand rire tout en lui prenant la main.

Pour se rendre à La Ronde, il leur fallait d'abord rejoindre l'île Sainte-Hélène, puis passer à proximité de la station de métro.

— Es-tu déjà venue dans ce terrain de jeu ?

Le garçon faisait allusion au parc d'attractions.

— Non. Tu sais, je suis allée une seule journée à l'Expo, en plus de me promener pendant quelques heures l'après-midi au cours de la dernière semaine, quand mon patron ne voulait pas me payer à ne rien faire.

— Cela te laisse encore deux mois pour en faire le tour. Alors ce soir, si tu préfères les montagnes russes, la Spirale et la Pitoune, ça me convient très bien.

Hurler et être secouée en tous sens dans ces manèges, vêtue de sa petite robe légère, cela la rebutait bien un peu.

— Si toi, tu préfères ça…

— J'ai été le premier à poser la question.

Marie-Andrée avait sous les yeux le Jardin des étoiles, une construction de béton toute en angles droits, et juste un peu plus loin, le fameux Gyrotron, une grande pyramide faite de tiges d'aluminium. Ce manège recevait de nombreux commentaires, pas toujours positifs. La pensée du haut-le-cœur qui résulterait de son envolée ne lui dit rien.

— Faisons comme prévu. Que se passe-t-il dans cette salle ?

— Une foule de choses. Toute la journée, on donne des spectacles pour les enfants, en soirée c'est la même chose pour les adultes… enfin, les personnes de notre âge.

La jeune fille baissa les yeux. Sa majorité ne viendrait que dans quelques années.

— Ensuite, il faut trois minutes pour en faire une discothèque. Les gens dansent jusqu'à deux ou trois heures du matin.

— Tu sais quels sont les musiciens, ce soir?

Le vacarme des instruments de musique résonnait jusque dehors.

— D'illustres inconnus, pour moi en tout cas: The Big Town Boys et The Merry Men. Les premiers seraient populaires à Toronto, les autres viennent de la Barbade.

— Je ne les connais pas non plus. Allons voir.

La dernière fois que Marie-Andrée avait assisté à un spectacle destiné aux adolescentes, c'était à la salle Pelletier, un vieux cinéma désaffecté. Elle entra avec la certitude absolue d'assister à quelque chose de mieux. Son âge l'inquiéta tout de même: on pouvait lui refuser l'accès. Heureusement, aucun employé ne lui demanda ses cartes.

Chapitre 8

The Merry Men. En français, les Joyeux Compagnons, ceux de Robin des Bois dans la forêt de Sherwood, dont on pouvait suivre les aventures chaque semaine à la télévision. Les membres de l'orchestre portaient des costumes de troubadours du Moyen Âge... ou plutôt de la représentation que des garçons de la Barbade pouvaient s'en faire. Leur spectacle s'achevait déjà. Marie-Andrée apprécia la musique entraînante, joyeuse.

Des centaines de jeunes s'agitaient sur la piste de danse. Avec son compagnon, elle alla les rejoindre. Ce dernier bougeait comme un pantin dont le tireur de ficelles aurait été atteint de la danse de Saint-Guy. Ce genre de performance rassura sa compagne : tous les regards se portaient sur lui, sa propre maladresse passait totalement inaperçue.

Quand les musiciens quittèrent la scène, des employés escamotèrent leurs instruments, alors que d'autres poussaient les tables contre le mur afin de dégager un plus grand espace pour danser. Le garçon se pencha pour murmurer à l'oreille de Marie-Andrée :

— Veux-tu boire quelque chose ?

Elle se troubla un peu. À cet endroit, l'alcool coulait à flots : il ne s'agissait pas de la discothèque du pavillon de la Jeunesse, fréquentée par des adolescents, mais de l'endroit réservé aux jeunes adultes. Viendrait-on lui demander de fournir une preuve de son âge si elle consommait de l'alcool ?

— … Oui.

Comme elle ne savait trop quoi choisir, autant s'en remettre à lui.

— La même chose que toi.

Robert lui indiqua une table libre, puis se dirigea vers le bar. La jeune fille s'installa sur une chaise et examina les lieux. Personne ne devait avoir plus de trente ans, et il y avait plus d'hommes que de femmes. Avec pour résultat qu'une nouvelle venue attirait l'attention.

Un type parmi les plus âgés vint s'asseoir de l'autre côté de la petite table pour demander :

— Toé, c'est quoi ton p'tit nom ?

Marie-Andrée n'avait pas du tout envie de le lui dire. Le quidam paraissait plutôt aviné. La situation l'aurait inquiétée si elle ne s'était pas trouvée dans un endroit public.

— Bin quoi, t'as perdu ta langue ?

L'haleine chargée lui venait jusqu'au visage. Heureusement, Robert revint avec un verre de carton dans chaque main.

— Désolé, mais mademoiselle est accompagnée.

L'autre le toisa un moment, puis s'en alla en marmonnant des paroles incompréhensibles, parmi lesquelles les mots « stuck up » lui parvinrent assez clairement.

— Ces gars-là sont des vraies plaies. Incapables d'aborder une fille à jeun, ils avalent le contenu d'une petite flasque avant de quitter la maison.

Il posa un verre devant sa compagne, annonça qu'il s'agissait de Labatt. Elle craignit de le voir lever le pouce en disant « Lui, y connaît ça », comme Olivier Guimond dans la publicité. Tout le monde reprenait les expressions entendues à la télévision dans des réclames ou des émissions. Les « diguidis ha ha » de Dominique Michel étaient entrés dans le vocabulaire courant, de même que tous les jurons édulcorés des *Belles histoires des pays d'en haut*.

— Je ne ferais aucune différence d'une marque à une autre.

En prenant une gorgée, elle chercha à dissimuler une petite grimace. Parfois, elle avait fait de même avec la bière de son père, juste pour essayer. De nouveau, elle se sentit terriblement jeune. Surtout quand son compagnon déclara :

— Tu as raison, la *draught*, ça ne goûte à peu près rien.

Pendant qu'il l'entretenait de la qualité des spectacles présentés depuis l'ouverture de l'exposition à cet endroit, et aussi au pavillon de la Jeunesse et à la Place des Nations, la jeune fille continuait d'examiner les lieux.

— Les musiciens les plus réputés vont passer ici cet été. Pendant un moment, l'endroit le plus *in* de la planète ne sera plus New York, San Francisco ou Londres, mais Montréal.

— À l'heure où je termine ma journée de travail, et à celle où je me lève, je n'en profiterai pas vraiment. Bon, comme je ne travaille pas le mercredi, je ferai exception le mardi soir.

— À notre âge, une nuit blanche ou deux dans la semaine, ça ne compte pas.

— Au tien peut-être… mais au mien, j'ai besoin de sommeil.

Tout de même, elle ne comptait pas lui préciser qu'elle avait seulement dix-sept ans.

Les employés achevaient de repousser les tables contre les murs. Ils durent abandonner la leur. Puis la musique envahit la grande salle.

Quelqu'un alimentait des tourne-disques avec les derniers succès américains et britanniques. Marie-Andrée reconnut *White Rabbit*, de Jefferson Airplane.

One pill makes you larger
And one pill makes you small
And the ones that mother gives you
Don't do anything at all.

La jeune fille comprenait bien que la chanson ne parlait pas de comprimés pour le rhume destinés aux enfants.

— Des gens doivent vendre de la drogue, ici.

Robert Duquet ne cacha pas sa surprise.

— Tu veux dire que…

— Pas pour moi, voyons. Même la bière est trop forte. Je suis juste curieuse.

La réponse tira un sourire à son compagnon. Un instant, il s'était imaginé avoir fait erreur sur la personne. Même les jeunes filles sages causaient parfois des surprises…

— Tu vois les gars là-bas ?

Des yeux, il lui désignait un quatuor de garçons aux cheveux plus longs que tous les autres, les joues creuses, une barbe pisseuse sur les joues. Ils incarnaient l'archétype du hippie – les plus âgés disaient plutôt beatnik –, comme ceux des films américains ou des reportages sur San Francisco. Un défilé passait devant eux, chacun murmurait quelques mots, des dollars changeaient de main, puis des petits sachets.

— Mari, LSD, et des tas de trucs dont je ne connais même pas le nom…

— Les policiers ne font rien ?

Il lui répondit d'abord en riant, puis d'une façon plus détaillée :

— Nos vaillants constables ont sans doute reçu l'ordre de ne pas importuner les touristes, alors ils laissent les *pushers* tranquilles. Ils font plutôt la chasse à Monica la mitraille et aux séparatistes. Tu viens danser ?

Les chansons se succédèrent, et à la longue, Marie-Andrée en vint à s'amuser franchement, au lieu de se questionner sur ce que les autres pensaient de sa performance. Passé onze heures, les chansons prirent un tempo beaucoup plus lent. Elle se retrouva dans les bras de Robert sur *Unchained Melody*, des Righteous Brothers. Comme il était beaucoup plus grand qu'elle, ses yeux arrivaient à la hauteur du second bouton de sa chemise. Ses bras paraissaient puissants, comme ceux d'un homme... À tout le moins elle le ressentait ainsi, en les comparant avec ceux de Jeannot. De nouveau, l'image de ce garçon venait la hanter.

Les yeux clos, sa joue reposait contre la poitrine de Robert. Le mouvement des mains contre son dos produisait chez elle un effet curieux, un mélange de langueur et de crainte. Comme le disc-jockey donnait dans la nostalgie ce soir-là, Phil Phillips y alla de son *Sea of Love*. «Bientôt ce sera de la musique du temps de mon père», songea-t-elle. Que ce dernier se manifeste ainsi dans ses pensées la troubla, comme si Maurice risquait de venir la traiter de mauvaise fille. Heureusement, elle échappa à *Moonlight Sonata* de Glenn Miller. Puis un son d'orgue envahit la grande salle, et les premiers mots de *A Whiter Shade of Pale* suivirent. Les caresses des paumes dans son dos, juste au creux des reins, puis l'effleurement des fesses ajoutèrent à sa langueur.

Quand *Here, There and Everywhere*, des Beatles, se fit entendre, la main de Robert Duquet jouait sur la nuque de sa partenaire, sous les cheveux, et sa langue envahissait sa bouche. Quand le silence revint, elle s'éloigna un peu, effrayée de son propre abandon, puis déclara:

— Maintenant, je devrais rentrer… Demain, la journée sera longue.

Comme pour se justifier de s'enfuir ainsi, elle insista :

— Le dimanche, c'est presque aussi achalandé que le samedi.

— Que veux-tu, plus personne ne va à la messe de nos jours, commenta-t-il, rieur. Pas même toi… ni moi. Alors, allons-y.

Son humour échappa à Marie-Andrée. Au contraire, elle se troubla de son allusion. Dans les lettres de l'agence de rencontres de *Nos Vedettes*, tous les hommes se qualifiaient de catholiques pratiquants, et réclamaient la même chose de leurs prétendantes éventuelles. Fallait-il faire semblant ?

Le jeune homme mit son bras dans son dos pour l'entraîner vers la sortie. Bientôt, il serait minuit. L'air frais, le ciel étoilé permirent à la jeune fille de reprendre tout à fait ses esprits. Elle inspira profondément, puis murmura :

— Au moins mille personnes fumaient, là-dedans.

— Et pas seulement des Player's… Ici non plus, d'ailleurs.

La brise leur amenait une odeur prenante. La jeune fille comprit qu'il s'agissait de *pot*.

— Je sais que tu veux rentrer, mais nous pouvons peut-être marcher un peu, histoire de nous nettoyer les poumons.

Elle accepta d'un signe de la tête. De nouveau, le bras de Robert lui enlaça la taille. Tout près, les lumières se reflétaient sur le lac des Dauphins.

— Tu n'as pas vu le fort Edmonton, je suppose.

— Pas plus que tout le reste.

Une forêt de poteaux rappelait les palissades des postes de traite de fourrures de l'Ouest. Un bout de rue semblait s'inspirer d'un vieux western mettant John Wayne en vedette. Robert désigna un saloon.

— Voilà un établissement pas très moral.

Les mots «Garter Belt» surmontaient la porte. Jarretière, en français.

— Évidemment, je n'y suis jamais allé, précisa-t-il en riant.

— Évidemment.

L'adolescente espérait que ce soit vrai. Son compagnon continua sur le même ton amusé :

— Il y a aussi un cabaret pas très loin, L'Antre du diable. Pendant des semaines, les organisateurs ont refusé la présence de danseuses à gogo aux seins nus sur le site. À la fin, ils ont cédé. Il s'agit d'une foire commerciale, chaque établissement doit faire ses frais, ou fermer ses portes. Cette semaine, la strip-teaseuse Tamara est la vedette.

L'allusion à des danseuses dénudées rendit Marie-Andrée un peu craintive. Pourquoi lui parlait-il de ça ? La magie de la promenade avec une main caressante sur sa hanche se brisait. Puis le climat changea encore quand il l'entraîna dans une zone moins éclairée, sous le minirail, celui dont les voitures étaient recouvertes d'une toile jaune orangée. Juste à ce moment, de fortes explosions les firent sursauter.

— Le feu d'artifice. Il aurait été dommage de le manquer. On en présente un tous les soirs.

— Je ne suis jamais restée sur le site assez tard pour le voir.

La main du garçon se porta une nouvelle fois sur la nuque de la jeune fille pour l'attirer près de lui. Robert avait compris combien ce contact réduisait ses défenses. Le baiser la rendit languide, la caresse de ses paumes dans son dos plus encore. L'échange de salive se poursuivit quelques minutes, et quand les mains du jeune homme saisirent ses fesses, elle laissa entendre un «humph» étouffé. Cet étudiant passait la frontière imposée à Jeannot Lespérance sans susciter de vives protestations. En même temps, son corps amorçait un mouvement de va-et-vient à peine perceptible.

«Il se masturbe contre moi !» pensa-t-elle.

Ses sentiments se bousculaient, entre la honte inévitable pour une personne éduquée par des religieuses depuis ses six ans, une certaine fierté de lui faire cet effet, et toutes les nuances entre les deux. Lentement, il la poussa vers l'un des poteaux métalliques soutenant le minirail pour l'y adosser. Marie-Andrée sentit sa main chercher l'ourlet de sa robe, la remonter. L'air frais sur le haut de ses cuisses la saisit. De ses deux mains appuyées contre sa poitrine, elle tenta de repousser un peu son compagnon, pour renoncer quand les doigts atteignirent sa culotte. Sa plainte énamourée prit toutefois la forme d'un « non ! ».

La vie multipliait les bons garçons sur sa route, ceux pour qui non signifiait non. Il se redressa après une petite hésitation, chercha son regard.

— Tu es si jolie, surtout avec ces yeux-là.

Dans l'obscurité à peu près complète, le gris des iris paraissait noir. Chaque fois que l'une des bombes ou des chandelles romaines du feu d'artifice explosait, le flash de lumière éclairait comme en plein jour. Cela lui permettait d'apercevoir la multitude de jeunes couples se livrant aux mêmes activités qu'eux. Le terrain de l'Expo, une fois la nuit tombée, abritait bien des idylles. Les sections boisées des îles permettaient d'aller « jusqu'au bout ».

« Je me demande combien de naissances non désirées surviendront ce printemps », songea Marie-Andrée. L'évocation de cette possibilité la conduisit à prendre la résolution de se montrer plus prudente, désormais. Son compagnon interrompit le cours de ses pensées.

— Tout de même, nous devrons marcher un peu avant de prendre le métro.

— Le service s'arrêtera bientôt...

— Pas avant deux heures du matin. Dans cet état, j'attirerais un peu trop l'attention.

Il baissa les yeux, comme pour désigner sa braguette. Marie-Andrée l'imita pour constater son état d'excitation. En pleine lumière, tout le monde aurait remarqué le rouge sur ses joues. Un bref instant, une réflexion étrange lui vint: «Je ne devrais pas le laisser comme ça.» Bien vite, elle repoussa l'idée d'y porter la main, tout en sachant que l'envie lui resterait dans la tête. La prochaine fois, sans doute voudrait-il l'y inciter.

Après une vingtaine de minutes à marcher dans La Ronde, ils regagnèrent la station de métro de l'île Sainte-Hélène. Une foule de personnes de leur âge faisaient la même chose. Les jeunes paraissaient dominer la société, par leur nombre d'abord, ensuite par leur détermination à se faire entendre. Les mots «revendication», «manifestation», «grève», «boycott» et «*sit-in*» émaillaient les conversations. L'année 1967 avait ajouté un autre terme à la liste, «*love in*», et un mot d'ordre: «*Make love, not war.*»

À cette heure de la nuit, pareille affluence dans le métro paraissait étrange. La majorité des jeunes était en couple, couple d'amoureux pour la plupart, mais aussi d'amis du même sexe. En conséquence, plusieurs filles se trouvaient enlacées. Une fois les portières refermées dans leur dos, Robert s'appuya au mur à l'extrémité d'un wagon, attira sa compagne contre lui en passant son bras autour de ses épaules. La tête de la jeune fille porta contre sa poitrine. Bientôt, les doigts masculins jouèrent encore dans ses cheveux, comme pour les peigner. «Je dois sentir le poulet», se dit-elle en esquissant une petite grimace.

Comme elle perçut de nouveau l'érection contre son ventre, cette préoccupation l'abandonna bien vite. La voiture subissait un petit mouvement oscillant, avec le résultat que son corps semblait esquisser une caresse. Dans le wagon, bien des garçons devaient vivre le même état d'excitation. Quelques conversations se tenaient dans un murmure, la plupart des passagers demeuraient silencieux.

Le trajet se termina vite. À Berri-de-Montigny, au lieu de la laisser continuer seule, Robert déclara :

— Je te reconduis chez toi.

— … Voyons, ce n'est pas nécessaire, puis tu travailles demain.

— Je ne te laisserai pas seule en pleine nuit.

Vraiment, un autre gentil garçon. Elle se corrigea tout de suite : « Non, celui-là, c'est un homme. » Jusqu'à la station de métro de la ligne orange, le couple resta enlacé. Le trajet vers la rue Saint-Hubert leur permit de refroidir leurs sens. Devant la maison, Marie-Andrée fit face à Robert en disant :

— J'habite chez ma marraine.

— Et nous ne voulons pas déranger cette bonne dame.

Le baiser, sur le trottoir, se révéla aussi torride que les précédents. Robert laissa même sa main descendre jusqu'à une de ses fesses, pour l'empaumer. Quand la jeune fille entra dans l'appartement du rez-de-chaussée, sa tête tournait un peu.

Si le vin et le désir permettaient à Maurice de participer allègrement à la révolution sexuelle, la disparition de l'effet de l'un et de l'autre ramenait chez lui l'influence de son éducation de bon catholique. Cela se traduisit ce soir-là par un profond malaise postcoïtal.

— Regrettes-tu d'être venu jusqu'à Montréal ? demanda son hôtesse.

Qu'attendait-elle comme réponse ? Comme dans *La guerre des boutons* : « Si j'aurais su, j'aurais pas venu » ? Sans doute aurait-elle apprécié un éloge à sa libido, qui justifiait de parcourir la moitié du monde. Le professeur se déroba en posant lui aussi une question :

— Quand tu m'as invité à venir chez toi, savais-tu que ça se terminerait au lit ?

La précipitation des événements et l'audace de sa compagne conduisaient Maurice à se demander si la soirée ne se conclurait pas par l'annonce d'un montant à débourser, d'une petite obole. Selon les médias, une telle libéralité des mœurs se voyait seulement dans les communautés de hippies vouées à l'amour libre. Aucun des deux ne portait de fleurs dans les cheveux pour justifier une telle marginalité.

À ses yeux à lui, qu'une femme s'abandonne aussi vite à un homme rappelait la prostitution. En comparaison, Diane Lespérance s'était révélée extrêmement pudique.

— Que vas-tu penser là ?

Un peu plus et elle se serait vexée. Pourtant, les paroles suivantes montraient une moralité plus ambiguë.

— Pour te rencontrer, mon appartement vaut n'importe quel endroit public.

« Si on veut terminer la soirée au lit, certainement », songea le visiteur. Se voir dans un restaurant imposait plus de retenue.

— Comme tu m'as plu, alors autant en profiter, non ?

Puis après une pause, elle reprit, moqueuse :

— Je n'ai pas l'impression que je t'ai forcé la main tant que ça. Si tu as dit non, je n'ai pas entendu.

— Non, non, ce fut...

Merveilleux, inattendu, inespéré, déconcertant ? Faute de trouver le bon mot, il se reprit :

— C'est juste que je n'ai pas l'habitude... J'ai été un mari fidèle, alors je ne sais plus trop comment les choses se passent.

— T'as rien fait depuis sa mort ?

Évoquer Diane Lespérance n'aurait pas été bien à-propos, aussi il acquiesça d'un signe de la tête.

— Là, je comprends mieux ta fébrilité. Tout de même, tu gagnes à être connu, car après...

Après le premier orgasme ? Ou le second ? Celle-là ne se montrait pas économe de son plaisir, et elle demandait la réciproque. Autant prendre ces mots comme un compliment, même s'ils signifiaient qu'au premier contact, elle l'avait trouvé rebutant.

Tous les deux demeuraient étendus. Plus tôt, Agathe lui avait demandé de fermer les yeux, le temps qu'elle passe un peignoir pour se rendre à la salle de bain. À son retour, elle l'avait gardé. Manifestement, ses rondeurs la gênaient. Maurice, quant à lui, était resté enveloppé dans le drap. Même l'exhibition de ses maigres jambes poilues l'ennuyait. Il repoussait le moment de révéler de nouveau tout le reste.

Devant cette femme dans le vent, sa longue abstinence le dérangeait.

— Tu as souvent reçu... des hommes de l'agence de rencontres ?

La question fit perdre son sourire à son interlocutrice.

— Qu'est-ce que tu penses ?

Abandonnant le rôle de femme émancipée, elle renouait très vite avec le « Pour qui me prends-tu ? ».

— Je ne pense rien. Moi, c'était ma seconde rencontre. Lors de la première, il n'y avait aucune raison de me rendre chez elle.

— Alors, pour satisfaire ta curiosité, non, je ne l'ai pas fait souvent.

Pas souvent, cela correspondait à combien de fois ?

Le ton manquait totalement de conviction. Si Agathe se réclamait de l'amour libre, elle ne souhaitait pas du tout assumer ce mode de vie. Entre eux, le charme était maintenant rompu. Maurice consulta la montre à son poignet, puis annonça :

— Maintenant, je dois me mettre en route.

Son hôtesse ne lui proposa pas de rester pour la nuit. Il amorça le geste de soulever le drap, sa pudeur l'arrêta.

— S'il te plaît…

D'abord, la femme ne comprit pas, puis elle quitta enfin la pièce. Son compagnon entendit le son de la télévision avant même d'avoir terminé de boutonner sa chemise. Le reste de ses vêtements était demeuré dans la salle de bain. Traverser tout l'appartement à demi nu le gêna. Ensuite, vêtu, il revint dans l'espace salon.

— Bon… alors, je te souhaite une bonne nuit.

— Oui, bonne nuit.

Au moins elle quitta le canapé pour l'accompagner jusqu'à la porte, puis répéta le souhait de bonne nuit en l'embrassant sur la bouche.

Dehors, Maurice prit une grande inspiration. En prenant le volant, il se sentait satisfait de lui. Il effectuait sa petite révolution, pas tout à fait tranquille. Son existence commençait à ressembler à ce qu'on voyait dans les films français ou américains, et non plus à la vie des *Belles histoires des pays d'en haut*.

Comme l'effet du vin se faisait toujours sentir, il rentra à la maison à vitesse réduite. Les policiers ne se souciaient pas tellement d'arrêter les conducteurs en état d'ébriété, mais autant ne pas s'exposer à être la victime du seul membre zélé de la Sûreté du Québec.

Même à cette heure tardive, en rentrant dans sa chambre, Marie-Andrée trouva sa cousine plongée dans un photo-roman américain. Nicole leva les yeux pour dire, moqueuse :

— La jeune fille sage qui se met au lit après moi ! Je ne pensais pas voir ça de tout l'été.

— Je n'en prendrai pas l'habitude. Je me demande comment tu fais. Demain, j'aurai des cernes sous les yeux.

— N'exagère pas.

Nicole posa sa lecture sur le sol et s'adossa en attendant la suite de la conversation. Marie-Andrée la regarda un moment, intimidée, puis leva les bras au-dessus de sa tête pour descendre un peu la fermeture éclair de sa robe.

— Viens, fit sa parente.

Elle lui présenta son dos, Nicole baissa la tirette. Cette promiscuité la mettait toujours mal à l'aise. La petite robe en forme de «A» glissa sur ses épaules, elle la rattrapa pour la poser sur un cintre. Se tenir seulement vêtue de sa culotte et de son soutien-gorge s'avérait une expérience sans précédent. Dire qu'au couvent, les religieuses n'avaient pas installé de douche commune pour prévenir des situations de ce genre après le cours d'éducation physique. Chacune portait son «costume d'éduc» depuis le matin sous ses vêtements, et ne l'enlèverait qu'une fois de retour à la maison.

Tout en prenant garde de ne pas faire face à sa cousine, Marie-Andrée enleva le soutien-gorge, puis enfila le t-shirt lui servant de pyjama. Ensuite, elle se glissa sous les draps avec soulagement, alors que Nicole laissait échapper un petit sifflement admiratif.

— Tu es vraiment jolie. Le garçon avec qui tu es sortie ce soir a dû s'amuser.

— … As-tu l'intention de lire encore ?

Devant le hochement de tête négatif de sa cousine, Marie-Andrée éteignit la lampe.

— Alors, tu m'en parles ou non ?

Bien sûr, puisque le sujet avait déjà été abordé entre elles, impossible de l'éluder maintenant.

— C'est un étudiant plus âgé que moi de cinq ans.

— Et l'âge de ton petit copain de Saint-Hyacinthe ?

— Dix-sept.

— Oh ! C'est comme si tu arrivais dans la ligue nationale après un stage chez le junior.

L'humour de Nicole avait quelque chose de vexant, mais en même temps, la situation procurait à Marie-Andrée l'occasion de discuter de son expérience avec une autre femme.

— Le jeu est plus rapide à ce niveau. Un peu trop pour moi, peut-être.

— … Tu l'as trouvé trop entreprenant. Remarque, compte tenu de ce que j'ai vu tout à l'heure, je le comprends un peu.

Cette allusion dérangea Marie-Andrée, comme si Nicole exprimait un intérêt déplacé.

— Qu'est-ce qui est normal ?… Tu comprends, je ne veux pas passer pour une salope, mais j'entends un peu trop le mot « sainte-nitouche » ces derniers temps.

— Ce que tu fais ou ne fais pas ne regarde personne.

La jeune fille ne pouvait renier ce principe général, mais il ne l'aidait en rien à connaître les usages.

— Bon, je te donne les grandes lignes : tu as des gars toujours bandés, vingt-quatre heures sur vingt-quatre, qui considèrent que toutes les filles doivent les accueillir les jambes ouvertes. Si tu ne le fais pas, ils te diront que tu es niaiseuse, conne, arriérée, ou des mots encore plus insultants.

Le petit rire grinçant de l'hôtesse indiquait une certaine expérience de ce vocabulaire.

— Les pires, ce sont ceux qui te font de grandes déclarations et te disent : « Si tu m'aimes, tu vas le faire. »

Cette situation aussi semblait familière à Nicole. La jeune fille pressentait que si l'occasion se présentait, Robert Duquet lui adresserait des paroles semblables.

— Dans le temps de nos mères, il fallait dire non pour ne pas passer pour une salope et pour éviter de se retrouver enceinte en prime. De nos jours, il faut dire oui pour ne pas passer pour une niaiseuse. Alors, fais comme tu le souhaites, mais n'oublie pas de prendre la pilule.

Ce genre de conversation lui avait manqué jusque-là. Jamais Marie-Andrée n'avait imaginé que la première fois qu'elle en parlerait, ce serait pour entendre une telle recommandation. Sa mère, Ann, lui aurait dit : « Reste une bonne fille, puis un jour tu trouveras un bon garçon. » Toutefois, aucune de ces généralités ne répondait mieux à sa question.

— Qu'est-ce que les autres de mon âge font ?

— Ah ! Certaines filles ne font rien, d'autres couchent avec de parfaits inconnus. Entre les deux, il y a le *necking* – tu sais, le suçage d'oreilles –, le *petting*… les jeux de mains.

Nicole agrippait le vide avec les siennes, dans la pénombre.

— Certaines filles laissent les garçons explorer sous les vêtements ; pour d'autres, il faut toujours le tissu entre la main et la peau. Ou alors tout le territoire en bas de la ceinture demeure rigoureusement défendu.

« C'était le cas avec Jeannot, et jamais il ne s'est plaint de mes services », songea la jeune fille.

— Il y a des filles qui se laissent toucher, mais ne rendent jamais la pareille.

« Combien de temps Robert se contentera-t-il de cette attitude ? » Les élèves du couvent Sainte-Madeleine évoquaient à voix basse toutes ces règles de comportement. Marie-Andrée aurait aimé que quelqu'un décide du sien.

— Les filles choisissent l'une ou l'autre de ces stratégies, mais dans un coin sombre, les meilleures résolutions peuvent tomber. Le gars qui sera capable de t'exciter assez couchera avec toi.

Dans le courrier du cœur de *Nos Vedettes*, une correspondante craignait de tomber enceinte par un baiser, pour se faire expliquer que c'était impossible. La courriériste précisait toutefois qu'un tel échange était un prélude pouvant conduire à «l'acte conjugal», et de là, à la grossesse.

— Alors, au lieu de te mettre des barrières qu'un gars finira par franchir, prends la pilule. C'est l'attitude la plus prudente.

— Je suis tellement timide, jamais je n'oserai demander ça à un médecin.

— Dans ce cas, n'accepte pas de sortir avec un garçon, car tôt ou tard, tu céderas. Tu viens d'en quitter un, et tu me parles de ça.

La main de Robert Duquet entre ses jambes, son sexe contre son ventre laissaient présager une suite plus torride encore.

— Les condoms...

On les trouvait en vente libre à la pharmacie. Elle aurait les joues violettes en passant à la caisse, mais au moins elle s'épargnerait la honte de devoir au préalable écarter les jambes devant un médecin.

— La capote, c'est le gars qui décide de l'enfiler ou pas. Tu ne pourras jamais le forcer, et si tu es suffisamment excitée, tu accepteras de prendre une chance. La pilule, tu décides seule, ton partenaire n'a même pas à être au courant.

Nicole demeura silencieuse un instant. Avant que sa jeune cousine ne lui demande: «Toi, la prends-tu?», elle se tourna vers le mur en disant bonne nuit. Ce soir, la discussion s'arrêterait là.

Chapitre 9

Tôt le dimanche matin, le téléphone sonna dans la maison de la rue Couillard. Maurice traînait encore au lit. Il se dirigea vers le salon en grommelant contre les lève-tôt.

— Je ne te réveille pas, j'espère ?

Toutes les personnes sachant tirer quelqu'un du lit commençaient la conversation de cette façon.

— Non, bien sûr que non. Après tout, il est huit heures…

Il consulta la montre à son poignet avant d'ajouter :

— … trente-deux minutes.

— Tu viens toujours manger à la maison, n'est-ce pas ?

— Oui, c'est ce que nous avons convenu.

Qu'elle se pose encore la question le surprit. Ils en parlaient depuis plusieurs jours.

— C'est qu'hier, en fin de soirée, j'ai téléphoné chez toi, et tu n'as pas répondu.

Maurice se sentit comme un enfant pris en faute.

— C'était toi ? Je dois te faire une confession, quand j'ai entendu la sonnerie, j'étais penché au-dessus du bol de toilette à cause de petits excès. Ensuite, je me suis couché avec un oreiller sur la tête.

— Oh ! Ce matin, tu vas mieux, j'espère ?

Le soulagement rendit sa voix plus joyeuse. De son côté, l'homme se félicita pour son réflexe. Il devenait habile au jeu de la tromperie.

— Tout de même, on ne parle pas là d'une brosse de trois jours.

Le fait que Diane travaille six soirs sur sept rendrait la vie facile à un séducteur d'occasion. Elle le savait, et gardait une petite inquiétude.

— Alors, on se voit tout à l'heure. J'apporterai une bouteille de vin, mais je n'en prendrai pas une goutte.

Un long moment, la serveuse lui expliqua qu'il n'était pas nécessaire d'apporter du vin. Il rétorqua que si personne n'en voulait, sa mère n'aurait qu'à mettre la bouteille de côté pour une prochaine fois. Après avoir raccroché, Maurice avala un grand verre d'eau, son remède habituel pour chasser le mal de tête. Puis, assis dans son fauteuil en sous-vêtements, il se remémora sa soirée de la veille.

Pour un homme aussi maladroit au jeu de la séduction, la conclusion de cette rencontre le laissait perplexe. Jamais l'initiative ne lui avait appartenu, il se faisait l'impression d'avoir été mené par le bout du nez. Pourtant, juste le souvenir des seins un peu lourds d'Agathe fit revenir son érection. Il eut envie de la rappeler, juste pour voir où cette histoire pouvait le conduire.

Évidemment, l'atmosphère étant devenue plutôt froide au moment de son départ, l'accueil ne serait peut-être pas le meilleur. Pourtant, il croyait pouvoir reprendre les choses en main.

La longue conversation nocturne puis l'insomnie à cause d'émotions se bousculant dans sa tête ne valurent rien de bon à Marie-Andrée. Au moins, pour une fois, Nicole paraissait fatiguée aussi à l'heure du déjeuner. Un peu avant dix heures, la jeune fille alla prendre le métro, vêtue d'un pantalon capri et d'un petit chemisier. Comme d'habitude, un flot humain descendit à la station de l'île Sainte-Hélène.

Dehors, elle reconnut aussitôt Robert Duquet sur la selle de son pédicab. Le garçon portait un short kaki et une chemise assortie. Sur sa tête, le chapeau colonial un peu ridicule lui donnait l'air d'un explorateur perdu dans Terre des Hommes. Cette tenue s'accordait avec la température chaude et humide qui durait depuis le début des grandes vacances. Au-dessus des deux sièges réservés aux passagers, une toile bleue fournissait aussi une protection contre les rayons du soleil.

— Bonjour, la salua-t-il. Tu ne sembles pas trop fatiguée, même si la journée s'est allongée hier.

Posant sa main sur son cou, juste sous l'oreille, il l'attira pour l'embrasser sur les lèvres.

— Donc, je suis bonne pour donner le change.

— Assieds-toi, je vais te reconduire.

— Je suis capable de marcher.

— Allez, monte.

Les deux sièges étroits étaient installés sur l'essieu avant. Un repose-pied ajoutait au confort. Tout en prenant place, la jeune fille dit encore :

— Je ne voudrais pas que tu aies des ennuis avec ton patron à cause de moi.

— Il ne contrôle pas toutes mes allées et venues. Il se contente d'encaisser sa part de mes revenus.

Assise un peu de travers, elle le regarda appuyer sur les pédales en y mettant tout son poids. Après trois ou quatre tours de roue, il put se rasseoir sur la selle. La petite démonstration de force fit à Marie-Andrée un curieux effet au bas-ventre. Les scènes de la veille lui revenaient, très précises. Son regard se porta sur la main droite du garçon, celle qui avait vagabondé entre ses jambes. Dans un autre lieu, jusqu'où serait-il allé? Et elle?

— Pouvons-nous faire quelque chose, cette semaine?

Cette simple question la troubla plus que de raison. Jeannot Léveillé lui vint en mémoire, seulement le temps de comprendre qu'elle n'avait plus envie de le revoir. Maintenant, sa vie était ailleurs, dans un monde peuplé de jeunes hommes, pas de gentils garçons.

— Que proposes-tu?

Le regard de Robert glissa sur son chemisier, comme s'il imaginait déjà leur prochaine rencontre. La pensée de sentir encore sa main sur elle lui donna envie de lancer: «Ce soir, après le travail.»

— Je vais y penser, répondit le garçon, je t'en reparlerai demain ou après-demain.

Déjà, il s'arrêtait devant le pavillon L'Homme à l'œuvre.

— Merci pour la promenade. Finalement, j'aime me laisser transporter.

Après un échange de bises, elle regagna son travail.

Quand Maurice gara sa Volkswagen devant le domicile des Lespérance, Antoine sortit de la maison en courant pour venir à sa rencontre et l'enlacer. La scène avait quelque chose de touchant.

— Reviens, mon chéri, l'appela Diane depuis le perron du logement du rez-de-chaussée. Ce n'est pas une façon de recevoir les gens.

Pourtant, la femme fit exactement la même chose, ajoutant des baisers en plus. Le visiteur se demanda combien, parmi les voisins, collaient leur front à leur fenêtre en se demandant: «Qui est ce type?» La mère célibataire affligée d'un enfant infirme devait soulever beaucoup d'intérêt chez les commères.

— Voilà pour ta mère. Comme je te le disais, inutile de le boire tout de suite, si vous n'avez pas le cœur à ça.

— Je la mettrai de côté pour ta prochaine visite.

Pendue à son bras, la jeune femme l'entraîna dans la maison. Antoine marchait sur sa droite, cherchant sa main avec la sienne. La porte d'entrée donnait directement dans la cuisine. Une grosse femme se tenait devant sa cuisinière électrique. Elle leva des yeux intimidés sur le visiteur, ceux d'une personne impressionnée devant un homme scolarisé.

— M'sieur, c't'un honneur de vous recevoir cheu nous.

Elle devait accueillir le curé de la même manière, au moment de la visite paroissiale.

— Tout le plaisir est pour moi, madame Lespérance.

La main tendue se révéla un peu humide.

— Maurice nous a apporté du vin, maman. Je le mets dans le garde-manger.

— Comme c'est fin. Du vin. On voé bin qu'vous savez vivre.

Le ton contenait tout de même une bonne dose d'ironie.

— Bon, c'est pas toute. Diane, amène la visite dans l'salon, moé j'vas finir de préparer le r'pas.

Il s'agissait de la pièce attenante. Entre les deux, simplement une arche, pas de mur. Les meubles élimés rappelaient les décors des années 1930. Les meubles suintaient la misère ordinaire – pas la très grande, celle qui fait mourir de privation. Il prit place sur le canapé, tout à côté de sa compagne. L'enfant se mit à sa droite, comme s'il craignait qu'on l'oublie. De cet endroit, le visiteur voyait madame Lespérance. Elle ne mesurait pas plus de cinq pieds. Ses cheveux ressemblaient à ceux de sa fille, courts et un peu bouclés, mais en gris. Les traits de son visage aussi rappelaient ceux de Diane, dans une version toutefois vieillie, dégradée.

— Comme ça, vous avez fêté pas mal hier, commenta son amie.

Il se revit dans les bras de cette Agathe un peu potelée, de la sueur sur le visage, en train de s'agiter pour l'amener une seconde fois à l'orgasme. Oui, il s'agissait d'une fête.

— Plutôt, on a bu pas mal en nous désolant sur l'actualité. Tous ces changements en éducation sont préoccupants. Nous ne savons pas où nous enseignerons dans deux ans, ni quel sera le programme. Des polyvalentes, des cégeps... Personne n'a jamais entendu parler de ça.

— ... Tu crains pour ton emploi ?

La serveuse posait cette question pour la seconde fois. Une inquiétude pour lui, ou pour elle ?

— Non. Tu sais, la seule chose dont nous sommes certains, c'est de garder notre job. Voilà toute la beauté de la sécurité d'emploi.

Dans la pièce voisine, la mère se penchait pour retirer une lèchefrite du fourneau, présentant son gros derrière à quiconque regardait dans sa direction, révélant ses cuisses variqueuses. « Non, Diane doit tenir de son père. Jamais elle ne ressemblera à ça. » Un peu honteux de soumettre cette pauvre ménagère à un pareil examen, Maurice reporta son attention sur le décor. Juste au-dessus d'un téléviseur à l'écran presque circulaire comme on en trouvait durant la décennie précédente, un grand crucifix pendait au mur, un rameau béni coincé sous un bras de bronze. Des images du Sacré-Cœur et de la Vierge complétaient le tableau.

— Si tu es assuré de conserver ton travail, affirma Diane, toujours préoccupée par ce sujet, le reste ne compte pas beaucoup. Tu aimes les enfants, tu pourrais leur montrer n'importe quoi, je suis certaine qu'ils t'apprécient.

Son jugement reposait seulement sur l'attitude bienveillante de Maurice à l'égard d'Antoine. Comment percevrait-elle la situation après s'être assise pendant quelques jours au fond de sa classe ? L'enseignement paraissait facile à ceux et celles qui n'en faisaient pas un métier.

Une voix vint de la cuisine :

— Diane, veux-tu mettre la table ?

Quand elle se leva, le regard de sa compagne contenait une excuse. Son départ permit à Antoine de se manifester de nouveau.

— Tu veux voir des portraits de moé ?

Son regard disait toute sa crainte d'essuyer un refus, puis devant l'acquiescement, son sourire exprima une joie sans nuance. Il alla vers une armoire, revint avec un petit album à la couverture cartonnée blanche.

— Ça, c'est moé, dit-il en l'ouvrant. Avec moman. L'autre, j'la connais pas.

Il s'agissait d'une religieuse. Diane avait accouché à l'Hôtel-Dieu situé tout à côté. La garde-malade aurait pu être Justine, la sœur cadette de Maurice. L'intérêt du professeur se porta sur son amoureuse. À vingt ans, elle était moins pulpeuse qu'aujourd'hui, mais tout à fait ravissante, malgré les cernes qui sur la photo lui mangeaient les joues, les cheveux pas très propres allant dans tous les sens et surtout un visage totalement désemparé. Son nouveau statut de fille-mère lui faisait entrevoir la misère de son existence à venir. Dans ses bras, un bébé aux yeux exorbités et aux traits vaguement asiatiques ajoutait à son malheur. Déjà, elle connaissait le diagnostic.

— Pis là, c'est moé r'venu à la maison. Avec moman.

La toute jeune femme paraissait en meilleure forme sur cette image. Son ventre demeurait toutefois alourdi par la grossesse récente. Elle était assise sur le canapé où il se tenait maintenant. En 1955, le meuble paraissait en aussi mauvais état qu'aujourd'hui.

Antoine continua de lui montrer les photographies, ajoutant des commentaires sur sa petite personne. Maurice prêtait pourtant toute son attention à la mère. Diane avait repris sa magnifique silhouette quand l'enfant avait célébré son premier anniversaire. En 1956, elle portait une large crinoline, une ceinture, sans doute en plastique, serrée à la taille. Il essayait de donner une couleur au vêtement. Cette femme de vingt et un ou vingt-deux ans devait être magnifique en rouge.

Dans toutes ces photographies, il ne vit aucun homme. Ni le père de l'enfant, ni son grand-père. Jamais la jeune femme ne les évoquait non plus, alors il devinait une double trahison.

Antoine se contenta de quelques mots d'encouragement pour continuer le récit de sa courte vie. Un peu d'intérêt de la part d'une figure paternelle le rendait enthousiaste. Ce type de relation devait beaucoup lui manquer. Diane, émue, se tint un instant dans l'entrée du salon pour les regarder.

— Les hommes, vous venez manger ?

Le garçon oublia immédiatement son petit album photo pour gagner sa place à table. L'appétit ne lui faisait pas défaut. L'invité montra moins d'empressement. Madame Lespérance l'invita :

— M'sieur Berger, vous allez vous mettre à côté de Diane.

Ainsi, ils seraient deux de chaque côté de la table. Si la présence de son amie près de lui le rassurait, la mégère assise juste en face contenait la promesse d'un interrogatoire en règle. Pendant que Diane mettait du poulet et des pommes de terre en purée dans son assiette, sa mère commença :

— Berger, j'connais ça, ce nom-là.

— Mon père vend des machines agricoles. Il place des annonces dans *Le Clairon* une fois de temps en temps.

— Ah ! C'Berger-là, dit-elle d'un air entendu.

Le connaissait-elle ? Maurice songea plutôt qu'elle commençait à spéculer sur la fortune d'un marchand de cette envergure. « Je ferais mieux de ne pas lui dire que ma mère va tout laisser à la paroisse de mon frère », pensa-t-il. À ce sujet, il lui restait un espoir : Perpétue pouvait mourir avant son père.

Madame Lespérance le questionna sur ses origines un long moment. Son allusion au cours classique l'amena à s'enquérir :

— Vous vouliez-tu faire un curé ?

— Ma mère avait ce projet pour moi.

— Mais vous, ces saints-là vous disaient rien. Y en avait des plus beaux.

En disant cela, la mégère regardait sa fille. Le jeu de mots amusa Maurice. Ses appétits paraissaient-ils si limpides ? Évidemment, son regard se portait parfois sur sa compagne, peut-être s'attardait-il sur sa poitrine sans trop s'en rendre compte.

— Pis, Diane m'a dit qu'vous aviez une fille. Est-tu vieille ?

— Elle a dix-sept ans.

Marie-Andrée fut l'objet de la conversation pendant tout le dessert. Quand Antoine comprit de qui il était question, il répéta : « Belle. » Le petit groupe se déplaça vers le salon pour prendre un café. Vers deux heures, madame Lespérance s'adressa à Antoine :

— Bin là, mon grand, y est temps qu'tu viennes te reposer.

— … Non, chus pas fatigué.

— Discute pas, mon bonhomme, tu sais qu'tu dors tous les après-midis.

La vieille femme se leva de sa place pour se tenir devant le garçon, la main tendue. Finalement, il l'accepta et quitta son siège.

— Va dans la chambre, j'vas te rejoindre dans une minute.

Antoine commença par embrasser sa mère, puis échangea un câlin avec Maurice. Quand il disparut dans une pièce au fond de l'appartement, sa grand-mère se planta devant le visiteur.

— Bon, bin j'vas vous dire bonjour tu suite. Ça m'a fait plaisir d'vous connaître.

— Moi aussi, madame.

Diane accompagna sa mère jusque dans la chambre, puis revint auprès de son invité.

— Maman va le garder jusqu'à ce soir.

— Antoine accepte-t-il toujours aussi facilement de faire la sieste ?

— Seulement si quelqu'un s'étend à côté de lui. Comme il s'endort toujours en moins de cinq minutes, après on peut reprendre nos activités. Dans le cas de maman, elle aussi a besoin de repos. Le travail d'usine à son âge, c'est pas évident.

Tout en parlant, la jeune femme se dirigeait vers la sortie, suivie de son compagnon. Dehors, tous les deux s'engagèrent dans l'escalier conduisant à l'étage.

— Chez moi, c'est pas aussi bien que chez toi.

Diane se sentait mal à l'aise depuis l'arrivée de son ami sur les lieux, honteuse de sa mère, de son cadre de vie. Cette sensibilité vis-à-vis de ses origines sociales ne surprenait pas du tout Maurice, il éprouvait le même malaise devant ses voisins les plus nantis. La télévision donnait maintenant une image très claire des différents cadres d'existence, des environnements respectables ou pas. L'envie, la jalousie, le sentiment d'infériorité et d'étrangeté des plus pauvres s'accroissaient.

— Quand il s'y trouve une jolie fille comme toi, ça ne doit pas être si mal.

Elle se tourna à demi, un sourire narquois sur les lèvres.

— Tu parles comme un gars qui souhaite passer ce bel après-midi ensoleillé dans une chambre à coucher.

Comme il la suivait les yeux fixés sur ses fesses, l'idée lui était venue, en effet. Ses quatre ans d'abstinence le condamnaient à faire du rattrapage, comme la province dans les domaines scolaire et culturel.

L'appartement du haut rappelait celui du rez-de-chaussée quant à la configuration des pièces, mais dans une version plus misérable encore. Tous les meubles étaient dépareillés. Maurice soupçonna Diane de les avoir trouvés dans le magasin d'un organisme charitable, comme la société Saint-Vincent-de-Paul ou le Comptoir. Les progrès économiques des années 1960 ne touchaient pas tout le monde également.

— Maman aimerait que je déménage avec elle en bas, pour louer ici. Mais ce serait renoncer à toute vie privée.

— Tu vis si près, elle ne rate rien de ton existence.

— Tu as raison. Quand elle est à la maison, elle connaît toutes mes allées et venues, elle sait si j'ai des visiteurs. Mais au moins, elle ne se trouve pas dans la pièce à côté.

Ses visiteurs étaient-ils nombreux? Maurice excellait pour se pardonner ses propres frasques, mais s'inquiétait de celles des autres.

— De toute façon, je ne peux pas aller habiter ailleurs. D'abord, elle me fait un prix. Surtout, impossible de me passer de son aide pour Antoine. Tu imagines le coût pour le faire garder tous les soirs ? Tout mon salaire y passerait.

Sur ces derniers mots, la jeune femme s'approcha, en quête d'un baiser. Maurice ne demandait pas mieux que de payer de sa personne. De ce premier échange dans la cuisine, ils enchaînèrent jusqu'à se retrouver dans la chambre à coucher, dans un lit défoncé.

L'idée de passer d'une femme à l'autre en moins de vingt-quatre heures donnait à Maurice le sentiment de se libérer de son éducation étriquée. D'accomplir quelque chose, aussi, comme pendant son enfance, alors que lui et ses amis se lançaient des défis. « Si tu le fais pas, t'es un pissou ! » À cette époque, l'épithète collait à la peau du séminariste à la piété malsaine. Si deux partenaires l'accueillaient dans leur lit en moins de vingt-quatre heures, il ne devait pas être si médiocre.

— Je ne sais pas si tu aimes utiliser ça, mais moi, je préférerais m'en passer.

Des yeux, la femme désignait la boîte de condoms sur le chevet. Bientôt, elle vint s'asseoir près de lui sur le lit, nue.

— Les sensations sont un peu moins vives…

Comme la veille, Maurice baisait sans s'encombrer de cette protection, son témoignage faisait autorité.

— Cette semaine, je consulterai mon médecin pour me faire prescrire la pilule.

— … Si tu penses que c'est préférable.

— Pas toi ?

Maurice passa quelques minutes à lui expliquer que les médecins évoquaient des effets secondaires indésirables. En réalité, il s'inquiétait de la liberté des amours que le contraceptif donnerait à sa compagne.

En soirée, comme tous les dimanches où elle ne sortait pas, Diane descendit pour rejoindre sa mère. Les images enneigées de Télé-Métropole ne méritèrent qu'une attention distraite. L'invité reçu à l'heure du dîner occupa la conversation.

— Y fait un peu prétentieux, non ? remarqua la mère.

— Y a fait son cours classique.

Cela revenait à dire qu'il appartenait à un monde différent du leur, plus beau, plus raffiné. Il parlait même une autre langue, le français. La télévision insistait tellement sur le fait que les gens « ordinaires » utilisaient le joual.

— Quel âge tu m'as dit qu'y avait, déjà ?

— Quarante-trois ans. Onze ans de plus que moé.

— Y a l'air plus vieux.

Diane Lespérance ne souhaitait pas du tout s'engager sur ce terrain. Toutefois, sa mère n'abandonnerait pas le sujet aisément.

— Y est-tu encore bon, toujours ?

Bon pour « servir » une femme, voulait savoir sa mère. Devant le silence de son interlocutrice, elle se fit encore plus précise :

— R'marque, c'est pas plus mal si y donne du mou. Au moins, y est pus capab' de courailler.

Le silence têtu de sa fille força madame Lespérance à changer de stratégie. Le sujet de la virilité de cet homme reviendrait toutefois sur le tapis, comme si la vieille dame y trouvait un intérêt personnel. Après quelques minutes, elle reprit, un ton plus bas :

— Tant qu'à te taponner le dimanche après-midi pis une coup' de nuits dans la semaine, y devrait penser à t'marier, non ?

— Qu'essé tu veux que j'fasse ? Que j'y demande ? Pis ça fait juste trois ou quatre mois qu'on se connaît.

— Ouais, bin vous vous connaissez pas mal bin.

L'interrogatoire devenait insupportable. Avant de perdre patience, Diane se leva en disant :

— J'vas réveiller Antoine pis monter. Dormir un peu plus ne me fera pas de mal.

Avec l'habitude, le garçon parvenait à franchir quelques pas et à gravir la quinzaine de marches permettant d'atteindre le logement d'en haut sans reprendre tout à fait conscience. Les bonsoirs de la grand-mère ne reçurent pas vraiment de réponse, ni de la mère ni du fils.

Quand Marie-Andrée mit les pieds chez sa marraine ce soir-là, il était déjà dix heures. Mary Tanguay regardait les *Beaux Dimanches* avec un homme de cinquante ans environ. La jeune fille pensa d'abord à un nouveau touriste, mais celui-là portait des vêtements de travail.

— Roméo, tu n'as jamais rencontré ma filleule, Marie-Andrée.

Le type quitta son fauteuil pour lui serrer la main en se disant enchanté.

— Il est venu réparer la planche cassée sur le perron derrière. Comme ça, si tu vas accrocher du linge sur la corde, tu ne risqueras pas de tomber.

— Alors, je vous remercie, monsieur. Vous m'évitez des blessures graves.

Pendant ce temps, elle ressassait ses souvenirs. Il était parfois question de cet homme lors des repas. Un collègue du mari de sa marraine, qui s'était rendu indispensable depuis le début de son veuvage. Pendant quelques minutes,

Mary Tanguay vanta les mérites de son chevalier servant. Ensuite, la jeune fille les salua pour se rendre à la cuisine.

Après s'être préparé un sandwich et avoir pris un Coca-Cola bien frais dans le réfrigérateur, elle gagna sa chambre. À sa grande surprise, sa cousine se passionnait de nouveau pour un photo-roman.

— Je suis étonnée de te trouver encore ici, dit-elle en haussant les sourcils.

— Crois-moi, je suis étonnée aussi. Être à la maison avant minuit un samedi ou un dimanche, ça ne me ressemble pas.

— Alors, pourquoi ?

— Problème de fille.

— Je suis indiscrète, excuse-moi.

Bien sûr, les douleurs liées aux règles affligeaient certaines. Devant les allusions à ces ennuis, Marie-Andrée se réjouissait toujours de son propre sort.

Enlever ses vêtements devant témoin continuait de la gêner. Après avoir enfilé le t-shirt qui était devenu son vêtement de nuit, elle s'installa sur la chaise, les pieds posés sur le lit.

— Je préfère ne pas mettre de miettes de pain dans les draps, expliqua-t-elle.

— Voilà une charmante attention. Comment te sens-tu après une semaine de travail ?

— Mieux. Je n'ai plus l'impression que mes fémurs veulent me remonter jusque sous les aisselles.

Cela tenait en partie à ses bottines à semelles caoutchoutées, en partie à l'habitude.

— J'ai déjà entendu une meilleure façon de dire : « J'aime mon travail. »

L'adolescente laissa échapper un rire clair. Sa cousine avait une manière bien à elle de résumer une situation.

— Demander : « Que voulez-vous commander ? » et répondre en disant : « Deux dollars et quinze cents » n'est pas très difficile, mais cela n'apporte pas de grandes joies non plus.

Nicole rit à son tour. L'idée de jouer à avoir une petite sœur ne lui déplaisait pas.

— Moi, c'est : « Les toilettes sont juste là, dans cette direction. »

Marie-Andrée mangea son sandwich, sa cousine fit semblant de s'intéresser à sa lecture. Bientôt, elle reposa son photo-roman pour déclarer :

— Je pense à quitter mon emploi.

— Pourquoi ? Tu semblais si heureuse de l'avoir obtenu, le printemps dernier.

— Je dois avoir un tempérament volage.

L'autodérision marquait son ton.

— Puis cet uniforme bleu te va si bien. Ce n'est pas comme le mien…

Cette fois, toutes les deux partagèrent un fou rire.

— J'aime bien mon travail, admit l'hôtesse, et oui, l'uniforme est seyant. Il s'agit d'une belle occasion de rencontrer des gens intéressants… et surtout, des milliers de *nobodies*.

— Mes attentes doivent être très modestes, car j'arrive à trouver des gens convenables chez mes mangeurs de poulet.

L'ironie de sa cousine n'échappa pas à Nicole. Ne trouver personne d'intéressant parmi les centaines de milliers de visiteurs témoignait d'une bien grande prétention. Elle semblait tenir pour acquis que ses traits, sa silhouette la conduiraient au prince charmant. Quelle allure prenait celui-ci, dans son esprit ?

— Tu connais les clubs Playboy ?

La question prit Marie-Andrée au dépourvu.

— Je connais la revue… même si je ne l'ai jamais regardée.

Comme elle tenait à son image de petite fille sage, même aux yeux de sa cousine !

— La société qui publie la revue crée des dizaines de clubs, un peu partout en Amérique. Ce sont des clubs privés. Pour entrer, il faut être membre, ou être accompagné d'un membre.

— Pourquoi me dis-tu tout cela ?

— Un club va ouvrir à Montréal dans deux semaines.

Finalement, le long détour prenait tout son sens. La jeune femme songeait à être embauchée du côté de l'entreprise symbolisée par une petite tête de lapin.

— Tu sais, les serveuses de Playboy peuvent se faire jusqu'à deux cents piastres par semaine… Puis tous les jeunes hommes riches de Montréal se rendront là.

La recherche du bon parti la conduisait d'un emploi à l'autre. Marie-Andrée eut envie de lui demander si des candidats intéressants avaient déjà croisé son chemin. Elle n'osa pas satisfaire sa curiosité.

— Vendredi prochain, il y aura des entrevues à Montréal. J'aimerais que tu m'accompagnes.

Le sans-gêne de Nicole n'avait pas de limite. L'entraîner dans une aventure de ce genre !

— Le vendredi, je travaille, tu le sais bien.

— Tu peux demander un congé à Patenaude. C'est une bonne pâte.

— Je suis là depuis tout juste une semaine, je ne me vois pas lui demander la permission de m'absenter.

— Écoute, tu ne risques rien à essayer, et tu verras bien sa réponse.

Le bonhomme ne pouvait pas lui en tenir rigueur, il ne s'agissait tout de même pas d'une trahison.

— Tu ne sais pas encore ? insista Nicole. Avec ton air ingénu et ton sourire timide, les hommes voudront toujours te faire plaisir.

L'affirmation ne convainquit pas complètement la jeune fille. Sa cousine lui demandait de faire de beaux yeux, de séduire son patron pour obtenir un privilège. Finalement, Marie-Andrée but la dernière gorgée de sa boisson gazeuse, puis se leva en disant :

— Bon, je lui demanderai pour te faire plaisir, mais je ne pense pas qu'il acceptera.

Le peignoir serré jusque sous le menton, elle se dirigea vers la salle de bain. Le Roméo de sa marraine lui avait paru bien sympathique, mais elle avait eu son comptant de regards appuyés sur sa silhouette pendant sa journée à l'Expo.

Chapitre 10

Le lendemain, un lundi, les deux jeunes femmes se présentèrent au petit déjeuner un peu après neuf heures. Madame Tanguay portait toujours son peignoir, une cigarette lui pendait au bec. *Le Journal de Montréal*, ouvert devant elle, paraissait la passionner.

— Les filles, vous savez que le propriétaire de *Playboy* se trouve en ville ?

Nicole échangea un regard amusé avec sa cousine. La nouvelle suscitait des commentaires dans tous les médias. Elle précisa à l'intention de sa mère :

— Pas le grand patron, mais son frère. Il doit ouvrir un club à Montréal. Je pense aller passer une entrevue pour un emploi.

— Serveuse, tu trouves pas ça moins… respectable que secrétaire ?

Marie-Andrée l'entendait pour la première fois mettre en doute la validité d'une décision de sa fille. Cela ressemblait même à un jugement moral. La ménagère se fit plus explicite encore :

— Dans ces clubs-là, une grosse Dow ou un whisky Jameson dans la main, les hommes pensent juste à une chose.

— Ils y pensent aussi en buvant un 7up devant une hôtesse à l'Expo… ou devant une secrétaire. Je sais comment m'occuper de ce genre de gars.

Marie-Andrée s'affairait à casser des œufs dans une poêle tout en écoutant la conversation. Sa marraine n'entendait pas préparer deux petits déjeuners consécutifs pour chacun de ses pensionnaires, aussi apportait-elle sa contribution.

— As-tu vu comment ils les habillent, les serveuses ?

Mary tourna son journal pour présenter une photographie à sa fille. Sa nièce allongea le cou afin de voir aussi. Le cliché montrait une jeune femme tenant un plateau portant deux verres, un sourire radieux sur les lèvres. Sur sa tête, on voyait de curieuses oreilles de lapin.

— C'est pas mal plus pudique que mon maillot de bain.

— Oui, mais tu ne vas pas travailler avec.

— Maman, ces filles gagnent deux cents piastres par semaine pour sourire et montrer leurs jambes.

La répartie laissa Marie Tanguay bouche bée. Quelques années plus tôt, son défunt époux gagnait largement moins de la moitié de ce montant en tant que policier à la Ville de Montréal.

— Pour cet argent-là, elles ne font pas que servir aux tables.

— Maman, penses-tu que je m'intéresserais à cette job, si c'était ça ?

La mère reprit son journal, marmonna quelque chose d'inaudible. Sans témoin, elle n'aurait sans doute pas abandonné le sujet si facilement. La présence de sa filleule l'amenait à modérer ses commentaires. Ensuite, les jeunes femmes bavardèrent de divers sujets tout en mangeant. Quand Nicole s'apprêta à se rendre dans sa chambre, elle revint à ses projets professionnels.

— Tu sais, Marie-Andrée va m'accompagner à l'entrevue, pour s'assurer que tout se passera bien.

Sans attendre la répartie, l'hôtesse, désireuse de mettre fin à l'échange, sortit de la pièce. L'invitée de la maison demeura silencieuse le temps de terminer son repas, puis proposa :

— Ma tante, je peux vous aider à faire la vaisselle avant de partir.

— ... Non, non, tu risques de te mettre en retard.

Quand elle quitta la table à son tour, la ménagère ajouta encore :

— Tu vas aller avec elle, hein ?

— ... Si mon patron veut bien me donner un congé.

— J'aimerais ça que tu sois là. Des fois, elle a de drôles d'idées. Elle était bien comme secrétaire de direction, mais ça lui suffisait pas.

— Je vais demander la permission en arrivant au restaurant.

Après les souhaits de bonne journée, la jeune fille s'éclipsa. Ainsi, sa présence devrait rassurer à la fois la fille et la mère.

En passant près de la porte du salon, elle vit Nicole installée devant le téléviseur. À cet endroit, elle échapperait aux remontrances maternelles. Tous les matins, Jean-Pierre Coallier animait sur les ondes de CFTM-TV une émission portant sur les événements de la journée à l'Expo.

— Savais-tu que la reine Elizabeth se promènera dans les îles aujourd'hui ? demanda Nicole.

La question rappela à Marie-Andrée sa conversation avec Clément Marcoux, deux jours plus tôt.

— Impossible de l'ignorer. Tous les journaux en parlent en première page.

— Ça risque de barder. Tu feras attention.

— Je ne pense pas. La police a dû s'arranger pour mettre les fauteurs de troubles à l'écart.

Elle reprenait les arguments du jeune étudiant de l'Université de Montréal, posant comme une experte de ces questions.

— Seras-tu affectée à la Place des Nations ? s'enquit Marie-Andrée.

Lors de certains discours des chefs d'État, Nicole avait fait partie d'un escadron d'hôtesses très décoratives, pour le plaisir des caméramans et des spectateurs venus de partout dans le monde.

— Probablement. Sinon, aujourd'hui, je me ferai photographier par des touristes américains du côté de La Ronde.

La jolie cousine marqua une pause, puis ajouta, un ton plus bas :

— Tu n'oublieras pas de demander à Patenaude, hein ?

— Je le ferai en arrivant.

Ensuite, Marie-Andrée récupéra dans sa chambre le sac aux couleurs de l'Expo contenant son uniforme, puis se dirigea vers le métro.

Le nombre de visiteurs d'Expo 67 ne fléchissait pas, ni celui des clients du St-Hubert. Marie-Andrée regarda la longue parade défiler devant son comptoir. Les Canadiens français représentaient une bonne proportion des clients, car ces restaurants leur étaient familiers, mais la jeune fille avait de multiples occasions de jouer à l'interprète. Tout en tenant sa caisse, elle traduisait pour sa collègue à côté.

Quand l'affluence diminua, au milieu de l'après-midi, elle entra dans la petite pièce aveugle servant de bureau au gérant.

— Monsieur Patenaude…

— Ah! Tu vas pas venir m'asticoter tous les jours avec ça. J'peux pas te payer quand j'ai pas de clients. Pis là, tu me déranges dans mon travail. Reviens un peu avant cinq heures.

Selon Nicole, ce brave homme ne savait pas dire non à une femme au décolleté plongeant ou portant une robe très courte. Mais à cet instant, toute son attention allait à son registre.

Marie-Andrée renonça tout de suite et quitta le restaurant pour se rendre dans le pavillon L'Homme à l'œuvre. Sa collègue France l'attendait.

— Tu voulais lui demander de rester tout l'après-midi? s'enquit la brunette. Il garde ça pour les régulières, même celles qui ne comprennent pas le mot *Coke* prononcé en anglais.

— C'est la même chose, en anglais.

— Ça te donne une idée de leur degré de bilinguisme.

Les régulières, c'étaient celles qui demeureraient serveuses jusqu'au jour de leur mariage. Aux yeux du patron, celles-là méritaient les horaires les plus généreux. France fréquenterait une école d'infirmières en septembre, elle l'école normale, aussi toutes les deux chômaient pendant l'après-midi.

— Non, je souhaitais lui demander congé pour profiter de ma journée, vendredi prochain.

— Si tu fais ça, tu vas lui donner des boutons. Il ne déteste rien de plus que de changer ses horaires.

— Alors, je devrai le convaincre de faire un petit effort.

— Dis-lui que tu vas à un mariage.

Dehors, elles apprécièrent la file qui se formait devant le pavillon de l'Allemagne. Il ne s'agissait pas de l'un des plus populaires, le temps d'attente durait seulement une heure. C'était tout de même trop pour les deux employées du St-Hubert.

— Je ne vais pas à un mariage, je dois accompagner ma cousine.

— C'est un romantique. Dis-lui que ta sœur se marie, il te laissera aller.

— Un mariage un vendredi ?

— Ils sont nombreux. Les samedis d'été sont bookés des mois à l'avance.

Machinalement, elles s'étaient déplacées de l'autre côté du bassin, pour passer devant l'entrée du pavillon de l'Italie. La queue semblait plus longue encore qu'à celui de l'Allemagne.

— Moi, je ne vais pas là. Je ne veux pas passer tout le reste de l'après-midi debout, déclara France. Ça te dit d'aller faire la sieste au pavillon de l'Australie ?

— Pardon ?

— Tu ne l'as pas visité ? Ils ont des fauteuils parlants très confortables, puis c'est climatisé.

Par une chaude journée d'été, c'était une proposition intéressante. Ce pavillon gagnait une petite réputation comme havre de paix. En plus des fauteuils confortables, les uniformes orangés et plutôt courts des hôtesses exerçaient aussi une certaine attraction sur les garçons.

Avec Diane Lespérance, Maurice en était venu à établir une routine depuis le début des grandes vacances. Il la rencontrait un jour sur deux après son travail. C'était la seule occasion pour eux de se voir en tête-à-tête, car pendant la journée, Antoine se trouvait toujours à proximité. L'enseignant adoptait le mode de vie des jeunes les plus dans le vent, se couchant passé trois heures du matin pour se lever à midi, et cela durerait au moins jusqu'en septembre.

Aussi, quand ce matin du 4 juillet la sonnerie du téléphone retentit à neuf heures, sa première réaction fut de lancer un juron peu digne d'un diplômé du cours classique. D'habitude, les gens abandonnaient après quatre sonneries sans réponse. Celui-là devait être un vicieux : six, sept... Puis Maurice songea : « Quelque chose est arrivé à Marie-Andrée ! »

D'un saut, il fut hors du lit. Huit, neuf... Il décrocha à la onzième sonnerie.

— Oui, allô.

— Maurice ? Tu y as mis le temps. Tu te la coules douce pendant les vacances.

Aucun policier, aucun directeur d'hôpital ne l'aborderait ainsi, en utilisant son prénom. Aucun curé non plus, sauf son frère, Adrien.

— Si tu veux échanger d'occupation avec moi, je suis d'accord.

— ... Honnêtement, tu perdrais au change. Tout à l'heure, je rencontrerai une délégation des Dames de Sainte-Anne désireuses de faire interdire les films immoraux dans les cinémas de la ville. Leur liste va de *Bonnie and Clyde* pour le cautionnement d'un comportement criminel, jusqu'au dernier James Bond, à cause des Bond Girls.

— Ne me dis pas que *The Singing Nun* sera le seul film autorisé cette année !

Maurice avait imposé ce long-métrage à sa fille le printemps précédent, une initiative qui avait précipité une série de changements dans leurs rapports.

— Un film sur une sœur défroquée qui est passée de la chanson *Dominique-nique-nique* à une apologie de la pilule ! ricana Adrien. Honte à toi.

Sorti du lit en catastrophe, le professeur n'entendait pas passer sa matinée à discuter de cinéma.

— Je suppose que tu avais une bonne raison de me tirer du lit.

— … Voudrais-tu venir souper chez moi ce soir ?

— Ce sera un plaisir.

Le ton contenait une bonne part d'ironie. Il y eut un silence sur la ligne, puis le prêtre proposa :

— À six heures, ça te convient ?

— Comme tu le disais tout à l'heure, je me la coule douce. Ton heure est la mienne.

Les salutations ne durèrent qu'une demi-minute, puis tous les deux raccrochèrent. Un instant, Maurice songea à retourner au lit, mais ses chances de se rendormir étaient infinitésimales. Le dernier roman de Réjean Ducharme, *Le nez qui voque*, traînait sur la table basse. Cependant, il n'eut pas le temps d'en parcourir une page avant de reprendre le téléphone et de composer le numéro de la paroisse Saint-Jacques.

— Adrien, tu n'aurais pas eu l'idée saugrenue de me tendre un piège ? demanda-t-il.

— Un piège ?

— Comme me réserver un *blind date* avec cette chère Perpétue ?

Maurice s'en tenait toujours à sa résolution du mois d'avril précédent : un boycott des dîners dominicaux de sa famille, tant la présence de sa mère l'irritait.

— Vous ne pouvez pas demeurer à couteaux tirés pour le restant de vos jours.

Le professeur demeura silencieux, aussi l'ecclésiastique continua :

— Non, je ne l'ai pas invitée. Ni papa. Mais je tiens à discuter de la situation. Notre petite sœur Justine sera avec nous, toutefois.

— Les religieuses hospitalières peuvent prendre congé comme ça, un mardi soir ?

— Quand un prêtre le demande à la directrice, oui.
Ainsi, le pouvoir des soutanes opérait toujours, en certains milieux.

— Ça me fera plaisir de revoir ma sœurette.

Tous deux se redirent au revoir. Maurice ne se sentait plus le cœur à reprendre sa lecture. Une longue promenade valait mieux.

La veille, une fois rentrée à la maison, Marie-Andrée avait eu droit à la mine renfrognée de Nicole. Le « Quoi, tu ne lui as pas parlé ! » valait n'importe quelle accusation de trahison. Encore ce matin, à table, sa cousine ne lui répondait que par monosyllabes. Sa marraine les regardait toutes deux avec des yeux interrogateurs, mais aucune ne la mettrait au courant des motifs de ce différend.

La jeune fille quitta la maison une quinzaine de minutes plus tôt que d'habitude, préparée à se montrer une négociatrice intransigeante. À son arrivée au restaurant, elle frappa à la porte du bureau du gérant et ouvrit avant qu'on l'y invite.

— Monsieur Patenaude, je dois vous parler.

Le bonhomme se penchait sur un calendrier dont les cases portaient différentes couleurs. Cette façon de gérer son personnel ne s'avérait pas la plus efficace, à en juger par le pli au milieu du front.

— Bon, je t'écoute.

Du doigt, il désigna la chaise contre le mur. Marie-Andrée s'assit, plaça sa jambe droite sur la gauche. Dans cette posture, sa minirobe remontait très haut, révélant sa cuisse sur toute sa longueur. En se penchant un peu, son interlocuteur aurait sans doute pu apercevoir l'élastique de sa culotte. Cependant, Patenaude fit des efforts désespérés pour ne pas profiter du spectacle. Évidemment, son regard descendait parfois, mais tout de suite il le remontait vers son visage.

— Vendredi prochain, j'ai une obligation familiale. Je ne pourrai pas me présenter au travail. Enfin, je pourrais venir en soirée, mais pas avant.

Pour réponse, la jeune fille s'attendait à quelque chose comme : « Si j'peux pas me fier à toi, j'vas en trouver une autre. » À la place, le patron hocha la tête, songeur. Marie-Andrée était sur le point d'évoquer un mariage quand il dit :

— Bon, j'pense que j'pourrai m'débrouiller. J'en ai une de plus que nécessaire sur ma liste, j'peux l'appeler en renfort.

La réponse étonna Marie-Andrée. C'était facile à ce point : mettre sa robe la plus courte et demander.

— Cependant, tu rentres mercredi prochain.

Elle eut l'impression que Patenaude tenait simplement à lui montrer qu'il était encore le patron. Un hochement de la tête suffit pour signifier son assentiment.

— Je viendrai vendredi prochain, en soirée ?

— Non, j'veux pas défaire juste à moitié une journée d'mon horaire. C'est plus facile de changer les journées au complet.

Il regarda son calendrier pour préciser :

— Donc, le mercredi 12 juillet, tu travailleras.

— D'accord, monsieur.

— Pis là, t'en prendras pas l'habitude.

— Je n'ai pas le choix, je vous assure.

L'adolescente ne préciserait pas que son obligation tenait à son désir de partager le lit d'une cousine souriante. Sinon, l'air renfrogné de Nicole finirait par la rendre insomniaque.

À la fin, Clément Marcoux deviendrait peut-être un inconditionnel de la cuisse de poulet. Il vint le 4 juillet un peu après une heure, attendit pour être certain de passer à la caisse de Marie-Andrée.

— As-tu encore manifesté contre la guerre du Vietnam au cours des trois derniers jours? demanda la jeune fille.

Le ton moqueur mit un peu de rose aux joues du jeune homme. Son engagement politique lui avait sans doute paru chancelant, le samedi précédent, puisqu'il avait abandonné ses camarades pour l'accompagner à la Cité du Havre.

— Je n'ai pas eu l'occasion de le faire. Pourtant, crier "*Lisbeth, go home!*" hier m'aurait amusé.

La visite de la reine Elizabeth s'était déroulée dans le plus grand calme. Même le vilain chapeau de la souveraine n'avait pas suscité une trop grande avalanche de commentaires négatifs.

— Heureusement, sinon la Gendarmerie royale t'aurait ramassé. Il y avait des dizaines de policiers en civil dans les îles.

La jeune fille savait maintenant reconnaître sans mal ces curieux visiteurs. Mais le moment ne se prêtait pas à la conversation. Déjà, le plateau de Clément était sur le comptoir, et un autre client passait la porte.

— Cet après-midi, seras-tu libre de nouveau? voulut savoir le jeune homme.

— Vers deux heures.

— Ça te dirait de faire un tour du côté de la Cité du Havre? Il y a un musée d'art.

La châtaine hésita juste un peu avant de répondre:

— Oui, ce serait une bonne idée.

— Alors, je vais lire mon journal très lentement.

Marcoux portait *Le Devoir* sous son bras. Le nombre de pages ne lui permettrait pas d'attendre très longtemps. Il se dirigea vers une table donnant sur le plan d'eau.

— Que désirez-vous? demanda la caissière au client suivant.

Elle commençait à pouvoir identifier la langue des clients sans qu'un mot soit prononcé, se dispensant du «Bonjour, *welcome*» habituel. Quand vint le moment de passer aux toilettes afin de se débarrasser de son uniforme au profit de ses vêtements de ville, France lui demanda:

— Ce garçon, c'est un nouveau petit ami?

Les visages de Jeannot Léveillé et de Robert Duquet lui passèrent à l'esprit. Dans ce domaine, sa situation devenait un peu complexe.

— Non, juste un client que j'ai croisé en ville samedi dernier.

— Comme par hasard, le seul célibataire présentable à venir ici...

— Un passionné de poulet.

Quelques instants plus tard, Marie-Andrée le retrouvait dans le pavillon L'Homme à l'œuvre.

— Viens-tu souvent à l'Expo? demanda-t-elle.

— Comme tous les Montréalais, au moins un jour sur deux.

— Si je n'occupais pas cet emploi, je ferais la même chose. Remarque, j'en profite tous les jours pendant deux ou trois heures.

— Les files d'attente sont si longues, tu n'auras pas le temps d'entrer au pavillon de l'Union soviétique.

Avec celui des États-Unis, celui-là demeurait le plus populaire. On passait le plus souvent trois heures dans une interminable queue avant d'y accéder.

— J'attendrai donc un jour de grande averse, quand les visiteurs se font plus rares.

Tout en parlant, tous deux s'étaient dirigés vers la sortie. Sans se concerter, ils allèrent en direction de la station de l'Expo-Express. Ce moyen de transport demeurait le meilleur pour aller d'un point à l'autre du site. Marie-Andrée surmonta sa timidité pour demander :

— Tu n'occupes pas un emploi, cet été ?

— Je dois faire partie des privilégiés...

Ce statut ne semblait pas lui procurer un bien grand plaisir.

— Ces semaines-ci, je devrais rédiger mon mémoire de maîtrise, mais l'inspiration ne vient pas.

— Dans quelle discipline ?

— Science politique.

« Bon, en voilà un qui rêve de devenir premier ministre », songea la jeune fille. Tout de même, elle était impressionnée. À l'exception peut-être des membres du clergé et de son médecin, jamais elle n'avait rencontré quelqu'un d'aussi instruit.

— Que feras-tu ensuite ?

— Je rêve d'enseigner à l'université. On parle d'en ouvrir une nouvelle à Montréal. Ce sera une belle occasion.

Les voitures à coque d'aluminium s'immobilisèrent devant eux. Quelques minutes suffiraient ensuite pour arriver à destination. La forêt de drapeaux près de la Place d'Accueil faisait toujours son petit effet. La veille, Nicole se tenait là lors de l'arrivée de la reine.

Le musée d'art se situait tout près, un grand cube de béton comportant quatre salles. Les peintures « non figuratives » laissèrent la future institutrice perplexe, mais devant ce jeune homme instruit, elle s'efforça de jouer l'admiration béate. De son côté, Clément sortit une pipe de sa poche, la mit entre ses dents sans l'allumer, puis contempla longuement une douzaine de toiles parmi les plus colorées. Parfois, il s'approchait à six pouces du canevas, ou s'éloignait à dix pieds en se grattant le menton.

« Là, il essaie de m'impressionner », se dit Marie-Andrée, tant il s'efforçait de ressembler aux intellectuels présentés dans les émissions d'affaires publiques à la télévision. Quand ils quittèrent cet endroit, Clément l'escorta jusqu'à la gare de l'Expo-Express.

— Je ne te raccompagne pas au restaurant, mon auto se trouve près de la Place des Arts.

— L'autobus londonien t'y conduira directement.

— Je sais.

Pendant un moment, il se montra hésitant. « Un timide ! » Le constat permit à la jeune fille de retrouver une certaine contenance. Son petit sourire rassura son compagnon.

— Aimerais-tu sortir, l'un de ces jours ? lui demanda-t-il.

Si imprécise, l'invitation ne suscita pas le plus grand enthousiasme.

— Pourquoi pas ?

— Veux-tu me donner ton numéro de téléphone ?

— … D'accord, mais n'abuse pas. Il s'agit de celui de ma marraine, elle n'aime pas jouer à la téléphoniste. Je suis là vers dix heures le soir, et je sors avant dix heures le matin, sauf le mercredi.

Le jeune homme sortit un crayon de la poche intérieure de sa veste, et un calepin. Il prit le numéro en note et rangea le tout. Comme jamais Marie-Andrée n'oserait le relancer, inutile de faire de même de son côté.

— Alors, à bientôt, promit-il en se penchant pour lui faire la bise sur la joue, un peu maladroitement.

— À bientôt, Clément.

L'exposition universelle devenait le lieu de rencontre de toute une génération. Pour la seconde fois, un homme lui témoignait son intérêt. La jeune fille marcha vers le quai, songeuse.

Après avoir accepté l'invitation à souper de son frère Adrien, Maurice avait longuement parlé au téléphone avec Diane Lespérance pour déplacer leur rendez-vous. Ils se verraient le jeudi suivant en après-midi pour une activité en famille, puis ensuite en soirée. Finalement, la présence d'Antoine permettait au professeur de voir toute la production de films pour enfants de 1967.

À l'heure prévue le 4 juillet, il frappa à la porte du presbytère.

— Te voilà enfin, dit Justine en lui ouvrant.

Son ton lui rappela son enfance, quand la petite fille n'hésitait pas à le semoncer pour tous ses manquements à son rôle de grand frère.

— Nous t'attendons dans le salon. Nous avons hâte de manger.

Il eut droit à une bise sur chaque joue, et à une poignée de main d'Adrien.

— Tu en veux une ? demanda le prêtre en montrant la bouteille de bière sur le guéridon placé près de son fauteuil.

— Oui, même si j'abuse un peu depuis le début des vacances.

— Tu éprouves des ennuis ?

Sans se donner la peine d'attendre la réponse, Adrien se dirigea vers la cuisine pour lui apporter une Molson et un verre. Le visiteur comprit qu'il ne s'épancherait pas longuement ce soir-là. La rencontre servirait d'autres fins.

Maurice se tourna vers sa sœur pour lui dire :

— Je suppose que le travail ne manque pas à l'hôpital.

La religieuse avait regagné sa place sur le canapé. Elle se contentait d'un verre d'eau. Son costume « moderne » de sœur hospitalière ne la rendait pas vraiment plus séduisante que l'ancien. Il lui donnait l'air d'une sexagénaire sans élégance. Elle avait pourtant moins de quarante ans.

— Comme les jeunes gens reçoivent un salaire et disposent de plus de temps pour sortir pendant les vacances, ils sont plus souvent saouls au volant. En conséquence, nous en recevons encore plus aux urgences.

— Parmi mes nombreuses raisons de m'inquiéter pour Marie-Andrée, le risque qu'elle monte avec l'un de ces imprudents figure en bonne place. Tu as déjà compté le nombre de jeunes gens tués dans des accidents, rapporté dans les journaux le lundi matin ?

— Je me contente de compter ceux qui se retrouvent à la morgue ou à l'hôpital.

— J'ai entendu le prénom de ma filleule adorée, intervint Adrien en revenant dans la pièce. Elle va bien ?

Il remit la bière et le verre à son frère avant de reprendre son fauteuil.

— Je la verrai demain pour la première fois depuis son départ, je lui ai parlé la semaine dernière au téléphone. Je suppose que tout va bien.

Le visage de Maurice montrait une certaine déception, comme s'il se sentait négligé. Pourtant, il n'avait pas manqué d'attention féminine au cours des dix derniers jours.

— Elle a beaucoup vieilli ces dernières semaines, commenta le curé. Je veux dire, gagné en maturité.

— Le printemps dernier, mon frère curé me conseillait de la laisser s'envoler… Je me suis montré le meilleur paroissien possible.

Le ton témoignait d'un humour désabusé. La domestique choisit ce moment pour venir annoncer que le repas était prêt. En se levant, Adrien s'adressa à elle :

— Maintenant vous pouvez partir, je m'occuperai du service.

— Je peux rester, protesta la vieille femme.

— Profitez de votre soir de congé.

Il n'eut pas besoin d'ajouter : « Nous voulons parler d'affaires familiales. » L'employée le comprit, et conclut la discussion en disant :

— Bonne soirée, monsieur le curé.

La fratrie passa à la salle à manger. La table était mise, la soupière en plein milieu. Justine fit mine de vouloir en verser dans les bols.

— Non, c'est moi qui vous reçois, l'arrêta l'ecclésiastique.

Après les avoir servis, il prit place. Le bruit de la porte d'entrée qui se refermait lui fit comprendre qu'ils étaient entre eux, désormais.

— Maurice, commença-t-il, tu sais, je n'ai pas aimé ta petite blague à l'hôpital.

Il faisait allusion à la courte hospitalisation de leur mère quelques semaines plus tôt. Comme l'enseignant haussait les sourcils pour signifier son incompréhension, son cadet se fit plus explicite.

— Dire à ma petite sœur que je vivais quelque chose comme une crise de foi !

— Comment voulais-tu que je sache que j'étais le seul à qui tu en avais parlé ? Après tout, si quelqu'un peut te comprendre, c'est elle.

— Pourrions-nous nous parler honnêtement, pour une fois ?

Le ton du prêtre troubla suffisamment le visiteur pour qu'il mette une quantité bien exagérée de poivre dans son bol. Depuis ce jour-là, aucun des deux n'avait pris l'initiative de s'adresser à l'autre.

— Vraiment, je ne savais pas que tu n'en parlais même pas à Justine.

La religieuse les écoutait en silence, avec l'impression de se retrouver trente ans plus tôt, témoin de l'une de leurs interminables querelles. Finalement, Maurice décida de cesser de jouer à l'autruche.

— Tu te souviens de la scène ? demanda-t-il. Quand le Messie s'est rendu en Galilée, Marie-Madeleine devait avoir le même visage extatique que Perpétue à ton arrivée dans sa chambre. Dans ton cas, son admiration semble reposer sur une fausse représentation.

— Donc, voilà ta vraie motivation : si tu me présentes comme un mauvais prêtre, maman comprendra que tu es le plus vertueux des deux, en comparaison.

En réalité, Adrien se faisait une idée très exacte de la situation. Son frère se sentit terriblement gêné. Heureusement, le premier service leur permit de demeurer silencieux. Au début du second, ce fut au tour de Justine d'intervenir :

— Maman est difficile à vivre…

— Surtout pour les personnes qui risquent la damnation éternelle en n'entrant pas au service de l'Église, ricana Maurice.

— Ne t'imagine pas que les choses soient si faciles pour nous deux.

Quand la religieuse éprouvait de la colère, les larmes lui venaient aux yeux. Son frère enseignant ne tenait pas à en arriver là, aussi il décida de faire plus attention.

— Tu ne te sentiras pas mieux en la punissant par ton absence, poursuivit-elle.

— Je me sens mieux en tenant mes distances. Si toi et monsieur le curé appréciez sa compagnie, régalez-vous. Moi, j'ai maintenant mieux à faire le dimanche.

L'homme fut sur le point de parler de Diane et de leurs après-midis torrides. Ces deux-là s'étant engagés au célibat, le sujet les réduirait au silence.

— Auras-tu la même indifférence, quand il s'agira de te rendre au salon funéraire ?

— … Tu me disais toi-même qu'elle faisait de l'angine. On ne meurt pas de cela.

Cette fois, Justine accusa le coup. L'aîné craignit d'être allé trop loin, mais très vite, l'impression de se tenir devant un tribunal lui revint. Ces deux-là l'avaient convoqué pour le semoncer.

— Je trouve tout ça un peu étrange, remarqua-t-il. Je suis allé chez les parents deux fois par mois alors que vous échappiez à la corvée en invoquant le service de Dieu. Notre rencontre de ce soir tient-elle à votre désir de me voir reprendre du service pour assurer une permanence à votre place ?

La sœur hospitalière recourut à l'arme nucléaire des faibles devant les hommes au cœur tendre : les larmes. Adrien se déroba à la scène en rapportant les assiettes à la cuisine. Bientôt, Justine alla l'aider, espérant récupérer sa contenance.

— Bon, constata Maurice quand ils revinrent prendre leur place, maman sait comment renouer avec son grand garçon. Vous devriez cesser de faire ses commissions.

— Elle ne nous a pas demandé de te parler.

Justine ne mentait certainement pas.

— Voilà bien le pire. Vous êtes tellement bien conditionnés que vous vous mobilisez sans qu'elle dise un mot. Comme dans *The Manchurian Candidate*.

Puisque ses interlocuteurs ne fréquentaient pas le cinéma aussi souvent que lui, l'allusion au lavage de cerveau leur échappa totalement.

— Maintenant, Adrien, comme nous sommes tous les trois au courant de cette crise de la foi, pourquoi ne pas en parler ouvertement ?

Le curé se fit la réflexion que mieux valait porter sa soutane, même avec des proches, pour se protéger. La vie sans cette armure se révélerait trop difficile.

Chapitre 11

Les rencontres familiales des Berger n'avaient jamais procuré beaucoup de joie aux convives, sauf peut-être à Perpétue, et c'était un plaisir pervers dans son cas. Celle qui venait de se terminer laisserait un souvenir particulièrement amer à Maurice. Que son frère et sa sœur s'allient pour le ramener sous la domination maternelle ne passait pas. En viendrait-il à prendre ses distances avec ceux-là aussi ?

À son retour rue Couillard, il remarqua quelqu'un assis sur son perron. Tout de suite, Marie-Andrée lui vint à l'esprit. Quel malheur pouvait la ramener ainsi à la maison ? Puis le ridicule de cette inquiétude lui apparut. La jeune fille était en mesure de prendre soin d'elle-même, ou de demander l'aide de sa marraine Mary.

En stationnant son auto près de la maison, le professeur reconnut l'un de ses élèves. Jeannot Léveillé se leva de son siège improvisé sur le perron pour venir le rejoindre près du véhicule.

— Je m'excuse de m'être installé ainsi chez vous, mais je paraissais moins étrange assis là que debout sur le trottoir.

Dans les deux cas, les commères du voisinage avaient dû émettre de jolies hypothèses.

— Ça va. Ce n'est pas comme si nous avions veillé ensemble une bière à la main.

Un silence embarrassé suivit, puis l'adolescent trouva le courage de demander :

— Pensez-vous que Marie-Andrée viendra à Saint-Hyacinthe demain ?

Elle lui avait dit le contraire au téléphone, mais peut-être était-ce pour l'éviter. Dans ce cas, il pourrait la relancer.

— Ça ne fait pas partie de ses plans. En réalité, je dois lui apporter des vêtements à Montréal.

Devant la mine déçue du garçon, Maurice ressentit une certaine pitié. Les peines d'amour des adolescents ressemblaient donc à ça. La douleur était identique à celle des adultes. L'instant d'avant, Johnny Hallyday chantait à la radio une traduction de *Love Me Tender*. Les paroles exprimaient bien la situation :

Amour d'été, on le dit, ne peut pas durer.

En réalité, celui-là avait à peine dépassé le 21 juin. Un amour de printemps, plutôt.

— Son horaire est difficile, tu sais. Une seule journée de congé, en plein milieu de semaine…

— Je lui ai offert de monter à Montréal pour la voir, quitte à m'absenter du magasin. Si elle le voulait, nous pourrions nous rencontrer…

« Va-t-il me demander de le prendre avec moi demain ? » songea l'enseignant. Il fut soulagé que ce ne soit pas le cas. Le garçon tournait déjà les talons.

— Jeannot… appela Maurice.

Quand celui-ci le regarda de nouveau, il continua :

— Elle est résolue à prendre ses distances, pour se prouver, et nous prouver à tous je suppose, qu'elle est devenue une grande personne. Ne reste pas à l'attendre.

Il n'osa pas ajouter : « Il y a d'autres gentilles filles, dans cette ville. » Son interlocuteur le comprit très bien.

— Moi, j'étais sincère. Elle ne se donne même pas la peine de me dire que c'est fini. Juste un petit coup de fil la semaine dernière.

Cette fois, Jeannot s'éloigna sans plus se retourner.

Ce matin du 5 juillet, au petit déjeuner, Nicole souriait de toutes ses dents, satisfaite. Finalement, sa cousine l'accompagnerait à son entrevue du vendredi suivant. Elle n'avait pas l'habitude d'accepter un non pour réponse définitive.

À neuf heures, dans son bel uniforme à jupe bleue et chemisier blanc, la jolie femme se rendrait à la Place des Nations pour participer à l'accueil d'un chef d'État. Des cérémonies protocolaires de ce genre survenaient tous les deux ou trois jours.

— Tu en penses quoi, de cet emploi ? interrogea tante Mary, une fois seule avec Marie-Andrée.

La ménagère tenait une cigarette à la main gauche, une tasse de café dans la droite. Le départ du dernier touriste accueilli en pension pendant quatre jours lui permettait de se détendre un peu avant l'arrivée du prochain. En leur présence, la femme se sentait en représentation, soucieuse de donner la meilleure image d'elle-même.

— Si c'est vrai, pour le salaire…

— Moi, j'ai du mal à croire ça, deux cents piastres par semaine pour servir des *drinks*.

— Gagner juste la moitié serait déjà exceptionnel. Aucune femme ne gagne cent dollars par semaine, sauf les chanteuses et les actrices.

La ménagère hocha la tête, fit tomber la cendre de sa cigarette dans son assiette, une habitude qui dégoûtait sa filleule.

— Mais toi, tu ferais pas une job de même.

C'était la reconnaître plus vertueuse que sa propre fille.

— Je sers du poulet. Ça ressemble à servir des cocktails, la mauvaise odeur en plus.

— Quand même, t'es pas habillée en lapine.

S'imaginer dans le costume des *bunnies* donna le fou rire à Marie-Andrée.

— Nous, si on nous déguisait, ce serait en poulettes !

Sa marraine n'accepterait pas bien longtemps de la voir éluder sa question sans que son humeur en souffre. La jeune fille consentit enfin à répondre sérieusement :

— Timide comme je suis, non, je ne le ferais pas. Puis je n'ai pas ce qu'il faut ici.

Des yeux, elle montrait sa poitrine. Les uniformes du club Playboy ne seraient pas à leur avantage sur une silhouette comme la sienne.

Le bruit de coups contre la porte permit à la jeune fille d'éviter d'avoir à se prononcer vraiment sur le caractère moral de l'emploi que convoitait Nicole. Après tout, il s'agissait d'émoustiller des bourgeois pour encourager la consommation d'alcool.

— Ça doit être papa.

La châtaine se précipita vers la porte pour ouvrir. Il s'agissait bien de Maurice, avec une valise à la main. Après les bises, il lui tendit le bagage en disant :

— Tu me la rends après avoir vidé le contenu, je n'en ai pas d'autre.

— Je m'en occupe tout de suite.

Mary Tanguay avait aussi quitté la cuisine pour venir accueillir son beau-frère. Après l'avoir embrassé, elle l'invita à prendre un café. Quand il eut la boisson chaude dans les mains, la ménagère demanda :

— Vas-tu dîner avec nous ?

— Non, je vais sortir ma jeune fille. Je pensais l'emmener au St-Hubert de la Plaza.

— N'importe où, mais pas là ! l'interrompit Marie-Andrée en venant les rejoindre.

— Tu devrais voir ça comme un pèlerinage à l'endroit où est né l'empire du poulet.

L'argument n'eut pas l'heur de la convaincre. L'échange de nouvelles dura un moment, puis le père et la fille quittèrent les lieux.

Finalement, ils ne se rendirent pas dans une rôtisserie pour dîner, mais les hamburgers d'un petit casse-croûte ne valaient pas mieux. Marie-Andrée évoqua ses longues journées à l'Expo, sa cohabitation avec Nicole. Elle gardait toutefois une part de sa vie dans l'ombre : pas un mot sur l'existence de Robert Duquet ou de Clément Marcoux. De façon très indirecte, son père la ramena à cet aspect de son existence.

— Alors que je rentrais à la maison hier soir, j'ai trouvé Jeannot assis sur le perron.

Marie-Andrée se mordit la lèvre inférieure, visiblement mal à l'aise.

— Dis-moi, est-ce que tu comptes… Je ne sais même pas comment le dire, parce que je ne sais pas exactement ce qu'il y a eu entre vous. Maintenir cette relation ? Renouer avec lui ?

— C'était un bon ami. Maintenant, je tente de me faire une vie ici, avec d'autres amis. J'ai une seule journée de congé par semaine, de toute façon, je ne peux pas continuer de le voir.

« Mais je trouve le moyen de me libérer pour Nicole », songea la jeune fille. Juste cet épisode montrait son désintérêt pour ce garçon.

— Le mieux pour lui serait de se faire une nouvelle amie.

Maurice ne jugea pas utile de rapporter la déclaration d'amour de son ancien élève. Marie-Andrée était ailleurs, le gentil garçon à lunettes appartenait à un autre âge de sa vie.

— Ce genre de message, tu dois les remettre toi-même.

— Je préfère ne pas le faire.

— Pourtant, tu n'as pas le choix.

«Je me comporte en parfait hypocrite», se dit le père. Sa propre attitude avec Diane ne faisait pas de lui un gentilhomme. Sa fille préféra changer totalement de sujet.

— Je n'ai pas tellement le temps d'écouter les informations, ni de lire les journaux, mais j'ai tout de même entendu parler de la création des cégeps. Qu'est-ce que cela signifie pour moi?

La réorganisation complète du réseau scolaire mettait dans une situation délicate toutes les personnes se trouvant à mi-parcours d'une formation.

— Je commence l'école normale ou je m'inscris dans un collège? précisa la jeune fille.

— Seuls quelques cégeps seront ouverts en septembre, tu ne trouveras pas nécessairement une place à ce moment, ni dans un programme universitaire dans deux ans. Tout le monde ne pourra être admis. Je présume que nos savants gestionnaires du ministère de l'Éducation nous le diraient, si le mieux était de déserter dès maintenant le cours normal.

La voix contenait une part suffisamment grande d'ironie pour susciter des inquiétudes à l'étudiante. Maurice reprit, cette fois très sérieusement:

— Je pense vraiment que tu ferais mieux de continuer dans la même direction. La seule autre possibilité serait de travailler un an ou deux, le temps de voir ce qui arrivera.

Dix mille jeunes au moins se posaient les mêmes questions, cet été-là. Marie-Andrée songea à dire qu'elle désirait travailler temporairement comme *bunny*, juste pour voir la tête de son père. Cela lui permettrait de mettre suffisamment d'argent de côté pour devenir tout à fait indépendante. Toutefois, ce genre d'humour ne plairait certainement pas à l'auteur de ses jours.

— Pour moi aussi, ces foutues réformes sont un peu bouleversantes, confia-t-il. Je rêve d'enseigner au collège. Mais on n'en aura pas encore à Saint-Hyacinthe en 1967.

— Et l'an prochain?

— Douze mois, c'est long.

La lassitude de son père avait échappé à Marie-Andrée, toute à ses propres préoccupations. L'existence de Maurice changeait aussi : avoir quelqu'un dans sa vie, sortir de la mainmise de ses parents, faire de son mieux pour permettre à sa fille de prendre son envol. La quarantaine signifiait un nouveau départ.

— Alors, que feras-tu?

— Je vais poser ma candidature auprès des comités chargés de créer les nouveaux établissements… Enfin, ceux qui ne se situent pas à l'autre bout de la province.

Maurice marqua une pause avant de proposer :

— Bon, et maintenant, ne devions-nous pas aller voir des fleurs?

L'allusion au Jardin botanique lui était demeurée en mémoire. Après avoir payé l'addition, ils retrouvèrent la Volkswagen pour aller vers l'est. L'une des conséquences de l'exposition universelle était une désertion relative de tous les autres lieux de loisir ou de tourisme de la région de Montréal. La clientèle des restaurants, des cafés, des salles de spectacle et de toutes les autres attractions migrait vers les îles du Saint-Laurent.

Vers quatre heures, Maurice s'apprêta à raccompagner sa fille au triplex de la rue Saint-Hubert.

— Comme ça, tu pourras sortir ce soir, commenta-t-il au moment de se stationner.

— Je n'ai rien de prévu.

Il demeura silencieux un bref instant. Marie-Andrée souhaitait-elle passer encore du temps avec lui?

— De mon côté, je dois rencontrer Émile Trottier afin de discuter des cégeps. Voilà une situation ridicule: personne ne sait rien de ces écoles, il nous faut en deviner le programme.

Sans même le savoir, son ami en venait à occuper une place centrale dans tous les mensonges de l'enseignant.

— Je suis certaine que tu sauras trouver des informations.

Maurice descendit du véhicule en même temps que sa fille, lui embrassa les joues, puis demeura sur le trottoir le temps de la voir atteindre l'appartement de Mary Tanguay.

Maurice estimait que les secrétaires terminaient leur travail à cinq heures. Pour rentrer à la maison, il faudrait tout au plus une heure à Agathe Dubois. Aussi, un peu avant six heures, il téléphona depuis un appareil public situé dans l'entrée d'un Dominion de la rue Sherbrooke.

— Bonsoir, Agathe, dit-il quand elle décrocha. Te portes-tu bien?

— … Qui est à l'appareil?

— J'espérais avoir fait une impression assez durable pour que tu te souviennes de moi.

Voici qu'il s'exprimait comme un séducteur de films de catégorie B, ou même C ou D.

— Maurice Berger?

— Oui. Comme je me trouvais à Montréal, j'ai pensé que nous pourrions nous voir.

Le silence s'allongea à l'autre bout du fil. Il allait raccrocher quand son interlocutrice lui dit:

— Je ne pensais pas entendre de nouveau ta voix.

— Ni moi la tienne, en toute honnêteté.

«Finalement, j'aurais dû emmener Marie-Andrée voir un film, en souvenir du bon vieux temps», pensa-t-il, certain de se faire rabrouer. À sa grande surprise, il entendit:

— Bon, viens. Tu sais où j'habite.

Il aurait aimé un peu plus d'enthousiasme de la part d'Agathe, mais il devait s'estimer chanceux de ne pas entendre de gros mots. La rue de Marseille était tout près, aussi, moins de dix minutes plus tard, il posa le doigt sur le bouton de l'interphone. Cette fois, Agathe ne l'attendait pas dans le couloir. Toutefois, la porte s'ouvrit dès que sa jointure toucha le bois.

— Voici une visite inattendue.

Vraiment, elle tenait à rappeler le peu de chaleur entre eux au moment où ils s'étaient quittés, seulement cinq jours plus tôt. D'un autre côté, elle le recevait avec seulement un peignoir sur le dos. Cela témoignait certainement de ses bonnes dispositions. Il entra dans le petit appartement. En passant devant le coin cuisine, elle offrit:

— Veux-tu une bière?

Aucune odeur n'embaumait l'appartement, et elle ne projetait pas de préparer un repas sous peu.

— Pourquoi pas… si tu m'accompagnes.

— Je préfère un peu d'eau, histoire de garder toute ma tête.

La répartie vint avec l'esquisse d'un clin d'œil. La tenue de son hôtesse ne laissait pourtant pas de doute sur l'activité envisagée. Cette fois, Maurice entendait prendre l'initiative.

Encore debout dans le coin cuisine, après une gorgée de bière, il se pencha pour lui embrasser les lèvres.

— Oh! Tu es devenu un chaud lapin.

Dès cet échange de salive, elle le conduisit vers la chambre. Son désir s'était accru depuis la dernière fois, tout comme l'éventail de ses caresses. Quant à Maurice, il entendait ne pas laisser échapper les occasions, désormais. Cela laissait prévoir une soirée passionnée.

Pour une fois, passer une soirée à ne rien faire lui fit du bien. Même la télévision ne sut retenir son attention. Étendue dans son lit, elle parcourut deux des nombreux photos-romans de sa cousine, une lecture peu susceptible de stimuler le moindre de ses neurones. Elle résolut de ne pas répéter ce genre d'expérience trop souvent, sinon ce serait risquer de regretter les devoirs scolaires.

Le lendemain, elle prit le chemin de l'Expo tout à fait reposée après sa journée de congé. En sortant de la station de métro, elle reconnut tout de suite Robert Duquet, assis sur la selle de son pédicab. Son sourire lui fit du bien, la bise sur les lèvres aussi.

— As-tu bien profité de ta journée de congé, hier? s'enquit-il.

— Mon père est venu de Saint-Hyacinthe, nous avons passé une partie de la journée ensemble, dont quelques heures au Jardin botanique.

— Une activité parfaite pour une sortie familiale.

Manifestement, l'institution de l'est de Montréal ne lui paraissait pas la façon la plus dans le vent de profiter d'un après-midi. Il l'invita à s'asseoir sur le siège de son véhicule. L'achalandage de la veille fit l'objet d'un bout de conversation. Quand le pavillon L'Homme à l'œuvre fut en vue, Marie-Andrée se tourna à demi pour dire :

— Je serai aussi en congé demain.

— Ton patron a décidé de réorganiser ton horaire ?

— Non, mais j'ai une activité en matinée, il a bien voulu me libérer.

Jamais elle ne lui aurait confié qu'elle se soumettrait au processus d'entrevue du club Playboy. Elle hésita un moment avant de lancer précipitamment :

— Comme c'est ton jour de congé aussi, nous pourrions faire quelque chose ensemble.

— … Malheureusement, je me suis déjà engagé auprès… de mes parents.

L'hésitation avant de répondre laissa Marie-Andrée un peu perplexe. Quand elle quitta Robert, son « au revoir » sonna plutôt faux.

En après-midi, de nouveau l'adolescente explora toute seule l'exposition pendant deux bonnes heures, puis vint compléter sa journée de travail. À neuf heures, lorsque, débarrassée de son uniforme brun, elle sortit des toilettes, France l'attendait.

— Toute la journée tu as semblé de mauvaise humeur. Une mauvaise journée, ou un mauvais jour ?

L'allusion à « cette » période du mois lui tira son premier sourire de la journée.

— Non… Je suis juste un peu déçue. Comme je ne travaillerai pas demain, j'espérais sortir avec Robert.

— L'as du pédalier ?

— Si tu veux dire celui qui conduit un pédicab, oui.

— Tout le monde au restaurant t'a remarquée avec lui, un jour ou l'autre.

Comme ils faisaient le trajet ensemble matin et soir, les autres employés ne pouvaient les manquer. Les cancans à leur sujet devaient aller bon train. Les amourettes des autres étaient le second sujet de conversation le plus prisé ; et les siennes, le premier. Tout en parlant, les deux collègues marchaient vers la sortie. Marie-Andrée chercha Robert Duquet des yeux.

— Pourtant, il est déjà passé neuf heures, remarqua France.

Le soleil avait disparu de l'horizon, mais la clarté durerait encore jusqu'à dix heures. La châtaine regarda sa montre, laissa échapper un long soupir. Quand sa collègue lui souhaita bonne nuit, elle indiqua :

— Non, attends, je vais faire ce bout de chemin avec toi.

— Tu ne l'attends pas ?

— D'habitude, il est là. Un imprévu, je suppose, mais je ne veux pas rester plantée là toute seule.

— Alors, tant pis pour lui. Allons-y.

Avec la multitude de visiteurs se trouvant encore dans les îles, Marie-Andrée se savait en sécurité. Tout de même, son humeur n'aurait pas toléré les avances de l'un ou l'autre des esseulés cherchant de la compagnie. Dans tous les médias, on parlait de l'année de l'amour, ils étaient des milliers à souhaiter en recevoir leur part.

Elles marchèrent bras dessus, bras dessous jusqu'à la station de métro. De là, elles voyaient le Gyrotron, la Spirale, et à l'avant-plan la masse de béton du Jardin des étoiles.

— Tu en as profité un peu ? demanda France.

— J'ai vu un bout de spectacle.

— Mais les manèges ?

— Pas un seul. L'après-midi, je n'ai pas la patience à cause des files d'attente, et le soir, comme je finis à neuf heures, je veux aller me coucher. Je pourrais y aller demain soir, mais Robert est occupé.

La voix contenait beaucoup de dépit. Finalement, le faux bond de l'étudiant la laissait déçue.

— Si tu veux y aller avec moi, j'aimerais bien, avoua France.

En descendant vers le quai, Marie-Andrée demeura silencieuse. Ce ne fut que dans la voiture qu'elle répondit :

— D'accord. Ça me fera du bien de venir dans ces îles avec un autre objectif que de vendre du poulet.

— Il y a un autre St-Hubert à La Ronde, nous pourrons y aller comme clientes.

Le sourire espiègle de France indiquait qu'il ne fallait pas prendre cette offre au sérieux. Lors du trajet vers Berri-de-Montigny, les deux jeunes filles purent convenir du lieu et de l'heure de leur rencontre.

Marie-Andrée avait un second motif pour se sentir morose ce soir-là. Les mots de son père lui tournaient dans la tête depuis la veille : ne pas parler à Jeannot Léveillé serait très impoli. Le garçon avait certainement compris maintenant que leur histoire était du passé, mais simplement disparaître ne se faisait pas. En entrant dans l'appartement de sa marraine, elle s'arrêta sur le seuil du salon pour la saluer.

— Tu es seule, ce soir ?

— Mon invité de New York quitte la maison à sept heures le matin, pour se coucher à huit le soir. Quant à Roméo, le pauvre avait mieux à faire que de me visiter.

Comme Mary parlait à voix basse, Marie-Andrée adapta son ton au sien :

— J'aimerais téléphoner à Saint-Hyacinthe. Bien sûr…

— … tu paieras la communication. Tu as oublié de dire quelque chose à ton père ?

— Je ne veux pas parler à papa. Il s'agit d'un garçon.

Sa tante eut un petit sourire entendu. Les amours adolescentes l'attendrissaient. Sans doute aurait-elle aimé ajouter un peu plus d'excitation dans sa vie.

Le commerce des Léveillé fermait à neuf heures du soir, le garçon serait certainement revenu à la maison. Marie-Andrée posa une chaise près du téléphone suspendu au mur de la cuisine, composa très vite le numéro, comme si elle avalait un médicament dégoûtant. Une voix féminine répondit :

— Madame, j'aimerais parler à Jeannot.

— … Mademoiselle Berger ? interrogea une voix glaciale.

Non seulement le garçon, mais aussi tous les membres de sa famille connaissaient le sort de leur relation.

— Oui, c'est moi.

— Je vous le passe.

La femme ne se donna pas la peine de poser la main sur l'émetteur pour crier le prénom de son garçon. Elle entendit aussi : « C'est elle. »

— Je suis surpris que tu veuilles me parler, commença par dire Jeannot en prenant le combiné.

Après la trahison de Robert Duquet, ce matin d'abord par son refus, puis ce soir à cause de son absence, la tentation la tenaillait de lui dire : « Je serai libre demain soir, saute dans un autobus et viens me rejoindre. » Mais ce serait additionner la lâcheté à un effroyable manque de respect.

— Je tenais à te dire que je ne reviendrai pas à Saint-Hyacinthe au cours de l'été.

Les mots « Je veux rompre avec toi » ne lui venaient pas, car jamais ni l'un ni l'autre ne s'étaient engagés à quoi que ce soit. Ils étaient de bons amis… une amitié comportant une certaine intimité. Certainement pas des amoureux.

— Comme ça, tu as mis une semaine pour en trouver un autre… Ou alors c'était déjà fait quand nous nous sommes parlé la dernière fois? Cela donne deux semaines, dans ce cas.

La jeune fille eut envie de protester, mais il avait bien raison. Le mercredi précédent, Robert Duquet lui tournait déjà un peu la tête.

— Je suis désolée que tu le prennes ainsi. Nous avons été de bons amis, mais maintenant je suis passée à autre chose.

Jeannot raccrocha le combiné brusquement. La colère lui permettrait sans doute de surmonter sa peine plus facilement. Marie-Andrée demeura assise près de l'appareil. Quand sa marraine vint chercher de l'eau, elle ne lui dit pas un mot. Ce genre de situation devait lui être familier, Nicole avait sans doute déjà laissé derrière elle un petit escadron d'amoureux déçus.

Chapitre 12

— Je commençais à craindre qu'elle me demande de venir avec nous, confia Nicole en marchant en direction de la station de métro.

Pendant tout le petit déjeuner, Mary Tanguay avait posé des questions sur la sélection des serveuses du club Playboy.

— Je lui aurais volontiers donné ma place. Je ne sais vraiment pas ce que je vais faire là-bas.

— Mais ça n'irait pas, c'est nous deux que l'on attend.

Marie-Andrée s'arrêta net, obligeant sa cousine à faire de même.

— Nous?

— Évidemment, nous. Tu as accepté de m'accompagner à la sélection.

— Pas de me porter candidate!

— Comment veux-tu m'accompagner, autrement?

Nicole la prit par le bras pour l'entraîner. Autant se priver d'une longue argumentation sur le trottoir, sa cousine ferait à sa tête. Une demi-heure plus tard, toutes deux marchaient rue Sherbrooke, en direction du Holiday Inn. Dès l'entrée, un panneau indiquait aux candidates au travail de *bunny* de se diriger vers une salle située sur la droite. Derrière une table, deux jeunes femmes dans la vingtaine, vêtues comme des secrétaires particulièrement sexy, les arrêtèrent en demandant:

— Mesdemoiselles, vos invitations.

Bien sûr, elles s'exprimaient en anglais. Aucun mot de français ne serait émis au cours des trois jours du processus de sélection. Nicole sortit deux feuilles de papier de son sac pour les lui tendre. La première donna les noms à sa collègue, qui en vérifia la mention sur la liste des entrevues planifiées pour la matinée.

Les mots « Nicole Tanguay » furent prononcés de façon à peu près compréhensible. Berger aussi. Toutefois, le prénom Marie-Andrée, dans la bouche d'une femme née en Alabama, exigeait une oreille particulièrement fine pour être reconnu.

— Vous passerez parmi les premières, vous pouvez vous asseoir à cette table.

Les nouvelles venues se dirigèrent à l'endroit indiqué. Trois autres filles s'y tenaient déjà. Dans toute la salle, elles devaient être plus de cinquante. Chacune avait mis une jolie robe, certaines s'étaient maquillées de façon un peu outrancière, surtout à cette heure matinale.

— Comme ça, tu as vraiment proposé notre candidature à toutes les deux ?

La châtaine affichait un mélange de surprise et d'indignation. Nicole jouait la bonne foi avec tant de talent qu'elle n'arrivait pas à se mettre vraiment en colère.

— Autrement, tu n'aurais jamais pu mettre les pieds dans cette salle.

— Je n'ai aucune intention de devenir une lapine.

— Personne ne te le demande. Joue le jeu pendant une heure ou deux, c'est tout.

— Juste prétendre que je me présente est ridicule. J'ai l'air d'une gamine, parmi les autres.

Les candidates paraissaient avoir toutes au moins vingt et un an, pour une moyenne de vingt-trois ou vingt-quatre.

— Justement, n'oublie pas que tu es née en 1946.

Surprise, Marie-Andrée secoua la tête de droite à gauche, faisant bouger ses longs cheveux fraîchement lavés. Elle portait sa minirobe bleue en forme de A. Bien sûr, pour être serveuse dans un bar, elle devait être en âge d'y entrer.

— Regarde toutes les autres… Je ne suis pas de taille… surtout au second étage.

Nicole s'avérait un joli prototype des candidates présentes. Toutes portaient des soutiens-gorge avec des bonnets C ou D, pour une poitrine de trente-quatre, le plus souvent trente-six pouces. Son « petit trente-quatre », plus honnêtement trente-trois, et un bonnet B la faisaient paraître comme une toute jeune fille.

— Alors, souhaite que les gens qui font les entrevues ne cherchent pas une nourrice.

— Ce serait bien les seuls, car dans le magazine, ce sont des mamelles, pas des seins.

L'hôtesse de l'Expo baissa les yeux pour regarder les siens. Marie-Andrée ne put retenir un petit rire avant d'affirmer :

— Non, ceux-là sont juste parfaits.

Jusque-là, la conversation s'était déroulée en français. L'une des femmes assises avec elles intervint :

— Chez Playboy, tout le monde parle anglais.

Évidemment, cela aussi avait été dit dans la langue de Hugh Hefner. Nicole répondit aussi dans cette langue.

— À Montréal, au moins la moitié des clients seront canadiens-français. Vous leur offrirez des whiskys dans le langage des signes ?

Les trois autres se regardèrent avec une vague inquiétude dans les yeux. Exigerait-on le bilinguisme des candidates ?

Une jeune femme se dirigea vers elles avec un carnet et un crayon dans les mains.

— Je peux prendre cette chaise ? s'enquit-elle en français.

Marie-Andrée dit oui d'un signe de la tête, en lui adressant son meilleur sourire. La nouvelle venue se présenta comme Pauline Couture, journaliste à *Photo-Journal*.

— Je peux vous poser quelques questions ?

Cette fois, la jeune fille se renfrogna. Son père parcourait parfois ce périodique, et même si ce numéro lui échappait, un voisin se ferait un plaisir de lui souligner la présence du nom de sa fille dans l'une des pages.

— … Non, je préfère m'abstenir.

— Ma petite cousine est la timide de la famille, intervint Nicole.

— Comme vous l'êtes un peu moins, puis-je vous demander votre nom ?

Nicole ne craignait pas de s'identifier, ni d'évoquer son occupation actuelle.

— Pourquoi voulez-vous travailler au club Playboy ? Vous avez déjà un bon emploi.

— Qui se terminera en même temps que le mois d'octobre…

— Vous en trouverez un autre.

— Pas aussi payant, d'après ce qu'on lit dans les journaux.

La journaliste prenait des notes dans son petit carnet. Son nouvel essai pour arracher des confidences à Marie-Andrée se solda par un échec. Elle donna son attention à une autre occupante de la table, pour apprendre qu'elle était venue de Toronto en vue de tenter sa chance.

— Que faisiez-vous là-bas ?

— Serveuse dans un club.

— Vous venez jusqu'ici pour faire la même chose ?

— Dans le club Playboy, les p'tits vieux qui pognent le cul des serveuses se font sortir.

Les journaux insistaient sur cet aspect des établissements de l'empire à la tête de lapin. Pour y entrer, il fallait avoir les moyens de payer une carte de membre et des consommations hors de prix. Le tout restait de savoir si la concupiscence des notables s'exprimait vraiment plus poliment que celle des clients du Cleopatra, un cabaret au coin de la rue Saint-Laurent.

À la table de Nicole Tanguay, la journaliste finit par donner plus d'informations qu'elle n'en recueillit. En trois jours, quelque deux cents jeunes femmes viendraient passer une entrevue. Selon l'échantillon présent ce matin-là, quelques-unes d'entre elles travaillaient déjà comme serveuses dans des restaurants, des bars ou des cabarets. La majorité venait de secteurs bien différents: secrétaires, infirmières, enseignantes. Plusieurs détenaient un diplôme universitaire.

La trajectoire ayant le plus impressionné Pauline Couture était celle d'une Londonienne qui étudiait en théâtre et désirait écrire pour la télévision. Pour cette artiste, l'ambition de rencontrer la personne susceptible de lui mettre le pied à l'étrier valait de traverser l'Atlantique. La plupart des candidates rêvaient en fait d'une rencontre, avec un riche prétendant pour la plupart, avec un mentor pour d'autres.

Les occupantes de deux tables avaient déjà disparu dans une salle attenante, à l'invitation d'une grande Américaine blonde à la coiffure si volumineuse qu'un artifice capillaire se devinait tout de suite. Quand elle marcha à sa hauteur, Marie-Andrée lui concédait environ six pouces, sans compter la différence induite par les hauts talons de l'une, et les souliers plats de l'autre.

— Tu joues le jeu, murmura Nicole à l'oreille de sa cousine.

Pareille injonction lui fit comprendre qu'elle avait de bonnes raisons de vouloir prendre la fuite. Elle en eut la preuve rapidement : dans une pièce aux allures de vestiaire, une douzaine de costumes de *bunny* pendaient à des cintres.

— Ils ne vont pas nous faire porter ça ! protesta l'adolescente.

— Tu en montres plus à la plage ou à la piscine.

L'accoutrement ressemblait à s'y méprendre à un maillot de bain.

— Toi, peut-être, mais moi, je n'ai jamais porté de deux pièces. Donc mon maillot est moins révélateur que ce costume.

Cette première étape du processus montrait bien que chez Playboy, la perfection de la silhouette dominait comme critère de sélection.

— Mesdemoiselles, commença leur guide, vous commencez par enfiler ce vêtement. Ces dames vont vous donner quelque chose à votre taille.

Compte tenu de leur âge, il s'agissait d'employées très peu susceptibles de porter un jour la tenue d'une lapine. Des habilleuses ou des couturières, sans doute.

— Il n'y aura rien à ma taille de toute façon, murmura Marie-Andrée en français.

— Pardon ?

La grande blonde ne comprenait pas un mot de cette langue, aussi la jeune femme reprit en anglais :

— Aucun de ces costumes ne sera à ma taille… surtout ici.

D'un geste vague, elle désigna sa poitrine.

— Nous verrons bien.

Les employées toisaient chacune des candidates, pour ensuite leur tendre un costume. Une petite dame d'une cinquantaine d'années lui remit une tenue d'un noir brillant en disant :

— Parfois, nous avons des Chinoises.

Bien sûr, avec le temps, ces couturières devaient se faire une bonne idée des mensurations moyennes des femmes de diverses nationalités. « Elles ne s'imaginent tout de même pas que je vais me changer au milieu de tout le monde », songea la châtaine. Elle vit l'une de ses éventuelles collègues passer dans une autre salle. Le temps de recevoir un collant, elle l'imita. À son grand soulagement, de petites cloisons mobiles préserveraient à peu près sa pudeur.

— Franchement, dit-elle à sa cousine, tu me fais faire des choses...

Aucun qualificatif ne lui vint à l'esprit. Un instant, elle imagina la réaction de son père s'il la voyait à cet endroit. « Des plans pour lui provoquer un infarctus. »

— Aucune de ces personnes ne nous connaît, et nous ne les reverrons sans doute jamais de notre vie.

— Tout de même...

Nicole avait déjà enlevé son pantalon. Son maillot d'un beau rouge la flatterait sans doute, mais d'abord, il lui fallait enfiler le collant de même teinte. Dans la cabine voisine, Marie-Andrée se résolut à la même chose.

— Au moins, je suis contente de ne pas être la cinquantième à le mettre aujourd'hui, maugréa-t-elle.

Le collant lui semblait être un vêtement intime. Les maladies vénériennes se communiquaient-elles au contact du nylon ? Sa remarque fit rire la journaliste, occupée à se changer derrière la demi-cloison voisine.

— Vous êtes vraiment ici contre votre volonté ?

« Pouvais-je refuser ? » Elle se souvenait de la générosité de Nicole, qui acceptait de partager sa chambre afin de lui permettre d'occuper un emploi pendant l'été. Cela en faisait son obligée, et pareille gentillesse valait sans doute quelques minutes de profond malaise.

— Disons que l'idée ne m'en serait pas venue. Je vais m'efforcer de considérer cela comme un parfait exercice pour surmonter ma timidité.

Une fois le collant enfilé, elle passa le maillot avant de se défaire de sa chemisette. Elle hésita longuement avant d'enlever aussi le soutien-gorge. Impossible de s'arrêter maintenant sans paraître ridicule. Ensuite, elle remonta le bustier, le tira vers le haut comme pour s'en couvrir le menton.

— Nicole, regarde.

Sa cousine l'examina un moment, puis trahit une petite jalousie en disant :

— Tu es absolument adorable. Peut-être vont-ils te retenir, et pas moi.

Marie-Andrée étouffa sa protestation, car sa parente semblait sincère.

— Mesdemoiselles, vous allez avancer sur la scène jusqu'à monsieur Hefner…

— Le propriétaire de Playboy est là ? demanda l'une des candidates.

— Keith Hefner, le frère de Hugh, consentit à les informer l'hôtesse, sans dissimuler son agacement devant l'interruption. Vous avancez, puis vous tournez sur vous-mêmes afin de donner un bon aperçu de votre look. Suivez-moi.

Une porte donnait sur une autre salle. Il y avait bien une petite scène circulaire, à un pied du sol tout au plus. Un homme et quatre femmes formaient la seule assistance. Ces dernières ressemblaient à des pin-up. Peut-être les avait-on déjà vues dans les pages du magazine, dans leur plus simple appareil.

— Pauline Couture, appela l'une des juges.

Impossible de désigner autrement les membres de cet aréopage.

La journaliste s'avança en retenant un rire nerveux, ondulant des hanches de façon un peu exagérée. Elle fit le tour de la scène, se tint devant le frère du propriétaire de l'empire Playboy pour pivoter complètement. Quand elle revint vers ses compagnes, l'homme échangea quelques mots avec ses voisines, puis adressa un signe de la tête à la grande blonde qui escortait les candidates. Un signe affirmatif, jugea Marie-Andrée.

Le cran, même empreint de timidité, de la première à défiler montra en quelque sorte aux autres l'attitude à adopter. La châtaine fut appelée la troisième. La chaleur sur ses joues lui signifia qu'elle rougissait. « Tu n'accordes aucune importance au résultat. Calme-toi. » L'admonestation ne réduisit pas vraiment son malaise, mais au moins son sourire devint moins figé. Un tour de la scène, une pirouette devant l'important personnage, puis elle revint vers les autres filles. Savoir tous ces yeux fixés sur elle, pour évaluer son corps, l'excitait un peu malgré tout.

— Tu vois, ce n'était pas plus difficile que ça, lui souffla Nicole.

Comme le nom de cette dernière vint ensuite, elle partit se livrer à l'exercice. Marie-Andrée apprécia une nouvelle fois son corps bien taillé. De nouveau, elle vit le petit signe d'appréciation de Keith Hefner au retour de sa cousine. « Dans mon cas, l'a-t-il fait ? » Le résultat lui importait plus qu'elle ne l'aurait avoué.

La réponse lui vint très rapidement. Quand toutes les six eurent effectué leur tour de piste, l'hôtesse les reconduisit dans la pièce voisine et dit, en désignant certaines du doigt :

— Vous, vous et vous, vous pouvez vous rhabiller et partir.

Ces simples mots indiquaient que trois personnes ne satisfaisaient pas aux canons de la beauté de l'empire

Playboy. À sa grande surprise, Marie-Andrée se qualifiait pour la seconde étape, comme sa cousine et la journaliste. Les trois francophones poursuivraient le processus de sélection.

— Vous savez que votre uniforme de *bunny* n'est pas complet, continua la blonde. Il convient de corriger ça pour l'entrevue.

Ses yeux se portaient sur un amas de boules blanches.

— Elle est sérieuse, là ? murmura Marie-Andrée.

Si parler français ne posait aucun problème aux candidates restantes, l'hôtesse se trouvait exclue d'office. Son « *Please ?* » vint avec des sourcils froncés.

— Ma cousine disait qu'elle avait hâte de porter cette queue, ricana Nicole.

— Dans ce cas, allez-y.

Vraiment, l'ornement donnait une allure ridicule aux jeunes femmes. L'ajout des oreilles les rendit grotesques. Après ça, les manchettes et le col orné d'un petit nœud papillon les laissa indifférentes. Cette fois, Marie-Andrée ne put se retenir de formuler à haute voix :

— Si papa me voyait dans cette tenue, je serais interdite de sortie pendant les douze prochaines décennies.

— Voilà un père dans le vent ! s'exclama Nicole.

— … Tu sais, en réalité, il ne m'a jamais rien interdit.

Le désaveu dans les yeux de son père avait toujours suffi à la faire marcher droit.

Pour compléter leur tenue, elles s'aidèrent mutuellement. L'alignement parfait de la petite queue leur posa quelques difficultés.

— Cette fois, vous passez la première, mademoiselle Berger. Maintenant, vous connaissez le chemin.

La jeune fille échangea un regard un peu désespéré avec sa cousine, qui articula un « vas-y ! » muet. Prendre la fuite maintenant, après avoir survécu à la promenade en maillot, serait ridicule.

Dans la pièce voisine, un guéridon ornait l'entrée, une boisson bleutée posée dessus.

— Pouvez-vous m'apporter ce *blue lagoon*, mademoiselle, et le déposer ici ? demanda Keith Hefner.

Marie-Andrée fronça les sourcils, devina qu'il s'agissait du verre. En marchant vers l'homme, elle eut conscience que son corps était soumis à un examen et elle se troubla de nouveau. Ses yeux se dirigèrent nerveusement vers son corsage qu'elle avait l'impression de laisser à demi vide. Au lieu de se pencher pour poser la boisson sur la petite table, ce qui aurait révélé ses charmes, elle plia les genoux en se mettant de côté.

— Vous savez que vous venez de réussir la première partie de l'examen ?

Comme elle posait des yeux intrigués sur Hefner, il expliqua :

— Nous n'aimons pas que nos employées exhibent leurs seins – il avait utilisé le mot « *titties* » – en servant un cocktail.

— … Mais n'est-ce pas le but de cet accoutrement, montrer sa poitrine ?

— Pas tout à fait. L'idée est de convaincre le client qu'il verra tout, pour l'en priver en n'adoptant jamais une pose trop exhibitionniste. Il va commander encore et encore, en espérant que la prochaine fois sera la bonne.

— Astucieux.

Son sourire contenait une forte dose d'ironie. Hefner le lui rendit. L'exercice ressemblait à un flirt. Finalement, son regard insistant, ses petits yeux vicieux conféraient à l'homme un certain charme. Voilà quelqu'un qui aimait son travail.

— Je peux vous appeler Mary ? Je n'ai aucune idée de la façon de prononcer le second prénom.

La jeune fille donna son assentiment d'un signe de la tête.

— Mary, vous ne connaissez rien aux cocktails.

— Rien du tout.

Dirait-il ensuite : « Alors que faites-vous ici ? » Répondre : « J'accompagne ma cousine » aurait semblé puéril.

— Ça s'apprend en trois jours, ne vous en faites pas. Que voulez-vous faire dans la vie ?

— Enseigner aux enfants.

— Et le club Playboy, dans tout ça ?

— Quelque chose me dit que la carrière de *bunny* dure aussi longtemps que les seins restent très fermes, pas plus. Il me restera encore quarante ans pour faire la classe.

Encore une fois, l'homme s'amusa de sa réponse, tout en marquant son acquiescement d'un hochement de la tête.

— Dans votre cas, disons vingt ans. Voilà l'avantage de vos mensurations.

Malgré tout, personne ne devait connaître une carrière plus longue que quatre ou cinq ans. Les plus chanceuses faisaient la rencontre tant attendue très vite, ce qui mettait fin à leur emploi. Les autres abandonnaient sans doute le travail par dépit.

— Je vous remercie, Mary, ce sera tout. Vous recevrez de nos nouvelles au cours de la semaine prochaine.

Cette entrevue de sélection ressemblait à celle des rôtisseries St-Hubert : « Je ne sais rien faire, mais je suis pleine de bonne volonté. » De nouveau, Marie-Andrée quitta les lieux avec une conscience aiguë des yeux posés sur son postérieur. Avec sa queue de lapin, le coup d'œil devait en valoir la peine.

Marie-Andrée n'en revenait tout simplement pas de sa propre audace. S'agissait-il de cela, quand on évoquait les conséquences que pouvaient avoir de mauvaises fréquentations ? Nicole arrivait à lui faire effectuer des choses qui auraient été inimaginables avant son arrivée à Montréal. Sans doute était-ce la fièvre de ce bel été de l'amour, des manifestations violentes pour les droits humains, de la résistance à la guerre du Vietnam. Le monde semblait en train d'accoucher d'une nouvelle société. À Montréal, l'Expo était la toile de fond de tous ces bouleversements. L'événement multipliait à l'infini les occasions de rêver de différents futurs, où les acquis de la tradition prenaient peu de place. Cette ambiance suffisait à donner de l'aplomb aux plus timides.

Une fois de retour dans la salle d'attente, Marie-Andrée put glisser discrètement à sa cousine :

— Ne te penche pas quand tu poseras le verre.

Nicole fronça les sourcils, incapable de donner un sens à cette curieuse recommandation.

— Quelles questions pose-t-il ?

— Elles n'ont pas grand-chose à voir avec l'emploi. Je me demande même où il voulait en venir.

Sa cousine afficha encore sa surprise. Puis elle lui rappela :

— Attends-moi avant de partir.

L'employée qui agissait comme hôtesse venait de signifier à la brune de passer à côté pour rencontrer Hefner à son tour. Pendant ce temps, Marie-Andrée retrouva ses vêtements avec plaisir. Si la tenue de lapine attirait certaines candidates, ce ne serait jamais son cas.

Ensuite, elle s'assit sur une chaise dans un coin pour attendre Nicole. La blonde responsable d'orchestrer le processus de sélection vint dans sa direction avec un sourire entendu, de collègue à collègue, lui sembla-t-il, pour lui remettre deux petites brochures : l'une sur la confection des cocktails, l'autre sur les règles à respecter pour devenir une parfaite *bunny*. Devait-elle conclure qu'elle avait réussi cette seconde étape de la sélection ?

La lecture de ces document l'occupa jusqu'au moment où Nicole revint. Cette dernière eut droit à la même littérature après avoir remis ses vêtements de ville.

— On y va ? demanda-t-elle.

— Je ne vois aucune raison de m'attarder davantage.

— Pour te remercier de ta générosité, je te paie à dîner.

Une employée les conduisit vers la sortie. Elle les fit passer par un long couloir conduisant à une porte secondaire, afin de leur éviter de croiser toutes les candidates attendant leur tour.

— Toi aussi, tu as eu droit à "Nous vous écrirons" ? demanda la châtaine.

— Oui. Comme dans *"Don't call us, we'll call you"*, je suppose. Je me demande si Hefner s'attend à ce qu'on cherche à le rejoindre pour compléter cette entrevue à l'horizontale.

Sa cousine lui jeta un regard en biais, surprise. Dans les films, on voyait des femmes se soumettre à ce genre d'exigences pour obtenir un emploi ou une promotion. Cela ne pouvait se passer ainsi dans la vraie vie… ou cela le pouvait-il ?

Sans se concerter, toutes les deux marchaient en direction de la rue Sainte-Catherine. Quantité de restaurants pas trop chers s'y trouvaient.

— Penses-tu que c'est son genre ? demanda Marie-Andrée, toujours troublée par cette évocation. Il a été très correct avec moi.

— Avec moi aussi, compte tenu de la présence de toutes ces fausses secrétaires. Il n'a même pas à faire des avances. Les plus entreprenantes parmi nous chercheront à savoir quelle chambre il occupe dans cet hôtel, pour le relancer.

Après tout, son frère et lui ont amassé leur fortune avec un magazine montrant des femmes nues ! Quelques gentillesses doivent les rendre compréhensifs.

Nicole demeurait songeuse, comme si elle soupesait la pertinence d'accomplir cette démarche ou non. Marie-Andrée eut envie de lui demander si c'était son intention, puis décida que mieux valait ne pas savoir.

Dans la grande rue marchande, elles trouvèrent un restaurant italien. À cause de l'affluence, elles firent la queue dans l'entrée pendant un moment, puis héritèrent d'une table désagréablement proche de la cuisine.

— Tout de même, remarqua Nicole après avoir passé la commande, tu dois te sentir rassurée, non ?

Marie-Andrée fronça les sourcils sans comprendre.

— Aux yeux des spécialistes de Playboy, ton corps passe le test.

Elle s'en étonnait encore. Ce jugement changerait-il quelque chose à son manque d'assurance ? Probablement. Parader ainsi en maillot avait exigé de l'audace. Le fait d'avoir surmonté sa timidité lui laissait une certaine satisfaction.

— Si, grâce à cette expérience, je me sens moins souvent mal à l'aise devant les hommes, ce sera un progrès.

Le souvenir de l'assurance de Robert Duquet lui revint. Celui-là devait adresser la parole à quelques filles tous les jours, jouant du charme, de l'ironie, de la provocation même. Au féminin, quel était l'équivalent ? Le roulement des hanches de sa cousine, quelques boutons de chemisier détachés ? Elle prit un air taquin pour demander à celle-ci :

— Quand tante Mary te posera des questions, lui parleras-tu de la petite queue et des oreilles de lapin ridicules ?

— Comment faire autrement ? Il y avait une journaliste avec nous, tous les détails seront connus demain.

— Tu pourras toujours la rassurer en lui lisant les commandements des lapines.

— De quoi parles-tu ?

Marie-Andrée ouvrit l'une des brochures reçues après l'entrevue, chercha la page centrale.

— J'ai regardé ça tout à l'heure, en t'attendant. Le titre parle vraiment de commandements. Il y en a sept, comme les commandements de l'Église. Je te les lis.

L'anglais dominait dans la salle à manger, aussi, pour plus de discrétion, la jeune fille lut d'une voix soutenue, tout en traduisant en français :

Se présenter aux membres et exiger leur clé.

Ne jamais dévoiler son nom de famille.

Ne jamais donner son numéro de téléphone.

Ne jamais prendre rendez-vous avec un membre.

Ne jamais lui adresser la parole à moins que le membre n'engage la conversation.

Ne pas être affriolante… plus qu'il ne le faut.

Ne pas se laisser tripoter.

L'énumération tira un sourire à Nicole.

— À part le premier, ces commandements doivent être bafoués neuf fois sur dix.

— Justement, cette histoire de clé ?

— Chaque membre du club paie vingt-cinq dollars par an pour une petite clé dorée. Il doit la présenter pour entrer.

La conversation porta longuement sur l'étrange procédure de sélection. Puis toutes les deux se séparèrent sur le trottoir après un échange de bises. Marie-Andrée entendait passer son après-midi dans les magasins.

Chapitre 13

L'invitation était venue en fin d'après-midi, pour ainsi dire à la dernière minute. Émile Trottier le conviait à un souper « sans chichis » le soir même. Autrement dit, inutile de passer à la Régie des alcools pour prendre une bouteille de vin. Quand Maurice arriva un peu après six heures, son collègue vint l'accueillir à la porte de l'appartement.

— Content de te voir, le salua ce dernier en tendant la main. Pendant l'été, je me sens toujours un peu isolé.

Les grandes vacances avaient commencé moins de deux semaines plus tôt, et Émile s'ennuyait déjà. Cela devait être la nostalgie de la vie en communauté.

— De mon côté, disons que ma vie ne manque pas de piquant ces temps-ci.

— Tant mieux. Viens.

Un moment plus tard, tous les deux se tenaient dans l'entrée du salon. Jeanne était assise sur le canapé, les jambes posées sur un pouf.

— Je suis désolée de mon impolitesse, expliqua-t-elle, mais maintenant je dois économiser mes efforts.

— Je comprends très bien. L'accouchement aura lieu bientôt, je pense.

L'information lui était connue, mais poser la question lui donnait un sujet de conversation.

— Dans six semaines, si je n'explose pas auparavant.

Maurice s'approcha pour lui serrer la main, puis lui embrasser la joue. Son ventre ressemblait à un globe terrestre.

— Bon, moi je vais terminer de préparer le souper, annonça Émile.

L'ancien religieux les quitta. Le visiteur choisit le fauteuil et s'y assit sans attendre d'y être invité.

— Il est nerveux, aujourd'hui, il a dû tout préparer seul.

— Si j'avais su…

— Tu ne serais pas venu? Te voilà bien méfiant sur ses talents de cuisinier!

Maurice s'amusa de sa répartie. Jeanne lui adressait son habituel sourire, à moitié espiègle, à moitié séducteur. Son tour de taille, et même ses chevilles un peu enflées, ne la rendaient pas moins attirante.

— Je veux dire que je ne veux pas m'imposer.

— Voyons, il t'a invité lui-même. Il souhaite t'annoncer quelque chose.

— De quoi s'agit-il?

Devant le sourire narquois de son hôtesse, Maurice se reprit:

— D'accord, il veut me le dire lui-même.

À ce moment, Émile Trottier passa la tête dans l'embrasure de la porte du salon.

— Je vous apporte quelque chose à boire?

— Je ne sais pas…

— Alors, ce sera un cognac, et un verre d'eau pour madame. L'hôte s'esquiva tout de suite.

— Il aime jouer au protecteur. Maintenant, il me prive même de café et de thé. Dans ses meilleurs jours, j'ai droit à un 7up.

L'ancien religieux revint avec les deux verres, puis s'excusa encore. Décidément, la préparation du repas exigeait toute son attention.

— Selon mon mari, vous auriez trouvé la femme de votre vie.

Son collègue lui avait donc relayé la nouvelle de l'existence de Diane Lespérance, en exagérant un peu son importance.

— Je fréquente quelqu'un, c'est vrai, mais je ne sais pas encore jusqu'où me conduira cette relation.

Pourtant, un peu plus d'une heure plus tôt, il se trouvait dans le lit de Diane...

— En conséquence, mes talents de marieuse ne sont sans doute plus requis.

— Pour le moment, le plus sage serait de tout mettre sur la glace.

Maurice n'arrivait pas à lui dire qu'il ne servait à rien qu'elle lui présente des femmes, comme s'il tenait à maintenir cette possibilité. Il souhaitait que l'été 1967 lui apporte une abondance d'étreintes. Dire tout simplement : « Diane est ma compagne » serait comme quitter un magasin de bonbons après en avoir si peu profité. À la suite de toutes ces années de privation, il n'en avait pas la force.

— C'est prêt maintenant, fit la voix d'Émile depuis la cuisine. Si vous voulez venir.

— Nous arrivons, obtempéra Jeanne en élevant le ton pour être entendue.

Elle ôta ses pieds du pouf, le repoussa un peu.

— Tu devras m'aider à me lever, et même à marcher ces vingt pieds.

L'invité tendit les mains pour prendre celles de son hôtesse. L'effort de quitter son siège lui tira une grimace, mais elle arriva à se mettre debout. Puis elle fit le trajet jusqu'à sa chaise, accrochée à son bras.

— Merci, dit Jeanne en s'asseyant. Certains jours, je me sens tout à fait handicapée, et le lendemain, ça va mieux.

— C'est justement pour cela que je t'ai demandé de venir, intervint Émile.

Il posa une pièce de viande sur la table, à côté du plat de pommes de terre, puis servit son ami et sa femme. Avant de s'asseoir, il continua :

— Au cours des prochaines semaines, pourrais-tu conduire Jeanne à certains rendez-vous, surtout ceux avec son médecin ?

Comme Maurice haussait les sourcils pour exprimer son incompréhension, Jeanne précisa :

— Le pauvre petit a décidé de retourner à l'école.

La voix de l'épouse contenait un certain agacement. Très peu de temps auparavant, l'ancien religieux lui disait son intention de ne participer à aucune activité de perfectionnement pendant l'été.

— Maintenant, nous savons que Saint-Hyacinthe n'aura pas de cégep cette année, expliqua l'ancien religieux. Je vais donc utiliser le temps disponible pour mieux me préparer. La faculté d'éducation de l'Université de Montréal offre des cours… C'est quoi, le mot à la mode, déjà ?

— Le recyclage.

— Voilà. Je dois me remettre dans le cycle de choses et des gens utiles, sinon on me jettera aux ordures.

Les travailleurs des usines de textile et de chaussures se recyclaient pour trouver un nouvel emploi après la fermeture de leur entreprise ; de nombreuses autres catégories de personnel recevaient une formation qui leur éviterait de perdre leur travail. Maurice accusa le coup. Si son collègue s'estimait trop peu formé, qu'en était-il de lui ?

— Ça durera jusqu'en août, ajouta Émile. Pourras-tu te libérer quelques fois ?

Comme Maurice demeurait silencieux, il insista :

— Ce sera peut-être deux fois, trois, tout au plus.

— Compte tenu de cette prétendante dans la vie de notre ami, intervint Jeanne, ses activités l'en empêcheront peut-être...

Le ton contenait une bonne part de reproches. Finalement, ces deux hommes cesseraient de lui accorder toute leur attention, cet été.

— Rassure-toi, je ne me suis pas marié secrètement, précisa Maurice. Si je peux être prévenu un peu à l'avance, je me rendrai disponible.

— La grande difficulté, c'est que les ennuis de santé ont le défaut de tomber sur les gens à l'improviste.

La femme enceinte posait un regard sévère sur son mari, comme pour lui reprocher sa désertion si peu de temps avant la fin de sa grossesse.

— Si cela peut te rassurer, proposa Émile, ta mère accepterait certainement de venir demeurer ici une semaine ou deux. Si nos aménagements spartiates ne lui conviennent pas, tu pourrais même t'installer chez elle.

C'était exactement ce que sa femme avait fait quelques semaines plus tôt. Une certaine tension indiquait que le ciel devenait un peu moins radieux pour ces deux-là.

— Oui, bien sûr, maman peut se déplacer pour venir ici, ou moi chez elle.

Le climat devint glacial. Maurice essaya de meubler le silence en évoquant le contenu des cours offerts à l'Université de Montréal. Parfois, ses yeux allaient discrètement vers la gauche, pour regarder Jeanne à la dérobée. La mauvaise humeur de la future mère ne s'allégeait pas. Dans son état, surtout passé quarante ans, l'inquiétude devait peser. Ne pas pouvoir compter tous les jours sur son conjoint augmentait son malaise.

— Comme tu vois, ironisa l'hôte à l'intention de son ami, avec moi devant la cuisinière, l'ordinaire ne s'est pas amélioré.

— Ne dis pas cela, tu t'en tires mieux que moi.

Voilà qui ne présentait pas une bien grande victoire.

— Si tu veux du dessert, j'ai un gâteau Sarah Lee au frigo.

Maurice aussi connaissait ces aliments fabriqués en usine. Pour un veuf, c'était parfait pour se dépanner.

— Non merci. Depuis le début des vacances, j'ai tendance à manger un peu trop.

Son refus tenait plutôt à un désir de ne pas prolonger indûment la soirée. Lors de sa dernière visite à cet appartement, le couple d'amoureux avait attisé sa jalousie. Aujourd'hui, l'atmosphère était à l'orage.

— Dans ce cas, tu voudras peut-être aller au salon pendant que je m'occupe de tout ça. Je vous rejoindrai dans une vingtaine de minutes avec le thé.

L'ancien religieux ne ménageait pas les efforts pour décharger son épouse de toutes ses obligations domestiques. Maurice acquiesça d'un signe de la tête, puis offrit ses mains pour permettre à Jeanne de se lever. Cette dernière reprit sa place sur le canapé, il l'aida à soulever les jambes pour les poser sur le pouf. Cela lui permit de loucher sur ses cuisses.

— Ta femme a eu de la chance d'avoir un époux si attentionné pendant sa grossesse, soupira-t-elle.

La remarque le gêna un peu.

— Émile me semble plein de prévenance.

Maurice demeurait penché sur son hôtesse dans une proximité troublante.

— Oui, c'est pour ça qu'il préfère passer son été à prendre des cours sur Proust.

«Je regrette d'avoir été trop paresseux pour le faire moi-même, se dit l'invité, une négligence susceptible de nuire à mes projets. » À haute voix, il prit la défense de son ami :

— Avec l'incertitude actuelle dans le domaine de l'éducation, tout le monde s'inquiète un peu. Dans quelques années, on exigera aussi un diplôme universitaire des maîtresses de maternelle.

Son interlocutrice lui adressa un regard sombre. Elle s'attendait à voir confirmer ses dires, pas à assister au spectacle de la solidarité masculine. Pour ramener l'ombre d'un sourire sur ses lèvres, Maurice prit sur lui de la rassurer.

— Je ne serai pas loin, au besoin tu m'appelleras.

Sa stratégie fonctionna ; Jeanne lui fit ensuite meilleure figure. Bientôt, Émile les rejoignait avec les boissons chaudes. Le cours de la conversation ne reprit pas vraiment. Dès huit heures, plaidant la fatigue, Maurice annonça son intention de rentrer à la maison. Personne ne tenta de le retenir. Penché sur Jeanne pour lui embrasser la joue, il lui réitéra son engagement :

— Si tu as besoin de quelque chose, tu m'appelleras.

— Merci, tu es gentil.

Le religieux défroqué insista pour le raccompagner jusqu'à son auto. Pareille attention tenait à son désir d'échanger quelques mots en tête-à-tête. Une fois sur le trottoir, il demanda :

— Ta femme devenait aussi comme ça, à l'approche de l'accouchement ? Je veux dire inquiète, de mauvaise humeur.

— Sa santé n'était pas très bonne, elle a mis quelques années avant de rassembler son courage et de se risquer à avoir un enfant. Alors oui, son anxiété portait sur son humeur.

Pour la rendre mélancolique, mais pas agressive. Le capital de douceur d'Ann dépassait certainement celui de Jeanne.

— En tout cas, je te remercie de te rendre disponible.

Tous deux se serrèrent la main, puis Émile remonta chez lui.

À sept heures du soir, Marie-Andrée se tenait près des portes de la station de métro de l'île Sainte-Hélène, cette fois du côté de La Ronde. Pendant un moment, elle regarda passer les autres jeunes femmes, se demandant lesquelles auraient franchi avec succès la première étape du processus de recrutement du club Playboy.

Si accompagner Nicole avait été simple, jouer le jeu du défilé en maillot avait exigé beaucoup plus d'efforts de sa part. Mais au milieu de toutes les autres, elle s'était trouvée particulièrement mignonne. Après tout, un peu moins de deux semaines après son arrivée à Montréal, un amoureux déçu se désolait à Saint-Hyacinthe, et un prétendant s'arrangeait pour la croiser presque tous les jours.

«Je dois avoir du charme», se disait-elle, presque prétentieuse. France apparut bientôt pour la ramener sur terre. Elle aussi paraissait bien, vêtue d'un jeans et d'un t-shirt moulant.

— Suis-je en retard? s'enquit la brunette en s'approchant.

— Peut-être un peu.

— Ce n'est pas simple de venir depuis le nord de Montréal cet été, avec tout le monde qui se bouscule dans les transports en commun. Sans le métro, ce serait infernal.

L'inauguration du service datait de l'année précédente. Depuis, la population ne tarissait pas d'éloges pour cette nouveauté.

Machinalement, les deux amies se dirigèrent vers les manèges de La Ronde. La haute colonne rouge dressée vers le ciel et nommée la Spirale fournissait un point de repère immanquable. Cette structure se voyait de toute la partie du terrain de l'exposition située à l'est du pont Jacques-Cartier.

— Que dirais-tu de commencer par celui-là ? demanda France en levant ses yeux pour apprécier l'envergure de la tour.

— … Je ne sais pas, c'est très haut.

— Mais ça ne va pas vite. On monte et on descend. Si cela t'effraie, tu ne survivras pas aux montagnes russes tout à l'heure.

L'adolescente était très impressionnée par tous ces équipements. Elle connaissait les manèges de la foire agricole annuelle de Saint-Hyacinthe, mais ils ne se comparaient en rien à ces installations.

Toutefois, après être allée à la sélection des *bunnies*, Marie-Andrée se sentait la force d'affronter encore quelques-unes de ses peurs. Tous les jeunes s'amusaient à rouler à une vitesse folle dans de petits véhicules posés sur des rails étroits. Regarder sa collègue depuis le sol ruinerait le début de confiance en soi acquis au cours des derniers mois.

Les deux amies prirent place dans la file d'attente. La présence de nombreux garçons permettait d'engager des bouts de conversation, d'échanger des prénoms pour les oublier dans les cinq minutes suivantes.

Quand ce fut leur tour, elles entrèrent dans une large cabine circulaire, se collèrent le dos contre la paroi, les mains accrochées aux barres placées là pour les retenir. L'ascension dura très peu de temps.

Du haut de la tour, la vue embrassait le port à l'est de Montréal. Le mouvement de rotation leur permit de voir successivement le fleuve, une partie de la ville de Longueuil et le tablier du pont Jacques-Cartier où les véhicules avançaient pare-chocs contre pare-chocs, comme tous les vendredis soir.

Quelques minutes plus tard, les montagnes russes leur fournirent des émotions beaucoup plus vives, mais hurler en groupe dans de petits wagonnets devenait presque amusant. En descendant, Marie-Andrée exprima le désir de passer par le Monde des petits.

— Si tu vas dans ces manèges-là, ce sera sans moi, la prévint France en riant.

— Je veux juste regarder. Promis.

De toute façon, les activités dans cette section étaient destinées aux enfants âgés de quatre à neuf ans. Même si elles étaient plutôt menues, aucune des deux ne logerait dans le petit train, l'Old 99. Bientôt, Marie-Andrée s'amusa de voir les bambins tournoyant assis dans de grandes tasses ou dans d'autres véhicules tout aussi fantaisistes. Seul le vieux carrousel, avec ses chevaux de bois, lui donna envie de se joindre à eux.

— Il y a moins de monde maintenant, remarqua sa compagne. Allons dans le Gyrotron.

Ce manège était celui qui avait fait le plus parler de lui, pour de bonnes et de mauvaises raisons. D'abord, sa conception était très audacieuse, présentant la forme d'une double pyramide faite de tiges d'aluminium. Cela faisait l'effet d'un Meccano géant très élégant. On y proposait un voyage allant de l'espace intersidéral au centre de la Terre. Toutefois, des esprits chagrins trouvaient la publicité mentionnant le côté enlevant de l'expérience très nettement exagérée.

Marie-Andrée se préoccupait surtout de la sécurité de cet assemblage.

— Des gens sont restés coincés là-dedans pendant une nuit complète. Certains se sont blessés en essayant d'en sortir.

— Non, pas toute la nuit, quelques heures seulement. L'Expo venait juste d'ouvrir, plusieurs manèges n'étaient pas encore rodés. Puis il s'agissait de blessures mineures.

À ce chapitre, France, future infirmière, jouissait-elle d'une compétence particulière ? La châtaine ne désirait pas la contredire. Tout le monde parlait du Gyrotron comme du manège à ne pas manquer. Aussi, elle ne protesta plus.

Pour atteindre les fauteuils censés les conduire de l'espace glacé au magma en fusion du noyau de la Terre, elles devaient monter quelques marches. Cela leur donnait un beau coup d'œil sur le lac des Dauphins. Soudain, tout en bas, une silhouette parut familière à Marie-Andrée. Elle y regarda à deux fois. Oui, Robert Duquet se tenait près d'un banc.

« Son patron lui a sans doute demandé à la dernière minute de rentrer aujourd'hui. »

Pourtant, il ne portait pas son uniforme habituel, aucun pédicab ne se voyait à proximité. Surtout, il se penchait sur une jeune blonde. La conversation l'intéressait certainement, car il s'assit bientôt près d'elle. Vivement, Marie-Andrée tourna la tête, les joues rougissantes. Pour son grand malheur, devant le Gyrotron aussi une queue s'allongeait : impossible de s'évader vers l'espace intersidéral pour échapper à cette scène.

La sagesse lui conseillait de regarder ailleurs, de s'intéresser à ce que sa collègue lui disait. À cet instant, celle-ci abordait un sujet très sérieux :

— Toi, cela t'inquiète-t-il d'aller à l'école normale en septembre ? Je me demande si je devrais rejoindre l'école des sœurs hospitalières comme prévu, ou attendre pour savoir quel cégep donnera le cours d'infirmière.

Marie-Andrée n'entendit rien, car ses yeux revenaient sur son compagnon des derniers jours. Quelle était la nature de sa relation avec lui ? Les petits jeux de mains l'avaient amenée à penser qu'il s'agissait de son *chum steady*, et elle le voyait soudain en plein travail de séduction. Devant son silence, France suivit son regard. Maintenant, Robert désignait du doigt le Jardin des étoiles à cette inconnue, tout en lui présentant un véritable plaidoyer.

— … C'est ton conducteur de pédicab?

— Visiblement, ce n'est pas tout à fait le mien.

Sa voix tremblait un peu.

Bientôt, la blonde se laissa convaincre. Quand elle marcha vers la salle de spectacle, le garçon la tenait par le bras à la hauteur du coude. Enfin, les préposés du manège ouvrirent les barrières, les deux filles purent avancer et s'asseoir côte à côte sur l'une des petites banquettes rouges. Le silence de Marie-Andrée s'accompagnait d'une petite moue, avec la lèvre inférieure un peu frissonnante.

«On ne s'est rien promis», se répétait-elle pour se donner une contenance. Les mêmes mots lui avaient servi à se déculpabiliser d'avoir pris ses distances avec Jeannot. Dans les circonstances présentes, ils lui servaient à se rasséréner. Sans succès. En même temps, l'absurdité de son chagrin ne lui échappait pas. Robert Duquet et elle-même agissaient de la même façon: profiter d'une absence pour tenter sa chance ailleurs.

Au moins, l'excursion dans le Gyrotron lui changea momentanément les idées. La banquette s'envola brusquement. Les astronautes des missions *Apollo* devaient aussi sentir le cœur leur monter aux lèvres au moment de s'arracher du sol. Cette partie du trajet se révéla intéressante, mais la plongée dans le gouffre rougeoyant du centre de la Terre laissait beaucoup à désirer. Surtout, le monstre censé l'effrayer lui parut vraiment ringard.

En revenant à l'air libre, Marie-Andrée retrouva sa morosité. Les deux jeunes filles reprirent leur exploration de La Ronde, cette fois en se tenant par le bras. Après un long moment de silence, France suggéra :

— La grande roue te dit quelque chose ?

— … As-tu mangé, avant de venir ici ?

— Pas vraiment.

— Il y a un casse-croûte, juste là. Moi, je commence à avoir faim.

Selon les journaux, ces petits établissements permettaient de se rassasier pour une soixantaine de cents, à condition d'avoir des goûts modestes.

Les socles des statues, les pourtours des fontaines, les marches conduisant aux manèges ou aux pavillons les moins fréquentés, même les pelouses fournissaient autant d'endroits où s'asseoir pour pique-niquer. France et Marie-Andrée se contentèrent d'un hot-dog accompagné d'un Coke pour le faire passer, et partagèrent une barquette de frites. Après avoir appris que sa silhouette convenait à Keith Hefner, voilà qu'elle se risquait à la gâcher en consommant des aliments trop gras.

— Ils sont tous comme ça, murmura la future infirmière. Surtout cet été.

Marie-Andrée ne comprit pas l'allusion immédiatement.

— Ton pédaleur, il fait comme tous les autres. Dans les films, les émissions de radio, les journaux, partout on parle d'amour libre. On rencontre quelqu'un, on se plaît, et on couche. Puis avec l'Expo en plus comme terrain de jeu…

Comme son amie haussait les sourcils sans comprendre le lien, France expliqua :

— Tu n'as pas vu ou lu ça dans les médias ? Des gars racontent vouloir faire le tour du monde par personne interposée en couchant avec au moins une hôtesse de chaque pays d'ici le mois de novembre.

Non, Marie-Andrée n'avait pas entendu parler d'un tour du monde de ce genre, mais des journalistes interrogeaient des hôtesses sur les talents de séducteurs des garçons canadiens-français. Les Suédoises, à qui l'on prêtait des mœurs libérées, enduraient une bonne part de leurs efforts. Selon l'article du *Petit Journal* qu'elle avait lu quelques jours plus tôt chez sa tante, elles trouvaient ces Don Juan d'occasion particulièrement désagréables.

D'après le ton désabusé de sa collègue, Marie-Andrée devina qu'un garçon l'avait laissée tomber pour chercher l'exotisme d'un amour de vacances.

— Honnêtement, je ne suis pas en mesure de reprocher quoi que ce soit à ce gars… J'avais un ami à Saint-Hyacinthe, et deux jours après mon arrivée à Montréal, j'aimais entendre Robert me chanter la pomme.

Malgré sa conscience de partager la même faute, la pauvre demeurait attristée par la scène aperçue un peu plus tôt. Pour chasser la mauvaise humeur de son amie, France l'entretint de nouveau de ces fameux collèges d'enseignement général et professionnel. Le sujet inquiétait tous les jeunes désireux de poursuivre des études au-delà de l'ordre secondaire.

À la fin de leurs agapes, elle proposa :

— Alors, veux-tu avoir peur avec moi dans la grande roue ?

— D'accord, mais ensuite tu m'accompagneras au Jardin des étoiles.

— Tu ne vas pas… ?

France s'inquiétait de la voir faire une scène au garçon des pédicabs.

— Nous sommes des milliers d'étudiants à travailler sur ce site, il paraît. Je veux en connaître quelques-uns d'ici la fin de l'été. Comme les blondes hôtesses suédoises ou danoises ne semblent pas fréquenter cet endroit, par dépit, tous ces garçons se contenteront de serveuses sentant un peu le poulet.

Plutôt que de s'apitoyer sur son sort, peut-être valait-il mieux passer à l'action.

Une demi-heure plus tard, les deux jeunes filles entraient au Jardin des étoiles. Déjà, l'orchestre avait fini de jouer, les tables étaient poussées contre les murs. Les haut-parleurs noyaient la grande pièce de la musique de The Kinks, un groupe anglais. Marie-Andrée fit un effort considérable pour ne pas balayer l'endroit des yeux afin de localiser Robert.

— Allons-nous chercher quelque chose à boire ? demanda-t-elle.

— Si nous attendons juste dix secondes…

Toutes deux se tenaient debout à quelques verges du comptoir où l'on servait des boissons. France leva un doigt de la main droite, puis un autre, passa à son autre main après le cinquième. Au septième, un garçon vint dans leur direction.

— Je peux vous offrir quelque chose à boire ?

— À toutes les deux ?

— J'aurai ainsi deux chances de danser avec une jolie fille.

Elles acceptèrent son offre, puis éclatèrent d'un rire complice quand il leur tourna le dos. Il revint avec les boissons gazeuses. Son effort lui valut une récompense moins de dix minutes plus tard. Ce garçon, qui s'appelait Pierre, entraîna Marie-Andrée vers la piste de danse.

Heureusement, ce ne fut qu'à ce moment que son regard croisa celui de Robert Duquet. Elle eut le réflexe de lui adresser un petit salut de la tête, avec l'esquisse d'un sourire.

Jusqu'après onze heures, les deux serveuses passèrent tout leur temps à danser. Marie-Andrée ne se sentait pas particulièrement compétente, mais au moins elle arrivait à faire abstraction du regard des autres pour dépenser son énergie en suivant plus ou moins bien la musique. Les partenaires ne manquaient pas. La chasse semblait battre son plein. Invariablement, plus le temps passait, plus les slows devenaient nombreux. La châtaine sentit bien quelques érections contre son ventre. Elle prenait grand soin de se tenir loin de Robert, de crainte que celui-ci ne l'invite. De toute façon, encombré d'une blonde, il pouvait difficilement lui accorder la moindre attention.

France la rejoignit afin de lui demander :

— Rentres-tu avec moi ? Comme j'habite très loin et que nous serons au travail demain matin, je ne veux pas m'attarder.

— Même si je vis plus près, je t'accompagne. Après tout, ma journée a été plutôt épuisante.

La future infirmière songea au garçon indélicat, mais pour sa collègue, la participation à la sélection des *bunnies* s'était aussi accompagnée de sa part d'émotions. Marie-Andrée commença, un peu moqueuse :

— Ton chevalier servant voudra sans doute te reconduire à ta porte.

Un petit noiraud avait accaparé France pendant sept ou huit danses.

— Alain ? Je pense qu'il cherche une compagnie plus… libérée que moi. S'il souhaite me revoir, je lui ai indiqué où je travaille.

Bras dessus, bras dessous, elles regagnèrent le métro. Appuyées contre la cloison de la voiture, elles bavardèrent du déroulement de la soirée.

— Je venais pour la première fois dans un endroit de ce genre sans être accompagnée d'un garçon...

En réalité, Marie-Andrée se trouvait dans une salle de danse pour la troisième fois seulement. Son expérience demeurait bien modeste.

— Passer ainsi de l'un à l'autre me faisait une drôle d'impression.

— Surtout lorsqu'ils font ça contre nous.

Discrètement, France exécuta un petit mouvement des hanches, comme pour mimer la masturbation, puis éclata de rire.

— Je les trouve un peu trop... entreprenants, convint Marie-Andrée.

Pourtant, dans ces cas-là, elle aussi ressentait une véritable excitation, si grande que certains de ces danseurs hanteraient son sommeil. L'atmosphère de liberté sexuelle n'affectait pas uniquement les garçons.

— Tous ces gars souhaitent littéralement se faire rembourser leur investissement.

Comme sa collègue ne parut pas comprendre, France expliqua :

— Ils paient quelques verres, ou un repas, puis veulent rentrer dans leur argent en fouinant sous ta jupe.

Nicole Tanguay lui serinait la même chose quelques jours plus tôt. Mais au-delà des boissons offertes et remboursées, dans ce jeu, chacun devait trouver son compte, non ?

Chapitre 14

Le lendemain de sa soirée au Jardin des étoiles avec France, Marie-Andrée n'aperçut Robert Duquet ni à son arrivée, ni à son départ de Terre des Hommes. D'un autre côté, elle ne fit rien pour le retrouver, effectuant les deux trajets entre la station de métro de l'île Sainte-Hélène et le pavillon L'Homme à l'œuvre d'un pas rapide.

Le dimanche, incertaine de la façon dont elle devait se comporter, elle traîna plutôt les pieds. La stratégie porta ses fruits, bientôt le pédicab arriva à sa hauteur.

— Hello, Marie-Andrée. Tu veux que je t'emmène ?

Au lieu de s'arrêter, elle continua à marcher, et il adapta sa vitesse à la sienne.

— Non, je ne veux pas te causer des ennuis avec ton patron.

— Voyons, je ne risque rien.

Toutefois, le garçon préféra ne pas insister. Ils furent bientôt devant le pavillon thématique. Il demanda :

— Ce soir, aimerais-tu que l'on fasse quelque chose ?

— Du moment que ce n'est pas à la discothèque, je veux bien. Finalement, on fait trop de rencontres, là-bas.

Cette fois, l'étudiant se troubla vraiment. Avant qu'il ne se lance dans une justification, la jeune fille lança :

— Bonne journée.

— Oui, bonne journée. Je serai là à neuf heures.

Robert appuya sur le pédalier et s'éloigna lentement. Marie-Andrée s'apprêtait à entrer quand quelqu'un prononça son prénom. France vint vers elle.

— Comme ça, vous voilà réconciliés.

— Nous ne nous sommes pas disputés…

Une fois dans le pavillon, elle continua :

— Nous faisons tous la même chose. C'est l'été de l'amour, non ?

Tout de même, le ton contenait une part d'incertitude.

Maurice manquait la messe depuis quelques semaines maintenant, tout en éprouvant le même malaise. Le conditionnement de son enfance tenait toujours bon. Pourtant, à lire les journaux, plus de la moitié des Québécois faisaient la même chose. Mais parmi les enseignants des institutions catholiques, privées ou publiques, la proportion devait être bien plus faible.

Depuis l'avant-veille, l'initiative d'Émile Trottier de prendre des cours lui tournait dans la tête. Au lieu de s'engager dans des aventures lubriques, mieux aurait valu en faire autant. Puis après tout, son âme sœur hantait peut-être les salles de classe de l'Université de Montréal. Ni Diane ni Agathe ne lui semblaient susceptibles de jouer ce rôle.

L'idée de passer encore une vingtaine d'années au collège Saint-Joseph lui donnait la nausée. Retrouver jour après jour des adolescents non seulement ignorants, mais résolument désireux de le rester, était au-dessus de ses forces. Une voix lui soufflait : « Ce ne sera pas mieux dans ces cégeps dont personne ne sait rien. » Il comptait sur le fait que les jeunes désireux de poursuivre leurs études au-delà d'une douzième année seraient plus motivés, plus matures, plus cultivés.

En même temps, son côté rationnel reconnaissait là une simple fuite en avant. Il prononça à haute voix :

— Je vais contacter les gens du collège de Longueuil pour proposer mes services.

Ses mots résonnèrent curieusement dans la petite maison vide. La fin de sa cohabitation avec Marie-Andrée contribuait aussi à son désir de changement. Son devoir d'assumer les rôles de père et de mère disparu, il lui tardait de changer d'existence.

La sonnerie du téléphone le tira de sa rêverie morose. Il porta le combiné à son oreille. Juste après son « Allô », la voix de l'interlocutrice le prit totalement au dépourvu :

— Maurice, c'est bien toi ?

— Oui, c'est moi.

— C'est ta mère.

Sainte Perpétue Berger, plus sainte encore que la martyre dont elle portait le prénom, daignait téléphoner à son fils. S'exclamer : « Bonjour, maman, comment vas-tu ? » lui était impossible, aussi il attendit la suite.

— … J'espère que les choses vont selon tes désirs, déclara-t-elle après un moment.

— Je fais avec les événements.

Voulait-elle savoir s'il s'ennuyait de Marie-Andrée, de ses élèves, ou même de sa mère ? Ou lui demanderait-elle comment il occupait ses grandes vacances ? Tous les échanges normaux entre un fils et sa mère lui étaient étrangers.

— Nous n'allons pas nous ignorer jusqu'à ce que je meure ?

La répartie « Pourquoi pas ! » lui vint d'abord à l'esprit. En réalité, elle l'avait ignoré depuis quarante-trois ans, et l'envie de lui rendre la monnaie de sa pièce le taraudait.

— … J'aimerais te voir. Ce soir.

La colère maintenant perceptible dans la voix maternelle lui convenait mieux que le ton plaintif du début de l'échange.

— Ce soir, je ne peux pas.

Le refus net de Maurice la prit par surprise. Puis sa justification lui permit de donner un autre coup d'épingle.

— J'ai convenu de souper avec une femme. Nous pouvons nous voir demain.

Il s'attendait à l'entendre s'exprimer sur les affres du péché de la chair. Ce ne fut pas le cas.

— D'accord. Peux-tu arriver vers six heures ?

— Pas à la maison.

Dans ce cadre, elle retrouverait son rôle de mégère, et lui, celui du garçon si facilement dominé. De plus, Ernest serait là, une figure d'autant plus intimidante qu'elle serait silencieuse.

— Ni chez moi. Je passerai te prendre à six heures, puis nous irons au restaurant.

Après un moment d'hésitation, Perpétue donna son accord.

Comme il lui arrivait souvent de le faire quand ils étaient seuls, Diane Lespérance se promenait dans la maison vêtue seulement de sa culotte et de l'une des chemises de Maurice, attachée par un seul bouton. Même après avoir passé une partie de l'après-midi au lit, il la trouvait tout aussi excitante. Sans doute se remettraient-ils de nouveau à l'horizontale avant la fin de la soirée. Cette tenue contenait une promesse.

— Antoine ne se montre pas trop déçu quand tu le laisses à ta mère presque tout un dimanche ?

— Bien sûr que oui, alors je cherche à lui faire comprendre que demain, nous passerons la journée entière ensemble. Ma situation sera plus compliquée en septembre. À ce moment, le retour en classe du garçon le priverait de ses matinées avec sa mère cinq jours sur sept. Antoine voudrait tout de même recevoir sa juste part d'attention. Les escapades du week-end avec son amoureux seraient nécessairement écourtées.

— Nous trouverons bien une solution, promit son compagnon. Il semble se passionner pour la télévision. Nous pourrons peut-être le laisser devant la mienne, le temps de faire la sieste le dimanche après-midi, comme tous les autres parents.

La jeune femme se tenait devant la cuisinière pour retirer un pâté du four. Penchée vers l'avant, elle lui présentait une vue exceptionnelle sur sa culotte blanche. De sa place à table, Maurice ne put réprimer son désir de tendre la main pour toucher. Après tout, le dessert pourrait attendre un moment plus tard dans la soirée.

Diane se dégagea en riant, puis lui dit :

— Si tu continues, je vais laisser tomber le repas sur le plancher.

Elle posa l'assiette brûlante sur la tuile de céramique placée au milieu de la table pour en protéger la surface.

— Je ne sais pas s'il resterait seul devant la télé pendant une heure ou deux, mais moi ça me gênerait beaucoup qu'il nous entende. Assez pour gâcher un peu mon plaisir.

Ses orgasmes faisaient assez de bruit pour être entendus d'une pièce à l'autre, surtout dans une maison avec des murs en carton.

En habituée du service dans un restaurant, elle coupa un morceau du pâté pour le mettre dans son assiette, avant d'en déposer un autre dans la sienne. Comme elle se tenait tout près, Maurice laissa glisser ses doigts à l'arrière de sa cuisse, tout doucement.

— Tu pourrais toujours mordre dans l'oreiller.

La répartie lui valut un baiser sur la bouche. Quand elle eut retrouvé sa place, un silence embarrassé suivit, celui précédant les sujets de conversation sérieux. Une fois son courage rassemblé, elle plongea :

— Nous deux… Crois-tu que cela durera au-delà de la fin des grandes vacances ?

Ses yeux ne quittaient pas le verre de Coca-Cola sur la table. À ce moment, Maurice aurait dû répondre : « Bien sûr. Où vas-tu chercher une inquiétude pareille ? » Ou alors laisser échapper un rire un peu gras, et dire : « Après nos acrobaties de cet après-midi, comment peux-tu en douter ? » Sa réponse fut en dessous de tout :

— Dans six semaines ? Qui de nous peut savoir ce que la vie lui réserve ?

Diane ne releva pas la tête, sa fourchette joua un peu dans sa nourriture. Puis, avec le dos de la main, elle s'essuya l'œil gauche. Maurice se sentit coupable de la décevoir, de ne pas satisfaire ses attentes. La lâcheté l'empêchait de dire la simple vérité : « Je veux saisir toutes les occasions manquées depuis mon exil dans un foutu collège quand j'avais douze ans. » Sa vie lui semblait avoir été entre parenthèses depuis ce moment.

— Il y a un instant, plaida-t-il, je me demandais comment occuper Antoine en septembre. Ce sera un peu plus compliqué, c'est tout.

Cela prouvait seulement que dans six semaines, il souhaiterait encore partager un lit avec elle. Rien de plus. Pourtant, la jeune femme leva les yeux, lui adressa un sourire un peu crispé.

—Je pense que je vais rentrer tout de suite après le repas. Mon fils peut devenir désagréable avec maman, après un certain temps.

Voilà que les projets de Maurice pour la soirée tombaient à l'eau.

Une semaine plus tôt, la mère de Diane avait soumis sa fille à un interrogatoire en bonne et due forme sur les intentions de son amant, et même sur sa virilité. Semé en elle, aujourd'hui le doute avait amené la jeune femme à aborder le sujet avec Maurice. Le résultat de la conversation la laissait préoccupée.

Devant la télévision, ce soir-là, ce fut elle qui revint sur cette question :

— J'y ai demandé.

Comme toujours, dans la maison la serveuse cessait de faire attention à sa façon de s'exprimer. Puisque sa mère ne répondit pas, elle précisa :

— C'qu'y voulait faire avec moé.

— Pis ?

— … Continuer comme c'est là, rien changer. Coucher quand ça y tente, sortir quand ça y tente, avec Antoine ou sans Antoine…

En réalité, Maurice se montrait plutôt disponible, et pour le lit, et pour les sorties. L'épuisement de la jeune femme justifiait ce moment de lassitude.

— Bin tu sais, les hommes, quand ça a reçu leur bonbon gratis, pourquoi y s'marieraient ?

Depuis la disparition de son mari vingt-cinq ans plus tôt, l'ouvrière du textile ne tarissait plus sur le sujet. Il ne s'agissait pas d'une victime de la Deuxième Guerre mondiale.

Simplement, un matin, le bonhomme avait trouvé plus simple de chercher du travail dans une usine de guerre aux États-Unis, pour oublier de revenir ensuite. Sans doute avait-il une seconde famille là-bas.

— Bin moé, chus tannée du maudit restaurant, pis d'mon appartement de pauvre, pis de toute le reste.

Ces mots englobaient peut-être aussi la responsabilité de s'occuper d'un enfant infirme qui mourrait d'ici une douzaine d'années. À ce moment, elle ressemblerait à sa mère, une femme vieillie avant l'âge. Ce professeur facilement intimidé par une femme, au dessous des ongles bien propre, avec son vieux veston et sa petite maison confortable, représentait sa seule véritable chance d'améliorer son sort depuis le moment de sa naissance.

Cela ne se disait pas à haute voix, pas même à une mère dont la perception des rapports amoureux touchait à une caricature de la prostitution.

À neuf heures du soir, le temps était à la pluie. Marie-Andrée fronça les sourcils en regardant le ciel. Il lui faudrait penser à s'acheter l'un de ces imperméables faits d'une mince pellicule de plastique et le garder dans son sac portant le sigle de l'Expo. L'été se révélait étonnamment beau, mais impossible d'éviter tous les orages pendant encore six semaines.

— Ah! Te voilà, dit une voix. Je me demandais si tu avais changé d'idée.

Robert Duquet se tenait un peu à l'écart, appuyé contre le mur.

— Il doit être neuf heures pile.

Machinalement, elle regarda sa montre pour s'en assurer.

— Que me proposes-tu comme sortie?

— Nous pourrions nous rendre au pavillon des Brasseurs.

— D'accord.

Ils se mirent en route vers cet endroit. Robert se priva de lui prendre la main, visiblement mal à l'aise. Par ailleurs, il ne prononça pas un mot tout le long du trajet. Ce ne fut qu'au moment de s'asseoir dans la brasserie qu'il osa commencer:

— Tu sais, avant-hier...

Le serveur arriva juste à ce moment, pour interroger la jeune fille des yeux. Comme elle ne dit d'abord rien, il remarqua, ironique:

— Écoute, c'est pas compliqué, ici on vend de la bière, rien d'autre. Même pas moyen de manger, à cette heure, la cuisine est fermée.

— Alors, un verre de bière.

— Huit onces ou seize onces?

— Oh! Pas plus de huit, répondit-elle en souriant.

Le serveur parut amusé par cette répartie.

— Bon, rassure-toi, il ne reste qu'une seule question, mais c'est la plus difficile: Quelle marque?

— ... Comme monsieur, là.

Duquet les regardait badiner, de moins en moins troublé par sa petite drague du vendredi précédent. Marie-Andrée aussi savait jouer ce jeu, ou alors elle improvisait très bien.

— Labatt, mais seize onces pour moi.

— Parfait, je reviens dans un instant.

Le serveur disparut vers le comptoir pour passer la commande. Les poignées de porcelaine des pompes portaient les couleurs d'une trentaine de marques différentes, dont la plupart ne se trouvaient pas dans les épiceries du Québec.

— Moi qui ne bois pas de bière d'habitude, je suis étonnée d'avoir accepté de venir au pavillon des Brasseurs.

Robert pensa lui proposer de se déplacer vers un autre endroit, puis à la fin, il préféra passer au sujet qui le préoccupait.

— Pour vendredi dernier, la rencontre familiale prévue a été annulée, alors je suis venu ici. Tu sais, je n'ai même pas ton numéro de téléphone, impossible de te le faire savoir.

Marie-Andrée se tint bien droite sur sa chaise, soucieuse de garder une expression sereine sur son visage, puis commença :

— Robert, quand je t'ai vu, j'ai été en colère. Maintenant, je trouve ma réaction enfantine. Nous ne nous sommes engagés en rien, tu profites de toutes ces belles rencontres, et moi aussi.

Surpris, son interlocuteur haussa les sourcils. Il l'avait vue comme une parfaite oie blanche. Au point où Marie-Andrée entendit se divertir un peu à ses dépens.

— Tu étudies l'économie, n'est-ce pas ? Alors, si tu comptes sortir avec une dizaine de filles d'ici septembre, tu devrais te douter que tous les autres font pareil. C'est mathématique : chaque fille se fait donc chanter la pomme par dix gars. Au moins.

Tout en disant ces mots, elle sentait son cœur battre très fort. Comme la moitié des filles de son âge en Occident, elle avait rêvé d'être dans la peau de Julie Andrews : sortir d'un couvent pour épouser un bel officier autrichien. *La mélodie du bonheur* alimentait les espoirs de toutes les ingénues.

Le serveur vint à leur table pour déposer les bières.

— Soixante-quinze cents, annonça-t-il.

Bon prince, Robert Duquet lui tendit un dollar en disant :

— Garde la monnaie.

Pendant ce temps, la jeune fille cherchait de l'argent dans son sac aux couleurs d'Expo 67, puis sortit deux pièces de vingt-cinq cents pour les lui tendre.

— Que fais-tu là ?

— Je paie ma part.

— … Ça ne se fait pas.

Comme il refusait de les prendre, elle posa les pièces sur la table, devant lui.

— Comme ça, la fille ne se sent pas obligée de rembourser, à la fin de la soirée.

Comme son compagnon écarquillait les yeux, elle insista :

— Je suis certaine que tu comprends ce que je veux dire.

Finalement, le garçon chercha dans sa poche, sortit quinze cents pour elle, puis empocha les autres.

— La petite est vingt-cinq cents, je compte dix cents de plus pour ta part de pourboire.

Marie-Andrée accepta, satisfaite de son assurance affichée. Après tout, trois jours auparavant, elle réussissait l'examen de Keith Hefner, vêtue de son petit costume de lapine.

— Sais-tu le plus drôle ? demanda-t-elle. Je n'ai même pas l'âge pour me trouver ici.

La situation paraissait l'amuser vraiment. La conversation languit pendant les quelques minutes où le couple demeura dans la brasserie. Bientôt, ils marchèrent en direction de la station de métro, tout en gardant une certaine distance entre eux. À Berri-de-Montigny, ils se firent face un instant.

— Bonne nuit, Robert.

— Tu ne veux pas…

— … que tu m'accompagnes ? J'affronterai seule les dangers de la rue Saint-Hubert.

Marie-Andrée se mit sur le bout des pieds pour lui embrasser la joue, puis elle monta dans une voiture de la ligne orange, intimidée après coup par le rôle de grande personne qu'elle tentait d'incarner. La courriériste de

Nos Vedettes conseillait de sortir avec les garçons « entre amis », sans trop s'engager avant de se sentir prête. Autant s'en tenir pour un temps à cette recommandation, plutôt que de risquer des blessures au cœur.

Clément Marcoux fréquentait l'exposition avec régularité, et sa fidélité au restaurant St-Hubert ne fléchissait pas. Le lundi 10 juillet, il se présentait devant la caisse de Marie-Andrée pour la troisième fois en un peu plus de deux semaines. De nouveau, il lui demanda de l'accompagner quand son patron lui donnerait ses quelques heures de relâche.

À deux heures trente, elle le rejoignit devant l'entrée du pavillon L'Homme à l'œuvre. L'étudiant demeurait embarrassé, hésitant entre lui offrir sa main et lui faire la bise sur la joue. Il s'agissait d'un timide, incapable d'afficher l'aisance de Robert Duquet pour aborder une jeune femme.

— Aimes-tu les vieux films ?

— … Je suppose que oui. En tout cas, je ne ferme pas la télé quand je vois le visage de Doris Day sur l'écran.

Il ne s'agissait sans doute pas de la meilleure réponse, car son interlocuteur montra une hésitation. Il se fit plus précis :

— Au pavillon de la France, il y a une rétrospective du cinéma depuis 1891. Aujourd'hui, on présente *Boudu sauvé des eaux*.

Comme Marie-Andrée ne réagit pas, il précisa :

— Avec Michel Simon.

— Je sais. Il a fait *Le vieil homme et l'enfant* l'an dernier.

Clément enregistra que cette jeune femme possédait une certaine culture. Après tout, avec un père qui l'emmenait au cinéma chaque samedi, les films destinés à tous les publics lui étaient familiers.

— Alors, allons-y.

En se mettant en route, il ne lui tendit pas la main ni ne la prit par le bras. Ils franchirent le chenal pour se rendre à l'île Notre-Dame, s'arrêtant juste un moment afin de contempler le pavillon de l'Italie. Aucun des deux ne l'avait visité encore. Puis ils atteignirent celui de la France, une magnifique construction blanche donnant sur un plan d'eau.

— Il est plus beau que celui des États-Unis et de l'Union soviétique, affirma Clément. Un monument au génie français.

Décidément, cet étudiant se montrait enthousiaste à l'égard de toutes les productions venues de l'Hexagone. Cela ne demandait pas de commentaires.

— As-tu eu le temps de faire le tour des îles ? voulut-il savoir.

— Pas encore. Il y a tellement à voir à Terre des Hommes.

Plus simplement, plusieurs autres pavillons, dont ceux de l'Allemagne et du Royaume-Uni, lui avaient semblé plus attirants.

— Voudrais-tu le faire aujourd'hui ?

— Je préfère m'en tenir à ta première invitation. Tu sais, comme je passe la journée debout au restaurant, la position assise dans un cinéma me convient tout à fait.

— Très bien. C'est un étage plus bas.

Dans ce cas, inutile de faire la queue avec tous les touristes désireux de visiter le pavillon. Les deux jeunes gens se retrouvèrent côte à côte dans la salle obscure. Quand leurs bras nus se touchèrent, les « excuse-moi » permirent à Marie-Andrée d'apprécier de nouveau le trouble de son compagnon, malgré son air un peu prétentieux, « fendant », auraient dit les camarades de sa classe au couvent Sainte-Madeleine.

Le film *Boudu sauvé des eaux*, tourné en 1932, la fit rire de bon cœur. Quand la lumière revint, tous deux clignèrent des yeux quelques secondes. Dehors, la jeune femme regarda l'heure à son poignet. Comme il lui restait encore un long moment avant de reprendre le travail, ils marchèrent lentement dans l'île Notre-Dame. Clément Marcoux lui mentionna, quand ils se dirigèrent vers le restaurant :

— Tu sais que le général de Gaulle viendra à Montréal dans deux semaines.

Qu'il l'informe de cela intrigua Marie-Andrée. Depuis avril, les hommes d'État se succédaient dans les îles de Terre des Hommes. Comme elle ne répondait pas, il crut utile de préciser :

— Le président de la France.

Il la prenait pour une sotte. La réplique vint sur un ton un peu vexé :

— Je sais qui c'est, et non, je ne savais pas à quelle date il devait venir. Je ne consulte pas l'horaire des visites des chefs d'État, puisque je ne prévois pas y être invitée.

Le mouvement d'humeur échappa au jeune homme, tout à son projet.

— Il y aura une grande manifestation, ce jour-là. Ça te dirait de m'accompagner ?

Après la marche du 1er juillet contre la guerre au Vietnam, voilà qu'il désirait la conduire à un autre grand rassemblement. Il devait se faire une drôle d'idée des rapports entre homme et femmes.

— Je ne sais pas… Ce sera quel jour, exactement ?

— Lundi, le 24. Dans deux semaines.

— Mon patron décidera pour moi. D'habitude, je travaille, ce jour-là.

Un peu plus tard, ils se dirent au revoir devant le pavillon L'Homme à l'œuvre. Ils étaient de nouveau un peu embar-

rassés. Prétentieux la plupart du temps, dans certaines circonstances, Clément Marcoux lui paraissait plutôt gauche.

À l'heure dite, Maurice se présenta devant la demeure
de son enfance. Il s'arrêta un instant sur le trottoir, comme
pour reprendre courage avant de monter les trois marches
du perron. Sa mère devait le surveiller depuis la fenêtre, car
la porte s'ouvrit devant lui. Un long instant, ils demeurèrent
muets, face à face. Enfin, le fils prit sur lui de dire :

— Je suis heureux de te voir remise sur pied.

La dernière rencontre entre eux datait du séjour de la
vieille dame à l'hôpital.

— Pourtant, j'ai du mal à me traîner.

Elle paraissait réellement fatiguée, des cernes la marquaient sous les yeux. Peut-être était-elle même un peu
amaigrie. «Justine parlait d'un simple épisode de haute
pression. Elle se trompait peut-être.» Pourtant, sa sœur
était infirmière.

— Papa est à la maison ?

Machinalement, le regard du visiteur se porta sur le côté
de la demeure : la grosse voiture n'y était pas.

— Je ne le vois à peu près plus. Il ne tente même plus
de préserver les apparences.

La petite rébellion de Maurice, depuis quelques semaines,
avait peut-être des répercussions sur tout l'entourage de
Perpétue.

Le fils s'étonna une nouvelle fois de la froideur de leurs
retrouvailles. Pas d'étreintes, pas de bises, pas de câlins, pas
même une poignée de main. Demander de ses nouvelles
tenait à un automatisme, et la réponse de la mère, à une
récrimination.

— … Bon, tu es prête ?

Elle tenait son sac dans ses mains, portait son chapeau sur la tête. On aurait dit une bourgeoise des années 1940.

— Je me demande pourquoi tu ne veux pas manger ici.

Cela ne donnerait rien qu'il exprime son désir de se retrouver en terrain neutre.

— Ne crains rien, je paierai l'addition.

Maurice lui tourna le dos pour s'engager dans l'escalier, sans lui offrir son bras pour l'aider. Perpétue s'appuya sur la rampe pour descendre. Elle rejoignit son fils au moment où il lui ouvrait la portière et se glissa sur le siège du passager avec difficulté. Maurice la conduisit dans le restaurant construit près de l'autoroute. Se rendre là lui tira un sourire. Sa dernière visite à cet endroit lui avait permis d'y connaître une femme nommée Ginette. C'était son premier effort pour rompre sa solitude depuis son veuvage.

De nouveau, il se contenta d'ouvrir la portière de la Volkswagen, puis la porte du restaurant. La mère et le fils eurent droit à une banquette en forme de U. L'enseigne du restaurant portait le mot *steak house* en grandes lettres, impossible pour les touristes de se tromper sur la nature de l'établissement. En conséquence, l'anglais dominait autour d'eux.

Perpétue se mordit les lèvres plutôt que de critiquer le choix de son fils. Peut-être progressait-elle. La venue du serveur permit de retarder un peu le début des explications. Ensuite, le silence se prolongea assez longtemps pour que Maurice ressente le besoin de demander :

— Comme tu as voulu me rencontrer, je suppose que tu as quelque chose à me dire.

Son interlocutrice demeura pensive, sans doute avait-elle envie de prendre la fuite. Pourtant, elle se résolut à commencer :

— J'ai téléphoné au père Desmarais il y a une dizaine de jours. Il a dit que nous devions nous parler.

Le membre des oblats de Marie-Immaculée ne se contentait pas de préfacer le livre *L'adolescente veut savoir*, du docteur Lionel Gendron, il jouait aussi le rôle de courriériste du cœur dans les médias. La conversation qu'évoquait Perpétue s'était donc tenue sur les ondes d'une station de radio, avec des dizaines de milliers de témoins.

— Alors, j'écoute avec mes deux oreilles.

— ... Tu dois venir à la maison, comme avant.

Elle faisait référence aux dîners du dimanche à la maison familiale, tenus une semaine sur deux depuis plus de vingt ans.

— Après tout, je suis ta mère.

— Ne trouves-tu pas curieux que tu ne dises pas "parce que je t'aime" ? À la place, tu parles d'obligation, de devoir filial. Ça te manque tellement de pouvoir me dire combien je mène mal ma vie, contrairement à mon frère et à ma sœur ?

Le rouge monta aux joues de la vieille dame. Dans un endroit public, elle ne s'autoriserait pas d'éclats de voix. Ça n'empêchait pas Maurice de percevoir très bien la colère dans son ton.

— J'sais bien que tout ça tient à ta jalousie.

— De quoi suis-je jaloux ?

La bonne réponse était toute simple : « De l'amour que je porte à ces deux enfants. » Même dans la situation présente, elle ne pouvait prononcer ces mots.

— Ils ont réussi leur vie...

Maurice se répétait cette conversation depuis la veille, ou plutôt depuis le jour où il avait refusé d'entrer au Grand Séminaire. L'arrivée du premier service le soulagea. Cela lui permettait de respirer profondément pour avoir une meilleure maîtrise de ses émotions. Quand il reprit la parole, ce fut avec un sourire narquois :

— Nous revenons toujours à la même situation, n'est-ce pas ? Ils méritent ton amour pour être entrés au service de l'Église, et moi ta colère pour m'être marié.

L'analyse pouvait difficilement être réfutée. Il s'agissait de la vérité.

— Je me demande pourquoi tu désires autant voir tes enfants obéir à toutes tes volontés. Tu fais comme si leur vie t'appartenait, continua Maurice.

La femme cherchait une justification depuis une quarantaine d'années, aussi la réponse lui vint sans mal :

— Dieu m'a donné des enfants pour que je les mène à leur salut. J'ai mis tous mes efforts pour y arriver.

— Et personne ne peut faire son salut dans le mariage.

Maurice ne put retenir un rire moqueur, cette fois.

— Je pense que tu es une femme intelligente, alors je me surprends toujours de ton étroitesse d'esprit. Si tout le monde faisait vœu de chasteté, dans cinquante ans, il n'y aurait plus personne sur la terre. En plus, tu me sembles totalement ignorante des injonctions divines, tout en te présentant comme une sainte femme.

Cette fois, la mère fut désarçonnée, ce qui ne lui arrivait pas souvent. À une question muette, il expliqua :

— Dans la genèse, on peut lire : "Soyez féconds, croissez et multipliez-vous", ou quelque chose du genre. Pas : "Faites tous vœu de chasteté."

Le silence dura un long moment. Perpétue semblait pâlir, mais cela pouvait tout aussi bien tenir à l'éclairage du restaurant.

— Lire la Bible, c'est une affaire de protestants, pas de catholiques.

L'enseignant devait convenir qu'elle ne restait pas long-temps déstabilisée. Qu'en serait-il s'il poussait un peu plus loin ?

— Tes histoires de religion, c'est de la frime. Ton mari allait coucher ailleurs, tu voulais te venger en coupant les couilles de ton fils aîné. Tiens, le Noël où tu m'as donné le kit complet du petit curé, Ernest a dû donner un collier à sa blonde. Tu devais te dire qu'avec une robe sur le dos, je ne ferais jamais la même chose.

La vieille dame laissa tomber sa fourchette dans son assiette, puis porta la main à sa bouche avec un petit hoquet. Un instant, Maurice craignit de la voir tomber en syncope. Qu'elle y échappe témoignait de sa relative bonne santé. Il ne la quittait pas des yeux, attendant la prochaine répartie pour la réfuter encore et encore. Aucune ne vint.

Il garda le silence ensuite, s'intéressant à son repas. Après quelques minutes, il entendit :

— Ramène-moi à la maison. Je ne me sens pas bien.

Impossible de la contredire à ce sujet : son visage pâlissait encore. Maurice résista à l'envie de lui dire : « Attends que je mange mon dessert. » Sans un mot, il se dirigea vers le serveur pour demander l'addition, le suivit jusqu'à la caisse afin de payer. Pendant ce temps, Perpétue remit ses gants, puis marcha difficilement vers la sortie.

Pour les témoins de la scène, Maurice passait certai-nement pour le plus mauvais fils depuis la création du monde. Il retrouva sa mère debout près de la voiture. Le trajet du retour se déroula en silence. Devant la maison, elle descendit péniblement. Sur le trottoir, le fils se pencha pour lui embrasser la joue gauche, puis la droite.

— Dans les familles normales, ça se passe comme ça. Si tu m'avais vu les premiers temps de mon mariage, avec les parents d'Ann… Je ne savais pas où me mettre dans ces moments-là. J'ignorais qu'une mère pouvait s'intéresser vraiment au bonheur de ses enfants, et leur exprimer son affection.

Maurice la regarda un moment, résista à l'envie de lui demander : « Souhaites-tu me dire quelque chose ? » À la place, il prononça un « bonne soirée » sans chaleur puis reprit le volant. Une fois à la maison, son premier souci fut de prendre une bière dans le frigidaire. Assis dans le salon, après un long soupir, il décrocha le téléphone pour appeler le presbytère de la paroisse Saint-Joseph.

— Je voudrais parler à monsieur le curé, renseigna-t-il la domestique qui répondit.

Comme elle demeurait silencieuse, il donna son identité. Une minute plus tard, Adrien disait :

— Bonsoir. Il se passe quelque chose ?

D'emblée, le prêtre tenait pour acquis que le seul plaisir de la conversation ne justifiait pas un appel. Entre eux aussi, le climat demeurait glacial.

— Je viens de quitter Perpétue…

Les mots « maman » – ou « papa » – butaient sur ses lèvres.

— Tu devrais lui téléphoner. Sans doute éprouve-t-elle le désir de parler à un représentant de Dieu… ou alors à son fils préféré.

L'amertume rendait sa voix rauque.

— Que se passe-t-il ?

— Je lui laisse le privilège de présenter sa version des faits. Bonne soirée.

Maurice n'avait aucune intention de faire durer la conversation. Il raccrocha tout doucement, puis donna toute son attention à sa bouteille de bière. Que l'on affirme que la forme de celle-ci reprenait celle du sein maternel le troublait bien un peu.

Chapitre 15

Le lendemain matin, Maurice Berger s'éveilla avec le profond désir de se trouver ailleurs, très loin. Son collège, ses parents, sa rue et sa maison lui pesaient. Le désir de balayer ce passé le taraudait, comme si un nouveau décor lui permettrait de se purger de toutes les influences malsaines de son éducation. Sa matinée se passa au téléphone, à parler à différents fonctionnaires, de la réceptionniste à des chefs de service. «Je suis en train de me ruiner au profit de Bell Canada», songeait-il tout en griffonnant des informations sur un bout de papier.

Après dîner, il lui restait à passer à l'action. Tous ses appels précédents concernaient l'identification des personnes responsables de la mise sur pied d'un collège d'enseignement général et professionnel à Longueuil. Un administrateur à la voix toute douce lui répondit. Il devina aussitôt le religieux onctueux, qu'il soit défroqué ou non.

— Je comprends bien ce que vous me dites, monsieur, lui affirma l'inconnu sur le ton de quelqu'un qui annonce un décès, mais les collèges sont formés à partir des institutions existantes, avec leur personnel. Nos effectifs sont complets. L'an prochain, vous offrirez vos services dans votre ville.

— Personne ne parle de créer un collège à Saint-Hyacinthe. Surtout, je veux me rapprocher de ma fille.

L'argument toucherait-il le cœur de ce fonctionnaire ? Il se sentait un peu honteux de récupérer ainsi Marie-Andrée pour servir ses projets.

— Vous le savez comme moi, les journaux en ont parlé. Au cours général, ils prendront les professeurs de l'externat classique de Ville-Jacques-Cartier, dans le chemin Chambly.

On parlait toujours de Longueuil, mais en réalité l'établissement se trouvait dans une municipalité contiguë.

— Tous les jours, on entend le ministre expliquer que la clientèle explose, que les places et les enseignants vont manquer.

L'employé répéta encore une fois tous ses arguments, Maurice fit la même chose. Enfin, ce dernier finit par obtenir les coordonnées de la personne responsable du recrutement pour la future institution, tout en se faisant expliquer que ce serait une perte de temps. Téléphoner ne servirait à rien, précisa le fonctionnaire. Mieux valait écrire.

Pour la première fois de sa vie, l'enseignant de quarante-trois ans se trouvait obligé de rédiger un curriculum vitae. En 1944, il s'était rendu au collège Saint-Joseph avec la folle espérance que l'on embaucherait un laïc tout juste diplômé du cours classique. Contre toute attente, et au profond désespoir de sa mère, le curé de sa paroisse l'avait chaudement recommandé. Le jeune bachelier écrasé sous le joug de la marâtre lui inspirait sans doute de la pitié.

«Il tiendra en quatre lignes. C'est assez pour dire où j'ai fait mes études classiques, et où j'ai enseigné au cours des vingt-trois dernières années», songea Maurice en s'installant dans la pièce lui servant de bureau. Bon, en toute honnêteté, ce serait une douzaine, en comptant la date et le lieu de sa naissance, ainsi que ses coordonnées actuelles. Comme rien de plus ne lui venait à l'esprit, il décida de se rendre à la bibliothèque de son collège afin de consulter les guides que l'on proposait aux adolescents en quête d'un premier emploi. Le gardien ne lui refuserait certainement pas la permission d'entrer dans la grande bâtisse, déserte pendant l'été.

Après souper, Maurice relisait pour la dixième fois un CV tenant sur deux pages. Pour en arriver là, il avait dû donner le détail de toutes ses années d'enseignement et mentionner le niveau de ses élèves. Cela donnait « 1949-1950 : Éléments latins, quarante-sept élèves ». Dans une circonstance de ce genre, un homme pouvait mesurer le poids de ses expériences. Une plume, dans le cas de la sienne.

Le petit volume d'aide à la recherche d'emploi destiné aux élèves de la dernière année du cours classique était très clair : dans une telle démarche, il lui fallait donner le nom de « répondants », des personnes susceptibles de dire un bon mot sur lui. Un premier nom lui vint tout de suite à l'esprit, mais pas un second. Mieux valait discuter de la question avec son ami.

Émile Trottier accepta de le recevoir, même s'il était passé huit heures. Dans l'entrée, il l'accueillit ainsi :

— Là, tu m'inquiètes. Que se passe-t-il ?

Trois jours plus tôt, Maurice avait trouvé le climat glacial dans cet appartement. Cela ajoutait à son malaise d'y revenir.

— Rien de grave, mais je voulais te tenir au courant.

Tout en parlant, ils se dirigèrent vers le salon. Comme la fois précédente, le visiteur se pencha pour faire la bise à Jeanne, puis occupa le fauteuil qu'elle lui désignait, juste en face d'elle.

— Alors, demanda Émile, toujours debout, tu me dis ce qui se passe ?

— Aujourd'hui, j'ai décidé de poser ma candidature au futur collège de Longueuil.

— Jésus-Christ.

Ce blasphème dans la bouche d'un ancien religieux faisait un drôle d'effet.

— Bon, je vais chercher le cognac et des verres.

— Et de l'eau pour moi, intervint son épouse.

La future mère s'agita sur le canapé, en essayant de prendre une position plus confortable. Ses jambes étant allongées sur le pouf, le mouvement déplaça sa robe si haut que Maurice eut l'impression de voir le blanc de sa culotte. Elle en descendit l'ourlet tout en lui adressant un sourire moqueur.

— T'en aller à Longueuil ! protesta Émile en revenant dans la pièce.

Il lui mit l'un des verres dans la main, tendit l'autre à Jeanne, puis se laissa tomber à côté d'elle.

— Moi, j'ai toujours pensé que nous serions tous les deux dans celui de Saint-Hyacinthe.

— On n'a même pas la date de son ouverture, rétorqua Maurice. Je ne supporte plus… mes collègues.

« Et encore moins ma famille », compléta-t-il mentalement. Prendre ses distances lui semblait toujours la seule chose à faire.

— Rien ne t'empêche de faire comme moi, dit-il encore.

Après une nouvelle pause, Maurice ajouta en ricanant :

— Dans un autre établissement, de préférence. Je ne voudrais pas que tu viennes me concurrencer.

Sa propre formation académique lui paraissait bien faible, et sa pauvre estime de soi le tolérerait mal s'il se faisait damer le pion par son ami.

— Il y aura un gros cégep dans l'est de Montréal, un autre au nord.

Émile Trottier agita la tête de droite à gauche, puis déclara :

— Nous avons des attaches dans cette ville.

Dans ce contexte, ce « nous » signifiait son épouse. Peu de temps auparavant, l'ancien religieux lui confiait que toutes ses accointances avaient pris leurs distances lors de son départ de la congrégation des Frères de l'instruction chrétienne.

— Il reste tout de même une difficulté, souligna le visiteur : je dois avoir des recommandations. Alors, j'ai pensé à toi.

— Je suis ton collègue, ma parole ne vaudra rien.

— Bien au contraire. Tu me connais depuis ma première année d'enseignement.

— Tu devrais demander ça au directeur.

Maurice hocha la tête pour signifier son accord. Impossible de faire autrement.

— Avoir deux répondants ne me nuira pas. Tu seras le premier. Penses-tu que le frère Jérôme acceptera aussi ?

Cette visite visait deux objectifs : se faire recommander par son collègue, et obtenir que ce dernier intervienne auprès du directeur pour le convaincre de le faire aussi. Ses relations difficiles avec certains enseignants au cours de l'année précédente lui faisaient craindre un refus. Émile laissa échapper un long soupir.

— Je lui parlerai demain matin au téléphone, mais tu ne peux éviter d'aller le rencontrer en personne. Il acceptera certainement. Après tout, ton départ l'aiderait à régler des tensions parmi son personnel.

L'allusion aux échanges acerbes entre ses jeunes collègues et lui ne fit que raviver l'envie de Maurice de travailler ailleurs. La conversation languit ensuite jusqu'au départ du visiteur.

En quittant l'appartement de son ami, Maurice se sentait fébrile. Une fois cette première démarche accomplie, la perspective que son projet ne se réalise pas l'affligeait. Dans un premier temps, l'envie le tenailla de se rendre à la gare routière afin de ramener Diane à la maison, histoire de se changer les idées. Antoine passait la nuit chez madame Lespérance, car il se couchait longtemps avant le retour de sa mère du travail. De son côté, cette dernière pouvait très bien demeurer éveillée jusqu'au milieu de la nuit sans trop s'en plaindre le lendemain.

Il se leva même pour prendre ses clés, puis resta un moment debout devant la porte d'entrée. Finalement, il les remit au fond de sa poche. Il décrocha plutôt le combiné du téléphone pour composer un numéro à Montréal. Une voix un peu surprise, même agacée, grogna :

— Allô…

— Agathe, je m'excuse de téléphoner aussi tard, mais j'avais envie d'entendre ta voix.

Son interlocutrice répondit, cette fois tout à fait adoucie :

— Voilà qui me surprend. Tu ne m'as pas donné de nouvelles depuis mercredi de la semaine dernière.

— Excuse-moi. Ma vie est un peu compliquée, ces temps-ci.

— Pourtant, tu es en vacances depuis des semaines, et ce sera la même chose jusqu'en septembre.

Les fameuses grandes vacances de l'été des enseignants suscitaient fréquemment la jalousie des autres travailleurs. Toutes les allusions à ces semaines de relâche se chargeaient toujours d'ironie.

— Des histoires de famille…

Voilà que sa conversation avec Perpétue prenait une nouvelle importance. Jamais il n'aurait pu le mettre en mots, mais son désir de poursuivre cette aventure sans issue constituait une certaine revanche sur sa mère autoritaire. Il croyait l'obtenir en répétant le comportement paternel.

— Puis j'essaie de trouver un emploi dans la région de Montréal.

La nouvelle rendit aussitôt son interlocutrice mielleuse. C'était ouvrir toute une série de possibilités à leur relation.

— À quel endroit?

— Dans l'un des nouveaux collèges qui ouvriront en septembre.

«Je pourrais envoyer ma candidature à plus d'un établissement», pensa-t-il pour la première fois. Ce serait multiplier ses chances de succès… ou risquer d'encaisser plusieurs échecs. Cet aléa le retiendrait de le faire.

— D'ailleurs, je pensais aller déposer ma candidature en personne demain. Ça vaut sans doute mieux que de mettre une enveloppe à la poste.

Sa stratégie prenait forme au gré de la conversation.

— Si tu veux, nous pourrions nous voir? suggéra Agathe d'un ton caressant. Nous pourrions souper quelque part.

— Je ne sais pas trop…

Sa voix avait pris une tonalité taquine. La femme eut un rire énamouré.

— Toi, tu veux profiter de l'intimité de mon appartement. Rêves-tu de manger avec ton peignoir sur le dos?

— Ou même sans le peignoir.

En prononçant ces mots, il se sentit complètement ridicule. D'un autre côté, si Agathe s'insurgeait contre ses manières de mauvais séducteur, il n'aurait qu'à raccrocher le téléphone et ne jamais la revoir. Elle ne connaissait ni son numéro, ni son adresse.

Le petit rire excité à l'autre bout du fil lui fit comprendre qu'il n'avait aucunement blessé sa pudeur. La conversation se termina bientôt. Maurice eut au moins la décence de ne pas se rendre ensuite au café de la gare routière.

Dans un autre appartement de la ville de Montréal, une autre conversation se déroulait de façon plus formelle. Un peu après dix heures, le téléphone sonna dans la cuisine de Mary Tanguay. Elle quitta le salon en grommelant contre le sans-gêne qui dérangeait les gens à une heure aussi indécente.

Après un «Allô» un peu rugueux, elle demeura silencieuse un moment, puis répondit d'une voix infiniment plus amène:

— Bien sûr, monsieur, je vous la passe.

Ensuite, elle posa fermement sa paume sur l'émetteur du combiné pour dire à sa filleule:

— Un homme pour toi, avec une voix comme de la guimauve. La voix d'un curé, ou celle d'un vendeur de voitures. Et poli en plus. Ton amoureux?

Un peu embarrassée, Marie-Andrée quitta sa place à la petite table de la cuisine en remarquant:

— Je n'ai pas d'amoureux.

L'instant suivant, après s'être identifiée, elle entendit:

— Marie-Andrée, je m'excuse de te téléphoner si tard.

Il pouvait vraiment se montrer affable. Même si son interlocutrice l'avait déjà reconnu, il ajouta:

— Clément Marcoux. Je ne te dérange pas, j'espère.

La jeune fille fronça les sourcils en voyant sa marraine feindre de chercher quelque chose dans le frigidaire, un mauvais prétexte pour écouter son entretien.

— Je lisais le journal en prenant un souper léger.

L'envie lui vint de préciser qu'elle lisait *Le Devoir*. Cette feuille impressionnerait plus cet étudiant en science politique que le *Montréal Matin* ou *Le Journal de Montréal*.

— Je m'excuse encore de l'heure tardive, mais avec tes horaires, il me reste tôt le matin et tard le soir.

Elle reçut ces mots comme un reproche. Heureusement, le jeune homme choisit d'en venir au sujet de son appel.

— Voudrais-tu sortir avec moi demain soir?

Marie-Andrée se troubla bien un peu. Cette fois, il ne s'agissait pas d'une rencontre faite comme «en passant», mais d'une invitation délibérée venue d'un homme de sept ou huit ans son aîné.

— Avec plaisir, à condition que ce ne soit pas sur le terrain de l'exposition.

Un peu gênée de poser cette condition, elle se justifia:

— Tu comprends, je n'ai rien vu de Montréal encore.

— Nous irons voir un chanteur ou une chanteuse. Je te proposerai quelques idées demain.

Marie-Andrée le trouva très attentionné. Elle s'apprêtait à le lui dire quand il la prit de vitesse:

— Je ne te retiendrai pas plus longtemps. Puis-je passer te prendre vers sept heures?

— Ce sera parfait.

Lui donner son adresse et lui souhaiter bonne nuit prirent moins d'une minute, puis elle raccrocha.

— Comme ça, tu n'as pas d'amoureux? ironisa Mary Tanguay.

— Je suis trop jeune pour ça. J'ai des camarades avec qui je sors. Quand ce sera le temps, je viserai une relation sérieuse.

La jeune fille reprenait mot pour mot les conseils des courriéristes du cœur dans les journaux ou à la radio, et même ceux du docteur Gendron dans *L'adolescente veut savoir*. Sortir en groupe à la fois pour se connaître soi-même et pour découvrir le sexe opposé, puis choisir le bon candidat, et ne se montrer généreuse de son intimité qu'avec celui-là, et aucun autre. Plus personne n'insistait vraiment sur la chasteté avant le mariage.

— Bon, et que fait ce camarade dans la vie ? Il ne parle pas comme un gars rencontré dans une cour d'école.

La marraine avait pris un Coca-Cola dans le réfrigérateur, et elle restait debout au milieu de la pièce après l'avoir décapsulé. Marie-Andrée reprit sa place pour terminer son sandwich.

— Il étudie la science politique à l'Université de Montréal.

— J'ignorais que les députés prenaient des cours. À entendre certains, on dirait pas. Bon, bonne nuit, la petite.

— Bonne nuit, ma tante.

Marie-Andrée fut soulagée de la voir quitter la pièce aussi vite. Après, elle put parcourir *Le Devoir* jusqu'à la dernière page. Cette revue rapide de l'actualité lui permettrait d'avoir l'air moins sotte le lendemain. Du moins, elle l'espérait de tout cœur.

Dès le dimanche précédent, Maurice s'était assuré de la disponibilité de sa fille à midi. Il s'arrêta à la maison de la rue Saint-Hubert le temps d'embrasser sa belle-sœur et d'échanger des nouvelles. Si cette dernière ne répugnait pas à évoquer son prétendant, le cher Roméo, Maurice, de son côté, demeurait des plus discret sur sa vie privée.

Une fois dans la voiture, il demanda à Marie-Andrée :

— Et puis, comment vont les amours ?

Comme d'habitude en abordant le sujet avec son père, elle se troubla un peu.

— Je n'ai aucun roméo, contrairement à ma tante, seulement des amis.

Dorénavant, au lieu de s'emballer sur un quelconque conducteur de pédicab, la jeune fille entendait s'en tenir à cette façon de voir.

— Ces amis, tu les rencontres comment ?

— L'un m'a abordée sur le terrain de l'exposition dès le premier jour.

L'enseignant enviait ces jeunes garçons capables d'adresser la parole à une fille de leur âge sur un trottoir ou dans un lieu public. Lui n'y arrivait pas. Il s'imaginait rougissant et bégayant, passant pour un parfait imbécile devant l'élue de son cœur.

— Pour le second, tu te trouverais en terrain familier : il a invité la serveuse de son restaurant préféré à sortir.

Aussitôt, le souvenir de ses ébats avec Diane Lespérance dans la cuisine du café de la gare routière revint à Maurice. Diane penchée sur son sexe, la caresse avec la bouche. L'homme se tourna à demi pour regarder sa fille un bref instant. Non, jamais elle ne se mettrait dans une position semblable. Pas avec ce joli visage innocent, cette bouche si prompte à sourire ou à faire la moue.

— J'espère que tu ne feras pas de mauvaises rencontres.

« Surtout pas celle d'un homme comme moi, continua-t-il mentalement. Un homme capable de quitter une femme en lui disant à bientôt, pour se rendre le lendemain chez une autre, rencontrée grâce aux petites annonces. »

Il s'approchait de l'intersection des rues Marie-Anne et Saint-Denis. Il dénicherait certainement un petit restaurant pas trop cher dans cette dernière artère.

— De ton côté, les amours ?

Maintenant, les confidences allaient dans les deux directions. Sans doute chacun d'eux taisait-il les plus compromettantes.

— Je continue de voir Diane un jour sur deux. Parfois Antoine est avec nous, d'autres fois, non.

« Et dans le second cas, nous passons notre temps au lit », songea-t-il.

— En septembre, vous aurez du mal à vous voir aussi souvent.

— En réalité, ce sera impossible. Nous pourrons faire quelque chose ensemble une fois de temps en temps dans la semaine, après minuit.

Ce « quelque chose » le mit un peu mal à l'aise. Sa fille se doutait bien de ce dont il s'agissait.

— Le samedi et le dimanche, elle partagera son temps entre son fils et moi.

Maurice gara sa voiture rue Saint-Denis, tout près d'un café. Il ressassait ses derniers mots. Se trouvait-il en compétition avec un garçon de douze ans pour recevoir l'attention de la même femme ? Ce ne fut qu'après s'être assise à une table près de la fenêtre et avoir commandé une salade que Marie-Andrée revint sur le sujet.

— Voilà une situation intenable, commenta-t-elle du ton d'une femme familière de ces choses. Il faudrait que vos horaires de travail soient synchronisés.

— Dans ce domaine, je suis tout à fait impuissant.

Maurice semblait être en train de faire l'autopsie d'une relation dont la mort était annoncée. Sans vraiment en être consciente, son interlocutrice enfonça le dernier clou du cercueil.

— Je ne suis pas une experte de la restauration, mais la meilleure part du chiffre d'affaires se réalise en soirée. En conséquence, les emplois sont surtout le soir.

Certainement juste dans le cas du St-Hubert, l'affirmation ne l'était sans doute pas à propos du café de la gare routière, compte tenu du fait que les voyageurs se déplaçaient le plus souvent dans la journée. Cela ne signifiait toutefois pas que Diane pourrait changer son horaire.

Ils abandonnèrent le sujet pour faire porter plutôt la conversation sur les événements de l'été. Ils terminaient leur repas quand l'enseignant en vint à son dernier sujet de préoccupation.

— Ce matin, je me suis arrêté afin de déposer mon curriculum vitae au comité chargé de préparer la création du cégep de Longueuil.

Marie-Andrée ne réagit d'abord pas. Il lui fallut une bonne minute avant de donner tout son sens à l'information.

— Tu souhaites changer d'emploi ?

— Oui. Ça me donnerait le sentiment de repartir à neuf.

La jeune fille lui présenta un visage songeur. Cela signifiait quitter la petite maison de la rue Couillard, où elle avait tous ses souvenirs. Notamment ceux de ses années avec sa mère. L'envie de lancer un « non » larmoyant lui vint. Cependant, elle réalisait bien que cette demeure ne serait sans doute plus jamais la sienne. Au terme de quatre ans d'école normale, elle doutait même de la probabilité d'un retour à Saint-Hyacinthe.

— Je te souhaite bonne chance, alors, prononça-t-elle d'une voix chargée.

— Tu sais, je n'ai pas de grands espoirs de succès.

— Voyons, ne sois pas si pessimiste.

Sa fille aussi parcourait à l'occasion des articles sur la pensée positive. Comme si la réalité pouvait se plier aux états d'âme des gens.

— Les cégeps vont remplacer les dernières années du cours classique, avant l'entrée à l'université. Tu comprends, ce serait comme si je voulais enseigner au primaire avec juste une septième année. Car c'est tout ce que j'ai, un diplôme du cours classique. Le comité de sélection ne me trouvera sans doute pas assez scolarisé.

Pour Marie-Andrée, la confidence s'avérait un peu déconcertante. Ce père qui savait tout, d'autres le considéreraient peut-être comme trop ignorant. Devenir adulte, c'était ça aussi : redonner à ses parents leur stature véritable.

— Si ça marche, je ne remettrai pas en cause notre entente.

La jeune fille haussa les sourcils. Elle ne comprenait pas ce qu'il voulait dire.

— Même si je vais vivre dans la région de Montréal, sens-toi libre de demeurer chez ta marraine ou d'habiter avec moi.

Marie-Andrée ne réalisa qu'à ce moment que les projets de son père pouvaient changer profondément sa propre existence.

— Je veux être très clair, insista-t-il : la décision t'appartiendra totalement.

Elle hocha la tête de haut en bas, murmura un « merci » reconnaissant. Il tenait vraiment à la laisser faire ses choix, en lui assurant qu'il les accueillerait favorablement.

Peu après, tous les deux se disaient au revoir sur le trottoir.

— Tu es certaine de ne pas vouloir que je te reconduise rue Saint-Hubert ?

— Non, je vais faire le tour des commerces des environs. Quand il s'agit de courir les magasins sans jamais rien acheter, je deviens une championne.

— Voilà une compétence qui te rendra riche.

En remontant dans la Volkswagen, Maurice se réjouit que sa fille ne s'informe pas de ses projets pour le reste de la journée. Lui mentir ne lui plaisait pas, lui confier ses turpitudes lui paraissait impossible. Autrement, comment garder son respect ?

Pour une fois, Marie-Andrée se réjouissait de la présence d'un touriste américain dans la maison. Ainsi, sa marraine ne pouvait pas la soumettre à un interrogatoire en règle sur son cavalier de la soirée. Mary semblait heureuse de se mêler des affaires de sa filleule, à une époque où sa propre fille prenait de plus en plus ses distances.

Comme Clément frappa à la porte très précisément à sept heures, la jeune fille devina qu'il devait avoir stationné son véhicule devant la maison pour attendre le bon moment. Quand elle arriva à la porte d'entrée, sa tante se tenait tout près dans le couloir. Un peu intimidée, Marie-Andrée ouvrit. Le garçon portait son éternel veston sur une chemise bleue à carreaux et un jeans. Ses petites lunettes noires lui donnaient l'air d'un intellectuel.

— Bonsoir, Marie-Andrée.

Elle lui retourna la salutation, haussa les sourcils comme pour s'excuser et se tourna à demi pour dire :

— Je te présente ma marraine.

Puis, à l'intention de celle-ci :

— Clément Marcoux.

Les mots agirent sur sa tante comme le coup de pistolet à l'intention d'un coureur. Elle s'avança promptement, la main tendue.

— Enchanté de vous connaître, madame.

— Moi aussi. Comme ça, vous étudiez à l'université. La politique, en plus.

À ce moment, la jeune fille sentit une rougeur monter à ses joues.

— Oui, c'est vrai.

— Vous ferez quoi, avec ça ?

— J'espère devenir professeur.

— Vous aussi. Faut croire que ça court, ces temps-ci, d'abord chez mon beau-frère, puis avec sa fille. Bon, alors bonsoir, et ne rentrez pas trop tard.

La ménagère fit mine de les laisser seuls, mais elle se retourna pour ajouter, un peu railleuse :

— C'est qu'la p'tite travaille demain.

— Alors, je serai raisonnable, madame.

Cette fois, elle disparut dans la cuisine en riant de bon cœur.

Après avoir quitté sa fille, il restait à Maurice quatre bonnes heures à tuer. Ses moyens ne lui permettaient pas de courir les magasins. Même avec la ferme résolution de résister à la tentation, on finissait toujours par acheter quelque chose.

Après avoir lu un hebdomadaire debout dans un petit kiosque de journaux, il décida de se rendre à Place Versailles. Un film de James Bond se trouvait toujours à l'affiche. En plein après-midi, dans une salle aux trois quarts vide, à lui seul il augmentait la moyenne d'âge des spectateurs de deux ou trois ans. La clientèle se composait d'adolescents trop jeunes – ou trop paresseux – pour occuper un emploi.

On ne vit que deux fois ne l'impressionna guère pour ses qualités artistiques, mais la promesse d'un bon divertissement était remplie. Ensuite, il eut le temps de parcourir le centre d'achats, et même de s'asseoir un moment dans le petit restaurant, le temps de se remémorer l'entretien qu'il y avait eu, son premier, avec une cliente de l'agence de rencontres du journal *Nos Vedettes*. Il appréciait le fait d'avoir beaucoup gagné en assurance depuis. La suite de son programme l'illustrait de manière éloquente.

À six heures moins le quart, le professeur reprit son automobile. Le trajet vers la rue de Marseille ne durerait que quelques minutes. La densité de la circulation ne lui permit pas d'apprécier le quartier. Au moment convenu, il appuya sur le bouton de l'interphone. La réponse vint tout de suite : «Je t'ouvre.» Évidemment, elle n'attendait personne d'autre.

Quand elle ouvrit la porte pour le laisser entrer, Maurice fut surpris par sa tenue : un short de ratine très serré lui découpait le sexe, un t-shirt léger laissait voir les mamelons. L'ensemble était plus vulgaire que la nudité. «Voilà qui ne laisse pas de mystère sur notre relation, songea-t-il.» Déjà, lors de sa visite précédente, l'homme s'était demandé s'il ne conviendrait pas de laisser de l'argent sur la commode, pour les services rendus.

Le tout gardait un côté profondément sordide.

— Tu ne m'en voudras pas de m'être mise à l'aise au retour du travail. Avec cette chaleur humide, je suis revenue en nage.

Elle avait donc remarqué ses sourcils froncés quand il était entré et jugeait utile de se justifier.

— Pourquoi t'en vouloir ? Moi, j'ai profité de l'air climatisé d'un cinéma une partie de l'après-midi.

— Quand j'entends ça, je regrette de ne pas être devenue maîtresse d'école !

Le baiser entre eux avait un caractère étrange, n'exprimant ni amitié ni amour. Tout au plus une certaine complicité.

— Une salade te conviendra, j'espère.

Il acquiesça, même si ce serait sa seconde de la journée. À sa troisième visite, déjà il avait sa place habituelle à table.

Agathe vint déposer l'assiette devant lui, en se tenant tout près, sa hanche contre son épaule. Il la caressa du mollet jusqu'à la cuisse, à l'intérieur, assez haut pour que son pouce touche le sexe à la fin du parcours. Jamais il ne se serait permis ce geste avec sa femme.

— On voit bien que tu n'es pas venu ici pour faire tes dévotions.

La remarque le rendit un peu morose. La vie ne lui réservait-elle plus rien qui soit convenable ?

Chapitre 16

Rue Saint-Hubert, le couple monta dans la petite Austin. Quand le jeune homme démarra sa voiture, Marie-Andrée déclara, un peu gênée :

— Ma tante a un côté un peu envahissant, mais je l'aime beaucoup.

— Elle n'est pas plus envahissante que maman avec ma petite sœur. Je suppose que ta mère lui a demandé de surveiller tes sorties.

— Elle l'aurait certainement fait si elle n'était pas morte dans un accident... En conséquence, c'est mon père qui lui a donné cette directive.

La main de Clément vint se poser sur son bras pour exercer une pression.

— Je suis désolé.

Pour la première fois, il la touchait de façon tout à fait spontanée, sans afficher de malaise.

— Merci, mais c'est arrivé il y a quelques années déjà.

— Tout de même...

Sa sympathie lui fit chaud au cœur. En s'engageant dans la rue, il poursuivit :

— Nous pourrions aller dans une boîte à chansons comme la Butte à Mathieu, ou la Boîte à Clémence. Mais ce soir, il y a du jazz au Café Campus. Ça te tente ?

Elle n'osa pas lui dire qu'elle ne connaissait rien au jazz, à part quelques informations qu'elle avait entendues à la télé sans y prêter la moindre attention.

— J'aimerais bien, mais je dois te faire une confidence : je n'ai pas encore vingt et un ans.

La confession la rendit un peu honteuse. Qu'on puisse lui interdire d'entrer dans un bar lui donnait l'impression d'être toujours une petite fille. D'ailleurs, son compagnon se montra tout à coup plus hésitant.

— Tu risques de te faire demander ta carte.

— Je suis allée à la brasserie de l'Expo sans problème, puis au Jardin des étoiles.

Clément hocha la tête, néanmoins soucieux. Marie-Andrée craignait maintenant qu'il fasse demi-tour pour la reconduire chez sa tante.

— Les policiers n'ont pas la réputation de se montrer très attentifs à Terre des Hommes, déclara-t-il enfin. Bon, si on te refuse l'entrée, nous trouverons bien quelque chose à faire dans le coin de l'université. Cependant, s'il y a une descente, tu seras emmenée au poste. Dans ce cas, ton père devra intervenir pour te faire sortir. Prête à courir ce risque ?

Elle imagina la scène. Son père ne la gronderait pas, cependant il lui lancerait un regard contenant ces mots : « Tu me déçois. » Mais son désir de vivre comme une adulte fut le plus fort. Malgré tout, sa réponse fut indirecte.

— Nous pouvons toujours espérer qu'ils ne font pas de descente le mercredi soir. La récolte est sûrement meilleure le vendredi et le samedi.

— Dans ce cas, allons-y.

Après ce rappel de son statut d'adolescente, Marie-Andrée ne reprit pas la parole avant que l'automobile ne parvienne au coin de l'avenue Decelles et du chemin Queen-Mary.

Le Café Campus venait tout juste d'ouvrir ses portes. Les journaux le présentaient comme une institution unique en Amérique du Nord. Le propriétaire était l'Association générale des étudiants de l'Université de Montréal. Clément Marcoux expliqua tout cela à Marie-Andrée en se dirigeant vers l'entrée. Un colosse s'occupait de faire le tri parmi la clientèle.

— Bonsoir, Georges, fit le jeune homme.

Le portier répondit d'un salut de la tête. Il ne connaissait pas les étudiants individuellement, ils étaient des centaines à défiler toutes les semaines. Après la rentrée scolaire de septembre, l'endroit ne désemplirait pas du matin jusqu'à la fermeture, tard dans la nuit, car on y servait aussi le petit déjeuner.

La jeune fille sentit le regard du vigile sur elle. La crainte de le voir lui demander son âge lui donnait un visage maussade, la vieillissant d'une année ou deux, alors qu'au contraire son sourire la rajeunissait. Cela la laissait encore loin du compte. Elle se serait sentie moins inquiète si on lui avait dit que les jambes révélées par sa minirobe compensaient au moins partiellement son air juvénile.

Dans le café, quelques dizaines de tables attendaient les clients. À cette heure, la grande salle était à peu près vide, tout au plus trente personnes buvaient une bière, la plupart esseulées.

— C'est toujours aussi tranquille ?

— Nous sommes mercredi soir, je te rappelle.

Un bref instant, elle eut envie de s'excuser de n'avoir que ce jour de congé.

— Puis il est encore tôt. Cela nous donne la chance de choisir notre place. J'aime bien voir la scène.

Clément marcha vers une table pour quatre, lui désigna une chaise et prit le siège voisin au lieu de se mettre en face d'elle. Ils seraient ainsi à angle droit. La conversation n'en serait pas plus difficile, et chacun aurait une vue imprenable sur la scène. Quand le serveur se présenta, Marie-Andrée eut envie de commander une boisson gazeuse, mais cela aurait accentué son côté petite fille.

— Un verre de bière.

— Tu veux dire une *draught*.

Elle fit oui de la tête, un peu vexée par ce tutoiement spontané. On ne s'adressait pas aux adultes de cette façon. Par exemple, Clément Marcoux eut droit à un « vous » bien articulé. Il opta pour une O'Keefe.

— Tout à l'heure, ta marraine parlait de la profusion de professeurs dans ta famille… Que voulait-elle dire ?

— Je m'en vais à l'école normale et mon père enseigne au secondaire.

La confidence l'autorisait à satisfaire à son tour sa curiosité.

— De ton côté, peux-tu me dire ce que fait ton père ?

— Médecin. Il a son cabinet et travaille à l'hôpital Notre-Dame. Tu connais ?

— Heureusement, non. Je ne tiens pas à devenir familière des hôpitaux.

— Je comprends, après ce qui est arrivé à ta mère.

La sympathie toujours présente dans la voix la toucha. Elle conclut qu'il était attentionné.

— Non, ce n'est pas ça. Ma mère a été tuée par un chauffard. Je suis capable de me tenir loin des hôpitaux sans raison spécifique.

« Fils de médecin, pensa-t-elle. Voilà qui explique pourquoi il ne travaille pas cet été. » La grande maison du docteur Marois, dans la rue Couillard, lui revenait en mémoire.

La décoration lui semblait un peu ridicule, avec un tapis, des tentures et un ensemble de salon « or des prairies », mais là-bas, tout témoignait de la générosité des honoraires d'un médecin, pas du traitement d'un enseignant. Il s'agissait sans doute d'un bon parti. « Mais je ne suis pas à l'âge où l'on se questionne sur les partis, bons ou mauvais », se corrigea-t-elle.

— Ma mère ne travaille pas, continua le garçon.

Pour qu'il le précise, cela signifiait que dans son milieu, les mères au travail n'étaient pas si rares. Cela aussi démontrait à la jeune fille qu'il n'appartenait pas à un monde semblable au sien.

— Tu as mentionné l'existence d'une sœur.

— Manon. Elle fait son cours classique à Regina Assumpta.

De nouveau, le diplôme espéré marquait la différence de leurs statuts. Elle se promit de faire encore plus attention à sa façon de s'exprimer. L'arrivée d'un garçon aux cheveux vraiment trop longs – bien des filles les portaient plus courts que lui – la détourna de ses pensées moroses. Surtout, l'inconnu s'entêtait à se faire pousser une barbe, malgré une pilosité nettement insuffisante.

— Hé ! Marcoux, tu es venu écouter du jazz ?

— Un mercredi soir, ça ne peut pas être du yé-yé.

Juste à l'intonation méprisante sur ce dernier mot, Marie-Andrée résolut de ne pas parler en bien des Bel Canto ou de Sheila devant lui. Pour ces universitaires, la bonne musique, c'étaient au pire les chansonniers, mais aussi le jazz. Les plus raffinés, ou prétentieux, devaient afficher un amour fou du classique.

Le cours de ses pensées s'arrêta. Le garçon restait planté devant elle, les yeux non pas sur son visage, mais plus bas. Elle assise, lui debout : le point de vue en valait certainement la peine. Instinctivement, elle tira sur l'ourlet de sa robe, remonté un peu trop haut sur ses cuisses. Au moins une personne dans la salle connaissait maintenant la couleur de sa culotte.

— Garceau, je te présente Marie-Andrée. Marie-Andrée, voilà Alain Garceau.

La jeune fille se contenta d'un signe de la tête, l'autre grommela un bonsoir. Ses cheveux flottaient sur ses épaules, pas très propres. La barbe avait au moins l'avantage de dissimuler en partie les traces d'acné qui marquaient son visage. Enfin, comme la conversation ne levait pas, il s'éloigna.

— Un ami à toi ?

— Tiens, tiens ! Tu manies l'ironie.

Après une pause, Clément précisa :

— Un gars que je croise à l'université.

« Voilà sans doute ce que j'ai vu de plus proche d'un hippie », pensa-t-elle encore. Il ressemblait aux participants du festival de Monterey présentés aux informations, ou à ceux qui se réunissaient dans un parc de San Francisco dont le nom lui échappait. Cette impression fut renforcée quand cet inconnu, arrivé près de la sortie, la salua en lui montrant deux doigts écartés. Le « V » de la victoire, lors de la dernière guerre, avait été recyclé en symbole du *peace and love*.

Plus tard, ce fut un couple qui s'approcha. Cette fois, Clément fit les présentations en bonne et due forme. Le garçon s'appelait Pierre Brousseau, la fille Louise Niquet. Après les poignées de main et les bises, il demanda :

— Voulez-vous vous asseoir avec nous ?

Les nouveaux venus se consultèrent du regard, puis acceptèrent. Le serveur vint prendre leur commande.

Marie-Andrée n'avait pas encore touché son verre. La sortir ne coûtait jamais bien cher à ses cavaliers. Pas tant à cause de son désir de les faire économiser; elle se souciait plutôt de garder toute sa tête.

— Seras-tu là pour la visite de De Gaulle? demanda Pierre Brousseau à Clément.

— Ce sera l'une des plus belles manifestations de l'été. Je ne la raterai certainement pas.

— Et toi?

Marie-Andrée fut tellement prise au dépourvu par la question que son compagnon crut utile d'intervenir:

— Cela dépendra de son patron à l'Expo. Nous nous sommes connus lors de la manif du 1er juillet.

Cela paraissait mieux qu'une première rencontre au St-Hubert, de part et d'autre du comptoir. Qu'il réponde à sa place faisait terriblement condescendant. La jeune fille tint à mettre les choses au clair:

— Je travaille dans un restaurant. À cause de l'affluence cette année, les employeurs ne se montrent pas toujours conciliants.

La question de son statut préoccupait visiblement ces jeunes gens.

— Tu es toujours aux études? demanda Louise Niquet.

— À l'école normale, en septembre.

Louise hocha la tête. Marie-Andrée sentait qu'elle la regardait de haut. Elle n'arrivait pas à se considérer comme partie prenante de leur univers. Trop jeune, trop ignorante, trop pauvre peut-être. Elle se découvrait des complexes à cause de sa condition.

— Et toi, tu te trouves aux études?

— Je commencerai ma dernière année de science politique en septembre, répondit Louise.

Cela lui donnait vingt-deux ou vingt-trois ans.

— Pierre terminera ses études de droit cette année, enchaîna-t-elle. Mais sa vraie passion, c'est la politique.

Marie-Andrée hocha la tête, songeuse. Louise étudiait dans le même département que Clément. N'était-ce pas avec elle qu'il aurait dû se trouver ce soir, et non avec une gamine tout juste sortie de sa classe de Versification ?

À ce moment, comme pour lui donner raison, Louise Niquet se joignit à la conversation des deux hommes. Ceux-ci discutaient du retour de Marcel Chaput au sein du RIN. Pendant de longues minutes, Marie-Andrée ne participa aux échanges que par des monosyllabes.

L'heure du spectacle arriva enfin. Le *quartet* de Pierre Leduc se produisait ce soir-là. À la grande surprise de l'adolescente, le jeu du petit groupe musical lui plut beaucoup. Si cette sortie n'avait pas de suite, au moins, à l'avenir, quand le mot «jazz» viendrait à la radio, elle tendrait une oreille attentive.

Si l'excitation un peu fébrile des premières fois s'émoussait, le passage dans la chambre à coucher demeurait extrêmement agréable. Un peu passé dix heures, Agathe Dubois offrait un café à Maurice avant qu'il ne reprenne la route. Assis sur le canapé du salon, il la regardait en train de remplir les tasses près du comptoir de la cuisine. Elle ne portait qu'un peignoir de satin mal fermé, révélant une poitrine un peu trop lourde.

— Comme ça, tu es venu en ville pour dîner avec ta fille, remarqua-t-elle en venant le rejoindre.

— La pauvre n'a que cette journée de libre dans la semaine.

La bonne réponse aurait été: «Pour te voir aussi, évidemment.» Celle qu'il lui avait offerte suscita un froncement de sourcil et un sourire crispé. Le changement d'humeur de sa maîtresse l'amena soudain à lui faire miroiter un avenir commun.

— Avec un peu de chance, j'occuperai un emploi à Longueuil l'an prochain.

Pourquoi disait-il cela ? Il n'y aurait jamais rien d'autre que ce genre de rencontre entre eux. Pourtant, le sujet les retint quelques minutes. Alors que Maurice s'apprêtait à quitter les lieux, son regard se porta sur un journal posé sur la table basse au milieu du petit salon. Parce qu'il la parcourait avec régularité, il reconnut sans mal la page des annonces de l'agence de rencontres de *Nos Vedettes*.

— Tu regardes encore ça ?

L'observation lui valut un regard chargé de colère.

— Si tu m'as déjà proposé de donner un caractère... disons régulier à nos rapports, je ne t'ai pas entendu. Je ne parle même pas de mariage. Réalises-tu que nous ne sommes même pas allés simplement marcher dehors une seule fois ?

Ainsi, le périodique avait été posé là dans l'intention de provoquer cette discussion. S'il ne l'avait pas remarqué, cette femme aurait trouvé un moyen d'aborder le sujet autrement, avec une question comme : « Qu'attends-tu de notre relation ? » Maurice demeura silencieux, les yeux baissés afin d'éviter son regard. Il n'avait aucune envie de se promener dans un parc en la tenant par le bras, encore moins de la sortir au restaurant.

Elle n'eut d'autre choix que de se faire explicite :

— T'es un prof, un gars instruit, t'as certainement pensé à ça. Que cherches-tu ?

— Je pensais que nous profitions tous les deux de cette situation.

Autrement dit : « Nous retirons le même nombre d'orgasmes lors de nos rencontres. Même pas. Je crois que tu en as eu un de plus. »

— Non, en réalité, je n'y ai pas pensé, se reprit-il. J'ai essayé de profiter du moment présent.

Voilà qu'il se réclamait de l'amour libre ! La colère de son interlocutrice baissa d'un cran. Elle faisait la même chose, saisissant les occasions au vol. Toutefois, elle espérait rencontrer quelqu'un qui soit désireux de s'engager.

— Bon, je ferais mieux de me mettre en route, maintenant.

Agathe ne tenta pas de le retenir, ni de poursuivre une discussion qui deviendrait de plus en plus acerbe. Devant la porte, ils échangèrent un baiser très bref, puis un souhait de bonne nuit.

Dans sa voiture, Maurice dut convenir de l'étrangeté de la situation. Depuis trois semaines, il venait baiser dans un appartement de la rue de Marseille, et dès le lendemain, il donnait rendez-vous à Diane Lespérance, sans aucun état d'âme.

Mary Tanguay serait satisfaite, le spectacle se termina un peu après dix heures trente. En mettant fin à la nécessité de tenir une conversation, les musiciens avaient permis à Marie-Andrée de retrouver sa contenance. Lorsqu'ils sortirent de scène, les discussions s'étirèrent quelques minutes et son malaise revint.

La manifestation prévue dans le cadre de la visite du général de Gaulle fut de nouveau évoquée. Puis Louise dit, au moment de lui faire la bise :

— Alors, à la prochaine, Marie-Andrée.

L'initiative la prit au dépourvu, aucune réponse ne lui vint sauf un au revoir prononcé à voix basse. Sa timidité monta d'un cran quand Pierre Brousseau fit la même chose.

Bientôt, son compagnon et elle retournèrent vers la petite Austin. Clément prit doucement son bras, un peu au-dessus du coude. Il la touchait de cette façon pour la première fois. Le geste la rasséréna, après une soirée à se demander : « Qu'est-ce que je fais là ? » tellement ces universitaires lui semblaient des étrangers.

Dans la voiture, Clément expliqua :

— Je ne savais pas que je les retrouverais ici, mais je ne pouvais pas les ignorer.

— Comme nous nous trouvions dans un café étudiant, c'est normal que tu y rencontres des amis.

— Mais tu semblais si mal à l'aise, j'en suis venu à regretter de t'avoir emmenée là.

Qu'il réalise son embarras et s'en inquiète le lui rendit plus aimable.

— J'ai beaucoup aimé la musique. Quant à ma timidité, je devrai essayer de la surmonter. Ce couple s'est montré charmant.

Sa candeur ne la conduisit pas jusqu'à parler des raisons de son malaise. La seule option aurait été de chercher la compagnie de jeunes de son âge, de sa condition. D'un nouveau Jeannot Léveillé, en quelque sorte. Tous les jours, l'un ou l'autre des employés de la cuisine du restaurant lui démontrait son intérêt.

D'un autre côté, ces étudiants universitaires lui paraissaient tellement plus intéressants !

Le trajet jusqu'à la maison de la rue Saint-Hubert dura moins d'une demi-heure. Clément trouva un espace tout près de la maison de Mary Tanguay. Après s'être immobilisé, il se tourna vers elle.

— Je te remercie de m'avoir accompagné.

— Ce fut très agréable. Finalement, j'ai aimé cette musique.

En réalité, son appréciation de la soirée avait été plus mitigée, mais la faute n'en revenait pas à son compagnon. Il y eut une pause, si longue qu'elle songea : « Lui, c'est seul avec moi qu'il se sent mal à l'aise. » Enfin, il formula :

— J'espère que nous pourrons recommencer.

— J'aimerais bien.

La conversation devenait circulaire, aucun ne sachant vraiment comment se dire au revoir. Pendant une seconde, Marie-Andrée eut la certitude qu'il allait l'embrasser. À la place, il prit la poignée de la portière en disant :

— Je t'accompagne jusqu'au palier.

Descendre, faire le tour du véhicule pour lui ouvrir la portière, marcher avec elle jusque sur le perron s'avérait une belle démonstration de savoir-vivre. C'était aussi la manière, pour un garçon aussi incertain, de retarder le moment où il devrait se décider.

Cette fois, il se pencha pour poser ses lèvres sur les siennes, laissant le contact se prolonger juste assez pour marquer une différence avec les bises entre amis.

— Bonsoir, murmura-t-il. Je te téléphonerai bientôt. J'espère juste ne pas indisposer ta marraine.

— Elle t'a trouvé très poli, l'autre soir au téléphone.

Il l'embrassa de nouveau en vitesse, répéta son souhait et regagna sa voiture. Un peu émue, elle attendit jusqu'à son départ avant d'entrer dans la maison.

Son premier arrêt fut à la salle de bain. Puis, quand elle en sortit pour apparaître dans l'entrée du salon, sa marraine commenta, moqueuse :

— Quel garçon fiable, ton étudiant ! Te voilà à la maison à l'heure dite, pour que tu sois toute fraîche demain au travail. En plus, il ne s'est attardé ni dans l'auto ni sur le perron.

« Tout de même, elle n'a pas passé la soirée le nez collé à une fenêtre pour m'attendre ! » se dit Marie-Andrée.

— À part son jeans, voilà le gendre idéal pour toutes les mères. Quelle idée de porter ça avec un veston ! reprit sa tante.

— Les étudiants ont l'air d'aimer ça, au point que ça ressemblait à leur uniforme au Café Campus. Mais je te trouve un peu trop pressée, à parler de mariage après notre premier vrai rendez-vous.

— Ah ! Il y en a donc eu un qui n'était pas vrai…

Comme le commentaire vint avec un clin d'œil, la jeune fille ne s'en formalisa pas trop.

— Tu me le rappelais tout à l'heure, je travaille demain. Alors, je vais me coucher.

Tout en regagnant sa chambre, Marie-Andrée se fit la remarque qu'avec une mère pareille, Nicole avait dû se sentir étroitement surveillée. Cela ne semblait pas l'avoir traumatisée outre mesure.

Même pour des yeux aussi attentifs que ceux de Mary Tanguay, l'horaire de travail de Nicole paraissait bien mystérieux. Certains jours, elle demeurait absente pendant douze, ou même quatorze heures. Aucune hôtesse ne travaillait autant. La brunette ne s'astreignait pas à une tâche aussi démesurée.

— Je me demande pourquoi il leur faut si longtemps, dit-elle en pénétrant dans la chambre un peu avant minuit. Écrire une lettre, ce n'est pas si long, surtout quand un seul mot suffit. C'est oui ou c'est non.

Si Marie-Andrée s'était d'abord questionnée sur le sujet de la récrimination, les derniers mots le lui précisèrent : la réponse du club Playboy.

— Nous sommes allées passer l'entrevue vendredi dernier. Il faut compter deux jours pour acheminer une lettre.

— Justement, nous sommes jeudi.

Nicole semblait croire que Keith Hefner avait consacré sa soirée de vendredi à identifier les heureuses élues. La jolie jeune femme avait évoqué l'idée de contacter l'entrepreneur pour mousser sa candidature. Pour l'avoir déjà vu au cinéma et à la télévision, Marie-Andrée savait bien que des patrons s'attendaient à ce que des candidates paient de leur personne. Elle n'osait imaginer que sa cousine se prête à cela.

Toutefois, jamais elle ne lui poserait la question.

— La sélection devait s'allonger sur trois jours, jusqu'à dimanche.

Dès les premiers mots de la conversation, l'hôtesse s'était déjà débarrassée de la jupe de son uniforme, et elle s'attaquait maintenant au chemisier. Son regard sévère convainquit la jeune fille d'abandonner ce sujet pour se replonger dans son roman de Guy des Cars. Nicole vint bientôt s'étendre, vêtue d'un *baby-doll* plus transparent que les autres. Ce genre de tenue convenait pour exciter un jeune marié. Marie-Andrée ne se formalisait plus de cet accoutrement trop suggestif, sans toutefois désirer porter la même chose.

— Excuse-moi, je ne suis pas très patiente, murmura bientôt Nicole.

— J'ai cru le remarquer.

De nouveau, la jeune fille referma son roman sur son index afin de garder sa page, un signe qu'elle acceptait de converser un peu. Sa soirée lui tournait toujours dans la tête. Sa cousine ne lui permettrait pas de l'oublier.

— Puis, ce garçon ?

Comme elle demeurait silencieuse, sa compagne insista :

— Tu peux au moins me dire ce que tu penses de lui.

— Si je pouvais me faire une idée nette, je la partagerais. Là, je ne sais pas trop. C'est un gentil garçon…

« Décidément, j'en fais la collection », songea la jeune fille. Jeannot Léveillé était en passe de devenir l'archétype de ses prétendants.

— En même temps, il me paraît si réservé. Tout à l'heure, il m'a embrassée pour la première fois, un peu à la sauvette.

Clément ne s'était pas montré si distant, mais comparé à la gourmandise de Robert Duquet, elle le trouvait un peu empoté.

— Quand tu dis réservé, cela signifie le genre de gars qui ne bouscule pas une fille timide ? Parfois, deux timides ensemble, ça donne des chiens de faïence.

Elle voulait dire de petites statuettes ne pouvant faire autre chose que se regarder dans les yeux.

— Je ne peux pas jouer le rôle du garçon, quand même.

Prendre l'initiative, ce serait risquer de passer pour une salope. Et même quand le partenaire se montrait entreprenant, les convenances exigeaient de résister un peu. Le désir se conjuguait au masculin, même pendant l'été de l'amour.

— Je comprends bien, approuva sa cousine. Mais tu peux faire en sorte qu'il sente que l'envie est réciproque.

Pour Nicole, cela voulait dire les décolletés révélateurs, les minauderies, la langue passant sur les lèvres pour les humecter, la main venant jouer dans les cheveux. La brunette s'interrompit un instant, puis continua :

— Mais bien sûr, même dans ces situations, si lui n'en a pas envie… Des fois, tu peux tomber sur un gars qui ne s'intéresse pas aux filles.

Marie-Andrée ne réalisa pas tout de suite que Nicole faisait allusion aux homosexuels. On n'abordait le sujet qu'à voix basse, la plupart du temps sur un ton dégoûté. Ses connaissances à ce sujet se limitaient aux quelques pages du docteur Lionel Gendron. L'idée que Clément Marcoux puisse compter parmi ces gens la mettait mal à l'aise.

— Je ne pense pas… Devant moi, il semble bien appré-cier… mes charmes, mais sans quitter sa réserve.

— Même si je n'en trouve pas souvent sur mon chemin, je sais bien que des hommes sont pognés. Ça doit dépendre de leur éducation. Ils trouvent le sexe péché, sale, ou alors ils sont terrorisés à l'idée de se faire repousser.

Dans une certaine mesure, Clément rappelait son père à Marie-Andrée : un garçon trop sérieux, grave. Lui aussi devait vivre le même malaise. Que des hommes de ce genre s'intéressent à une femme réservée, timide, soucieuse de ne blesser personne, l'adolescente le comprenait très bien : elle n'avait rien de menaçant.

— S'il joue les petits garçons timides avec toi, se montre-t-il passionné par quelque chose ? demanda Nicole.

— La politique.

La réponse était venue spontanément, sans la moindre hésitation. Elle continua :

— L'an dernier, il s'est même présenté pour le RIN.

— Donc il a de l'argent ?

Marie-Andrée se tourna à demi pour regarder sa cousine, incapable de faire le lien entre la richesse et cet engagement.

— Son père est médecin. Ça lui permet d'avoir sa propre voiture et de passer l'été à ne rien faire.

— Tous les candidats du RIN ont dû perdre leur dépôt.

Pour éviter des candidatures loufoques, chaque candidat à une élection devait déposer un montant d'argent. Ceux qui récoltaient un minimum de votes le récupéraient. Les autres devaient y renoncer.

— Il te plaît, ce type ?

À cause de la chaleur, le drap avait été repoussé au pied du lit. Dans leur tenue très légère, elles auraient fait sortir de sa réserve l'homme le plus pusillanime.

— Il s'intéresse à des choses sérieuses, pas juste au dernier disque des Beatles et au côté sexy des cols mao.

— Pour beaucoup de filles, un gars qui ne s'intéresse pas à ça fait réellement vieux jeu.

— Alors, je suppose que je ne suis pas dans le vent, moi non plus.

Pourtant, Marie-Andrée s'amusait bien dans les salles de danse, et dans sa chambre, la musique yé-yé avait accompagné toutes ses soirées au cours de l'année précédente. Les hommes plus âgés lui semblaient toutefois plus solides, tellement instruits, engagés dans des choses sérieuses. Ou, tout simplement, plus virils.

— Je te souhaite de rêver de lui. Maintenant, si tu veux éteindre la lumière…

L'adolescente ne rêva pas de Clément. Toutefois, avant qu'elle s'endorme, il occupa longuement ses pensées.

Chapitre 17

Quand les cousines se levèrent le lendemain, elles se rendirent dans la cuisine échevelées, enroulées dans des peignoirs. Mary Tanguay remarqua, moqueuse :

— Deux vraies gamines. Qu'aviez-vous de si important à vous dire au milieu de la nuit ?

La ménagère exagérait un peu, elles avaient éteint la lumière peu après minuit.

— Nous discutions du cavalier de Marie-Andrée.

— Ah ! Ça, c'est poli, ce garçon. Un peu curieusement habillé, mais poli.

Ces caractéristiques lui avaient fait une forte impression. Ou alors elle aimait vraiment taquiner sa filleule.

— Tout le monde était habillé comme lui hier, au Café Campus, répéta la jeune fille pour le défendre.

— Si les autres se jettent à l'eau, va-t-il faire pareil ?

Le clin d'œil appuyé de sa marraine l'empêcha de se renfrogner de son insistance. Mary reprit son sérieux pour dire :

— Vous avez reçu chacune une lettre, ce matin. Une lettre avec une tête de lapin.

Des yeux, elle désigna le comptoir de la cuisine. Les enveloppes étaient posées près du grille-pain. Nicole s'empara de la sienne et tendit l'autre à sa cousine. Nerveusement, elle déchira le rabat avec son pouce, déplia la feuille de papier.

— Christ, je l'ai eu! cria la brunette.

— Hey! Je ne t'ai pas élevée comme ça.

Mary Tanguay ne tolérait pas jes jurons dans sa maison.

— Excuse-moi, maman, mais ils m'ont prise! Tu te rends compte? Je vais faire dix mille piastres par année.

— Ouais, ça, on s'en reparlera. Moi, le père Noël, j'y crois pas.

La ménagère demeurait sceptique. Qu'une fille se fasse mettre une petite queue de lapin sur les fesses ne faisait pas pleuvoir l'argent. Elle soupçonnait un côté plus malpropre à cet emploi. Près de la table, Marie-Andrée avait aussi pris connaissance de sa missive. Maintenant, elle repliait le feuillet pour le remettre dans l'enveloppe.

— Et toi? demanda Nicole.

— J'ai été moins chanceuse.

— Ces gars-là n'ont pas de goût, intervint Mary. T'es belle comme un cœur, une parfaite jeune fille.

Sa cousine offrit aussi une explication susceptible de préserver son estime de soi.

— Tu parais si jeune. Tu pourrais essayer dans un an ou deux. De toute façon, tu n'as pas vingt et un ans.

Bien sûr, il s'agissait de l'explication la plus plausible à la situation. Marie-Andrée mit la lettre dans la poche de son peignoir tout en demandant:

— Puis-je aller prendre ma douche sans priver personne de la salle de bain?

— Vas-y, ma pensionnaire d'aujourd'hui n'arrivera pas avant midi, précisa Mary.

— Moi, je déjeune.

La brunette relisait la missive de la société Playboy. Elle en aurait pour la journée à recommencer toutes les heures.

Dans la salle de bain, Marie-Andrée se tenait toute nue devant le miroir placé au-dessus du lavabo. Vraiment, elle ne se trouvait pas vilaine, même plutôt jolie avec ses petits seins pointant vers le haut et son ventre absolument plat. Avant de s'asseoir sur la cuvette, elle récupéra l'enveloppe dans sa poche pour la lire encore :

We offer you a position…

Pas une job, mais une position d'hôtesse. Keith Hefner gagnait sa vie en examinant le corps des jeunes femmes, difficile de le leurrer. En conséquence, il demandait une preuve de son âge. Comme elle n'avait aucune envie de défiler avec des oreilles de lapin sur la tête et une queue de coton sur les fesses, cette exigence ne la dérangeait pas du tout. L'affaire en resterait là.

Son silence sur cette missive permettrait à Nicole de demeurer, à ses propres yeux, la seule jeune femme très désirable de la maison. L'enveloppe retrouva sa place, puis Marie-Andrée s'occupa de sa toilette. Les clients du St-Hubert auraient droit à une caissière toute propre dans un uniforme un peu nauséabond. Même si elle le rapportait trois fois par semaine pour le laver, l'odeur ne disparaissait jamais complètement.

Quand elle revint dans la cuisine pour déjeuner à son tour, Marie-Andrée demanda à Nicole :

— Quand vas-tu commencer ton nouvel emploi ?

— Voilà le hic : je dois me présenter au club demain matin à dix heures. À l'Expo, ils ne m'aimeront pas beaucoup de les laisser tomber comme ça.

— T'as pas l'obligation de donner ta notice deux semaines à l'avance ? intervint sa mère.

— Eux se donnent le droit de nous mettre à la porte du jour au lendemain.

Nicole ne répondait pas vraiment à la question. Elle accepterait de vivre avec les quelques gros mots qui marqueraient les adieux de son chef de service.

— Nous sommes soixante à avoir été retenues. La moitié se présentera demain matin pour une formation, puis l'ouverture se fera à cinq heures.

Pendant quelques minutes, Nicole évoqua tous les cocktails dont elle devrait apprendre la composition. Près du comptoir, Mary Tanguay gardait un visage renfrogné. À ses yeux, passer d'hôtesse à l'exposition universelle à *bunny* ne représentait pas une promotion.

Comme d'habitude après avoir passé une soirée avec Agathe Dubois, Maurice se leva avec une curieuse gueule de bois, celle de l'immoralité. Une fois son désir satisfait, subsistait néanmoins une certaine satisfaction d'avoir surmonté l'un des interdits de sa jeunesse, ce temps où tout intérêt pour la sexualité faisait de lui un pécheur.

Quand il était adolescent, le simple fait d'apprécier la jolie silhouette d'une fille s'accompagnait d'un lourd sentiment de culpabilité. Pas tant à cause de la crainte d'une condamnation divine. Il s'agissait de la honte de ne pas pouvoir se hausser au niveau des attentes de sa mère. Encore à ce jour, étancher ses sens se teintait de la vilenie de ne pouvoir être l'être pur, indifférent à la sexualité, qu'elle avait tenté de façonner.

L'enseignant finissait par être doublement en colère contre lui-même : pour être incapable de se plier aux attentes délirantes de sa mère – en réalité, de toute une société à la moralité janséniste –, et pour échouer à éliminer complètement de sa tête cette influence néfaste. Il en résultait des séances d'autoflagellation : «Je dois vraiment être attardé pour ne pas arriver à oublier tout à fait son influence.»

Après une matinée à broyer du noir, la sonnerie du téléphone lui procura une heureuse diversion vers onze heures trente. Les premiers mots qu'il entendit dans l'appareil le prirent au dépourvu :

— Bonjour, Maurice. J'espère que tu vas bien.

La voix lui paraissait familière, sans qu'il puisse la relier à une femme parmi ses relations.

— Manifestement, tu ne me reconnais pas. Je me sens terriblement vexée.

Le ton moqueur, le petit jeu de séduction implicite lui rafraîchirent la mémoire.

— … Bonjour, Jeanne. J'espère que tout va bien pour toi.

— Aussi bien que possible dans le cas d'une femme de mon âge, à quatre, tout au plus six semaines de son accouchement.

— Je comprends. Ma femme n'était pas très robuste, son dernier mois a été difficile.

L'allusion à Ann amena l'autre à garder le silence quelques secondes. Son ton fut un peu plus neutre quand elle reprit :

— Je suis désolée de devoir te demander ton aide, mais je dois me rendre chez le médecin au début de l'après-midi.

Que la demande vienne aussi tard n'arrangeait pas du tout Maurice. Cela le forçait à annuler les activités déjà prévues.

— Je prendrais bien un taxi, mais cela me gêne de demander à un inconnu de m'aider à descendre l'escalier. Comme tu le sais, Émile reste à l'Université de Montréal toute la journée.

— Oui, bien sûr. À quelle heure souhaites-tu que je sois là ?

— Je dois être chez le médecin à deux heures. Pour me faire pardonner, je t'invite à dîner.

— Voyons, ce n'est pas nécessaire…

— Dans ce cas, tu peux venir juste pour me faire plaisir. Je m'ennuie à passer mes journées seule, et le soir, Émile reçoit des élèves pour des cours de rattrapage.

Cela représentait un long plaidoyer pour avoir le plaisir de sa présence. Afin de demeurer fidèle à son engagement envers son ami, Maurice consentit :

— D'accord. À quelle heure dois-je arriver ?

— Ton assiette sera sur la table dans quinze minutes.

Maintenant, le ton de son interlocutrice était tout joyeux. Après avoir raccroché, le professeur dut modifier son horaire de l'après-midi. Il composa un numéro, échangea quelques mots avec Diane Lespérance, puis en vint au motif de son appel :

— Je suis forcé de déplacer notre promenade de cet après-midi.

— Pourtant, nous en avons parlé encore hier.

— Je sais. Je suis absolument désolé, mais j'ai un imprévu.

Maurice s'empêtra dans une longue explication sur le rendez-vous inopiné de Jeanne avec le médecin. Il insista sur le sort de cette connaissance laissée seule toute la journée, et sur son engagement envers son ami.

— Cette femme a de la chance. Un chevalier servant qui accourt à la dernière minute…

Dans sa situation beaucoup plus difficile, la serveuse n'avait certainement pas bénéficié d'un tel soutien.

— Je te rejoindrai au café en fin de soirée. Nous pourrons passer du temps ensemble, si tu veux. Demain, nous reprendrons notre programme.

Ce «temps ensemble», Maurice espérait qu'ils le passeraient à l'horizontale. Décidément, le démon de midi le frappait de plein fouet. Son amie accepta toutes ses propositions, tout en lui faisant sentir l'ampleur de son agacement.

Même si l'appartement d'Émile Trottier n'était pas très loin de chez lui, Maurice ne put y arriver en quinze minutes. Il attendit un moment devant la porte après avoir frappé, car Jeanne ne se déplaçait plus très vite. Après lui avoir ouvert, elle tendit une joue, puis l'autre.

— Heureusement que je n'ai pas vraiment mis ton repas sur la table, sinon ce serait plutôt froid.

— J'ai dû prendre le temps d'annuler mes activités, expliqua le visiteur un peu sèchement.

— Je sais. Je m'excuse encore. Tu comprends, je n'avais vraiment pas prévu de revoir le médecin aussi vite après mon dernier rendez-vous.

Maurice regretta son mouvement d'humeur. Bien sûr, une grossesse générait son lot de petits problèmes de santé. Quand Jeanne prit la direction de la cuisine, son pas d'oie la fit paraître plus misérable encore. Elle avait préparé une omelette «mexicaine». L'ajout de tomates justifiait la qualification.

Quand elle fit mine de prendre la poêle à frire sur la cuisinière, le visiteur l'arrêta:

— Assieds-toi, je vais m'en occuper.

— Vraiment, tu ferais le mari idéal, commenta Jeanne en obtempérant. Émile n'a pas ce genre d'attentions.

La remarque le mit mal à l'aise. Ce type de reproche ne concernait que les membres d'un couple, pas les voisins ni les amis. Puis, au contraire, son ami multipliait les attentions.

— Ça doit tenir au fait que j'ai élevé seul ma fille au cours des dernières années.

Jeanne hocha la tête, puis commença à manger. Il lui servit un verre de lait avant de faire la même chose.

— Oui, la vie de père célibataire t'a obligé à faire des apprentissages. À propos de Marie-Andrée, se fait-elle bien à sa nouvelle vie, et toi à son absence ?

La question méritait d'y réfléchir un peu. Son existence s'était certes transformée, mais ce n'était pas uniquement à cause du départ de l'adolescente. Quelques semaines plus tôt, sa présence dans la maison l'obligeait à un immense effort de discrétion, sans toutefois l'empêcher de se livrer à son libertinage.

— Quand je vais la voir le mercredi, elle me paraît tout à fait satisfaite de son sort.

Un peu de déception marquait sa voix. S'il l'avait sentie juste un peu désemparée, cela lui aurait donné le sentiment de lui être indispensable.

— Comme elle habite chez sa marraine, la transition s'en trouve facilitée.

— Puis de ton côté, cela te donne toute ta liberté pour… refaire ta vie.

L'allusion à une conjointe éventuelle le ramena à sa honte devant son comportement des dernières semaines.

— Je pense que nous en venions à un *modus vivendi* susceptible de nous permettre… de nous épanouir tous les deux, comme disent les personnes dans le vent.

Maurice devenait un lecteur assidu des ouvrages sur la famille et le couple moderne. Même le livre *Comment soigner et éduquer son enfant*, du docteur Benjamin Spock, obtenait maintenant son intérêt, comme celui de millions d'autres personnes. Grâce à l'ouvrage de ce gourou d'un nouveau genre, il mesurait l'étendue de ses propres erreurs, alors que les plus jeunes bénéficiaient d'un mode d'emploi pour les guider dans leur tâche de parent. Comme il n'avait aucune envie de mettre une femme enceinte, ces connaissances nouvelles ne lui seraient pas utiles. Il refilerait cet ouvrage à Émile à la prochaine occasion.

— Marie-Andrée devient une personne autonome plus facilement sans le regard de papa par-dessus son épaule, expliqua-t-il. Alors, tout est pour le mieux.

— Vraiment, elle a de la chance que tu sois son père.

En vingt minutes, Jeanne venait de souligner toutes ses qualités de mari et de père. Ces remarques pouvaient rassurer un homme à la confiance en lui fragile, mais dans cette cuisine, en tête-à-tête, elles contenaient quelque chose de trouble. Ce fut encore pire quand elle lui demanda:

— Tu fréquentes quelqu'un, présentement?

Elle le savait bien. Son visiteur faillit lui dire: «Je vois deux femmes.» À la place, il hocha la tête de haut en bas.

— … C'est sérieux?

— Je n'ai pas de projet de mariage, mais nous nous voyons depuis plusieurs semaines.

— As-tu renoncé au désir de refaire ta vie, ou profites-tu d'un moment… de détente avant de te lier sérieusement à quelqu'un?

Son hôtesse devenait carrément intrusive. Pour alléger son malaise, elle ajouta très vite:

— Je veux savoir si je dois faire le deuil définitif de ma carrière de marieuse.

— Dans un futur prévisible, je ne veux rien changer à ma situation personnelle. Cela d'autant plus que je songe à changer d'emploi.

Maurice consulta sa montre. L'envie lui prenait de se trouver ailleurs.

— Nous avons encore du temps, intervint Jeanne, car je fais une hôtesse médiocre. Ce repas se limitera à un seul service, à moins que tu n'aimes les petits gâteaux Vachon.

— Non, ça ira très bien comme ça. Je vais m'occuper de la vaisselle.

Comme elle posait les mains sur la table pour s'aider de ses bras afin de se lever, il précisa :

— Reste assise, je vais m'en occuper.

Il commença par mettre de l'eau dans l'évier, puis chercha le savon. Heureusement, Jeanne se priva de dire combien il était parfait. Maurice en était déjà à laver les couverts quand elle reprit :

— Ton projet de déménager bouleverse Émile. Notre vie de couple s'en ressent. Tu vois, si je n'étais pas enceinte, son curriculum serait déjà rendu dans tous les collèges de la province.

— Je ne vois pas le lien.

— Après l'accouchement, j'aurai besoin d'aide pendant quelques semaines, et ma mère ne viendra pas à Rouyn-Noranda ou dans un autre trou perdu pour me "relever". Il faut demeurer près de chez elle.

« Ça pourrait être aussi à Longueuil ou Saint-Jean », songea son invité. L'allusion servait surtout à évoquer une vie conjugale devenue tendue.

Cet après-midi du samedi 15 juillet, Marie-Andrée visiterait enfin le pavillon de l'Italie. Depuis des semaines, elle remettait ce projet à plus tard. Finalement, ces deux ou trois heures de pause se révélaient l'aspect le plus intéressant de son emploi. En comparaison avec les heures passées devant la caisse, visiter l'Expo 67 présentait une heureuse diversion.

Tandis qu'elle quittait le restaurant, France la rattrapa pour demander :

— Ton étudiant en économie, celui qui semble être un habitué du Jardin des étoiles...

— Robert.

— Oui. Sors-tu encore avec lui ?

— Après deux semaines à m'escorter matin et soir, il s'est envolé. Il a sans doute honte de sa gourmandise. Quand une fille se rend compte qu'il sème ses... attentions à tous vents, il part. Peut-être son plaisir vient-il plus de la tromperie que de la conquête.

Avec une offre d'emploi signée par Keith Hefner, la jeune fille se donnait des airs de connaisseuse. Encore un peu et elle offrirait ses services comme courriériste du cœur.

— Ça te dirait de venir dans une discothèque avec moi, ce soir ? proposa France.

— Nous sommes jeunes, profitons-en maintenant.

La génération de la gratification immédiate, disaient les esprits chagrins. Leurs articles moralisateurs se multipliaient dans les journaux destinés aux croulants. Voilà qui alimentait le conflit des générations : jouir tout de suite et le plus possible pour les plus jeunes ; se priver de tout pour atteindre les félicités du paradis pour les plus âgés.

— Où désires-tu aller ?

— Pourquoi pas La Cage ? C'est dans l'ouest de la ville...

— Sur Sainte-Catherine, intervint Marie-Andrée. Là où il y a des danseuses en vitrine.

Le spectacle, depuis la rue, l'avait plutôt impressionnée.

— Oui, confirma la brunette. Je pense que tu apprécieras cet endroit.

— D'accord, mais je ne veux pas rentrer trop tard.

— Tu seras dans ton lit à minuit.

Une fois cette question réglée, Marie-Andrée continua son chemin. Le pavillon de l'Italie, un édifice tout en verre, se trouvait de l'autre côté d'un plan d'eau. Même après toutes ces journées passées à Terre des Hommes, elle cherchait encore à tout voir. Du coin de l'œil, elle remarqua une silhouette familière juchée sur un pédicab.

« Quand on parle du loup, on lui voit la queue », pensa-t-elle.

Le jeune homme l'avait remarquée aussi, mais détournait le regard. Elle leva la main, lança un « Robert ! » amusé. Il feignit la surprise, s'approcha.

— On ne se voit plus, commenta la jeune fille.

— Je suis vraiment très occupé, il y a de plus en plus de touristes. Paraît que dès à présent, l'affluence dépasse les prévisions pour toute la saison.

L'Expo connaissait un succès extraordinaire. Les journaux de la province ne tarissaient pas d'éloges sur le savoir-faire des Québécois. Ailleurs au Canada, tout le monde s'étonnait que des Canadiens français aient pu tenir un événement de cette envergure.

— Je constate que dans ton cas, la clientèle augmente surtout le matin et le soir !

— Le patron nous surveille de près.

— Je ne veux pas te valoir des ennuis. Bonne fin de journée, et bonne saison si l'achalandage t'occupe autant jusqu'en septembre.

Déjà, elle recommençait à marcher vers le pavillon de verre. Il la suivit en pédalant lentement. Ses derniers mots ressemblaient trop à une invitation pour qu'il ne tente pas sa chance de nouveau.

— Penses-tu sortir ce soir ?

— Oui, mais pas avec toi. Et ne me cherche pas à La Ronde, je serai en ville.

— Où ça?

Elle se fit l'impression de priver un chien de son os. Il répéta trois fois la question; trois fois, Marie-Andrée répéta: «Bonne soirée.» Puis elle accéléra enfin le pas en direction de l'entrée du pavillon.

Descendre un escalier raide était difficile pour une femme enceinte de presque huit mois. Maurice se mit devant, puis descendit les marches de travers afin de lui offrir ses mains pour la soutenir.

— Je ne me rappelais pas que c'était aussi handicapant, commenta-t-elle en touchant enfin le sol. Pourtant, il s'agit de ma seconde grossesse.

«La fois précédente, tu avais vingt ans de moins», songea son chauffeur. Il l'aida à monter dans la Volkswagen, un exercice délicat compte tenu de son énorme ventre et de l'exiguïté du véhicule. Pour cela, il colla son corps au sien. Malgré sa taille distendue, la proximité le troubla. Elle gardait le même visage régulier, des yeux intelligents et mobiles. Même ses jambes, qu'elle découvrit largement au moment de se caler dans la banquette, attirèrent son regard.

Le bureau du docteur Marois était situé rue de l'Hôtel-Dieu, pas très loin de l'hôpital. En passant sous les fenêtres de Diane Lespérance, Maurice eut envie de tendre le doigt et de dire: «Ma maîtresse habite là.»

Voilà qui amènerait la parturiente à renoncer tout à fait à sa mission de marieuse. Il se priva d'un argument aussi décisif.

Heureusement pour Jeanne, il fut en mesure de se stationner tout près du cabinet. Celui-ci se trouvant au rez-de-chaussée, cela lui épargna un nouvel escalier. Quand ils entrèrent dans la salle d'attente, tous les yeux se tournèrent vers eux. Marois devait recevoir toutes ses clientes sur le point d'accoucher le même jour, car elles remplissaient la petite pièce : du travail à la chaîne, en quelque sorte. Les autres avaient toutes moins de vingt-cinq ans, aucun époux ne les accompagnait.

Une nouvelle fois, l'enseignant aida Jeanne à s'asseoir. Une jolie blonde se leva pour le laisser occuper le siège voisin.

— Merci, madame, dit-il avec reconnaissance.

Un beau sourire fut sa récompense. Plusieurs minutes plus tard, le manège se répéta à l'inverse. Quand le médecin appela madame Trottier, Maurice dut l'aider à se lever pour la conduire à la porte de la salle d'examen. Cependant, jamais elle ne le laisserait entrer là avec elle. Une fois qu'il fut assis de nouveau, sa voisine demanda :

— Il s'agit de votre premier ?

Qu'un homme et une femme de cet âge fondent une famille lui faisait sans doute penser à un couple de défroqués.

— Le second. L'autre aura dix-huit ans dans trois mois.

— … Ça leur fera toute une différence d'âge.

— Dieu en a décidé ainsi.

Si cette inconnue voyait un jour Jeanne et Émile ensemble, son imagination se déchaînerait. Des histoires de ménage à trois se murmureraient à voix basse.

Quinze minutes plus tard, Jeanne sortait du cabinet.

— Tout va bien ? lui demanda-t-il une fois dans la voiture.

— Je m'inquiète pour rien, m'a affirmé le médecin. Je voudrais bien le voir avec…

Elle ne termina pas sa phrase. Au moins, elle lui épargnait la liste des maux pouvant affliger une femme dans son état.

Monter l'escalier fut encore plus périlleux que le descendre. Maurice la prit par le bras, lui posa l'autre main au creux des reins. La cotonnade légère lui donna l'impression de toucher la peau nue. La sueur de Jeanne lui mouillait la main.

Dans l'appartement, elle lui demanda :

— Accompagne-moi jusque dans ma chambre.

Là aussi, comme dans le reste de l'appartement, les meubles étaient dépareillés, modestes. Il dut la soutenir pour qu'elle puisse s'étendre. Cette fois, elle révéla ses cuisses. Un moment, il crut que sa faiblesse était feinte, et son désir de l'émoustiller aussi grand que des mois plus tôt, quand elle s'installait sur le canapé les jambes repliées sous elle.

— Reste avec moi, Émile ne reviendra pas avant six ou sept heures.

Maurice se demanda comment interpréter ces mots. Provenaient-ils de la crainte de rester seule ou d'autre chose ?

— Je dois rentrer, j'ai un rendez-vous.

Tout au long du trajet de retour, il se questionna sur la situation de ses amis.

Les derniers clients avaient quitté le café de la gare routière quelques minutes plus tôt. En tendant l'oreille afin de savoir s'il en viendrait d'autres, Diane Lespérance lavait la vaisselle dans la cuisine. Maurice n'avait pas offert de venir l'aider. Il ne la rejoindrait pas chez elle après minuit pour un moment d'intimité, pas plus qu'elle n'irait chez lui.

— Bin, y a du temps pour en amener une autre chez le docteur, par exemple, prononça-t-elle sur un ton excédé.

Cette inconnue, la femme d'un collègue, devait être bien mise et parler le même français que les annonceurs de Radio-Canada… Sa main serra si fort une tasse que l'anse se cassa net, y laissant une arête aussi tranchante qu'une lame. Personne ne réagit à son cri de douleur, ni aux gouttes de sang tombant dans l'eau de vaisselle, ni aux larmes suivant le même chemin.

Une douzaine d'années plus tôt, quand elle-même était enceinte, personne ne la conduisait chez le médecin. Elle n'y allait pas plus seule : le prix de la consultation dépassait la capacité de payer de sa mère.

Chapitre 18

Les directives du patron, quant à l'heure de fermeture, demeuraient incontournables : on ne quittait les lieux qu'après le départ des derniers clients, et les employés les plus anciens partaient les premiers. Les derniers embauchés, Marie-Andrée, un garçon de cuisine et une autre fille, fermeraient l'endroit.

En sortant, vêtue de sa petite robe bleue en «A», la châtaine trouva France assise sur un banc près du pavillon. L'attente n'avait pas dû lui peser trop, car un rôtisseur lui tenait compagnie. Elle le congédia dans les règles, avec un sourire et le souhait «Amuse-toi bien», puis elle rejoignit son amie.

— Désolée. Les derniers clients ont rongé tous les os.

— Les gens les plus intéressants arrivent tard dans les salles de danse. Nous ne manquons rien.

Cela revenait à dire que passé dix heures, la chasse était meilleure. Marie-Andrée rapporta sa conversation avec Robert, et le sujet les amusa jusqu'au moment où elles atteignirent la gare de l'Expo-Express. À la Cité du Havre, un autobus à deux étages les conduisit ensuite tout près de leur destination.

Même aussi tard que dix heures du soir, la rue Sainte-Catherine demeurait très achalandée. Les voitures circulaient lentement, les vitres baissées, la radio à fort volume.

Pour les badauds sur les trottoirs, l'effet devenait un peu étrange. Sans interruption, lees chansons des Beatles et de Herman's Hermits s'enchaînaient avec celles d'Elvis Presley. Aussi loin dans l'ouest de la ville, on parlait anglais, aussi les vedettes yé-yé québécoises se faisaient entendre plus rarement. *Douliou Douliou Saint-Tropez*, de Jenny Rock, devenait étrangement exotique passé la rue University.

Évidemment, deux jolies filles montrant une belle longueur de cuisses participaient au ralentissement de la circulation. Des garçons déjà plus très sobres criaient depuis leur Mustang ou leur Camaro :

— Hey, bébé, où vas-tu ?

Bien sûr, il existait de nombreuses phrases devant servir de sésame pour ouvrir les jambes des filles. « Eille, qu'est-ce que tu manges pour être belle de même ? » revenait le plus souvent. Marie-Andrée ne put retenir un fou rire en entendant : « Eille, gâteau, quand est-ce qu'on t'crème ? » Parfois, la vulgarité frôlait la poésie.

Deux attitudes étaient possibles devant ces avances. La première : détourner la tête en affectant un air sévère, quelque chose voulant dire : « Je ne suis pas ce genre de fille. » D'autres se penchaient plutôt vers la voiture afin de faire un bout de conversation. La chaleur de l'accueil semblait proportionnelle à la valeur de l'automobile. Une Mustang décapotable ou une Corvette rendait loquace, une Dodge Dart devait être compensée par un garçon exceptionnellement joli.

— Avec sa Volkswagen, papa mettrait dix jours à trouver une oreille attentive.

— Ça dépend toujours des attentes des filles : le char, ou autre chose. Ton étudiant en science politique conduit quel genre de véhicule ?

L'article possessif l'étonnait toujours. « Ton » étudiant ! Clément Marcoux ne semblait pas du genre à se laisser mettre une laisse.

— Une Austin.

Comme son amie ne répondit rien, elle précisa :

— L'équivalent de la Coccinelle, en plus *straight*.

— Ce serait pareil avec une Renault 8, trancha France. Dans ce genre de char, on voit soit une petite famille avec un père très raisonnable, soit des gars instruits, souvent des étudiants universitaires. Ceux-là sont de bons placements.

La notion de « père très raisonnable » décrivait bien le sien, et celle d'étudiant prometteur, Clément.

— Les filles, voulez-vous une *ride* ? fit une voix sur leur gauche.

Le cri venait d'une tête un peu affligée par l'acné, passée à travers la vitre d'une Pontiac.

— Trop tard, nous sommes déjà arrivées, lança France.

— *Come on !* On va aller se parquer sur le mont Royal.

C'était à peine moins direct qu'une invitation au motel.

— Nous sommes arrivées, répéta France.

Elles se trouvaient bien au coin de la rue Drummond, La Cage était juste en face. L'auto continua son chemin, et le même garçon tenta sa chance avec d'autres filles. À son troisième essai, une passante accepta de monter sur la banquette arrière.

— Jamais je ne monterais avec lui, commenta Marie-Andrée. C'est bien trop dangereux.

— Ce sont sans doute des petits bourgeois du collège Ville-Marie qui ont pris le char de papa pour un soir. Au pire, leur conquête se fera tâter un peu.

La châtaine ne partageait pas cet optimisme. France lui désigna les danseuses à gogo dans les vitrines de l'édifice d'en face.

— Tu ferais ça, toi ?

Des hommes s'immobilisaient sur les trottoirs pour regarder. Marie-Andrée ne répondit pas, encore préoccupée par la scène précédente :

— Moi, je n'aimerais pas me faire tâter par un inconnu. Tu ne lis pas les journaux ? L'histoire du violeur accompagné d'une petite fille fait les premières pages.

Son amie fit non de la tête.

— La police a arrêté un gars qui ramassait des pouceuses, ou peut-être des filles comme celle-là. La présence d'une enfant dans l'auto leur enlevait toute méfiance. Puis il sortait un révolver pour les obliger à se déshabiller. Pendant qu'il les violait, sa gamine de treize ans tenait son arme !

L'été de l'amour dissimulait un côté très sombre, dont Marie-Andrée ressassait les moindres détails. La présence de nombreux hebdomadaires à sensation chez Mary Tanguay lui permettait de s'informer des histoires les plus scabreuses.

— Là, tu me niaises, supposa France.

Son interlocutrice secoua la tête de droite à gauche. La future infirmière en avait assez de ces récits d'horreur.

— Moi, je ne t'écoute plus, déclara-t-elle. Ou tu m'accompagnes, ou tu rentres chez toi.

Dans les circonstances, Marie-Andrée réprima son envie de lui raconter le malheur d'une vierge assassinée à Sainte-Luce. Si, encore dans les années 1950, la peur de l'enfer empêchait les jeunes filles de dormir, maintenant, les histoires les plus atroces survenues en Amérique du Nord jouaient le même rôle. Depuis peu, le film *L'Étrangleur de Boston* faisait recette.

À la fin, la châtaine suivit son amie dans un escalier étroit et raide.

La discothèque La Cage était située au premier étage d'un édifice de brique, un escalier plutôt raide permettait d'y accéder. Marie-Andrée monta les marches tout en sachant que quiconque la suivait – et le va-et-vient ne cessait jamais dans cet endroit à la mode – bénéficiait d'une jolie vue en contre-plongée. Les autres arrivaient-elles à oublier le côté exhibitionniste de leur tenue? Finalement, le costume des *bunnies* lui semblait pudique, en comparaison de sa robe.

Trois danseuses en bikini s'agitaient sur des colonnes tronquées, deux autres s'exhibaient dans les vitrines. L'éclairage psychédélique – un autre mot utilisé à toutes les sauces pendant l'été 1967 – donnait une allure étrange à tous ces corps en transe. La piste de danse occupait tout l'espace central de l'immense salle, des petites tables sur les côtés recevaient des clients.

— Que veux-tu boire? demanda France.

Sa compagne pensa au *blue lagoon*, curieuse de goûter le cocktail servi à Keith Hefner huit jours plus tôt. Mais elle se retint.

— Un Coke fera l'affaire.

— Je reviens.

Cette fois, la brunette ne compta pas sur la générosité du premier venu, comme lors de leur passage au Jardin des étoiles. Marie-Andrée la regarda se diriger vers le bar. Elle préférait éviter l'alcool, pour garder ses esprits d'abord, mais aussi pour moins s'exposer aux rigueurs de la loi dans l'éventualité d'une descente. De nouveau, elle bravait la règle sur l'âge requis pour fréquenter les débits de boisson.

— Tu as une mauvaise influence sur moi, déclara la future infirmière en revenant, j'ai pris la même chose. Veux-tu t'asseoir de ce côté?

Une table se libérait justement. Après s'être installée, Marie-Andrée remarqua une jeune fille avec un plateau portant une douzaine de boissons.

— Il y a des serveuses, ici ?

— Oui, mais si peu nombreuses qu'elles ne fournissent pas. C'est moins long en allant commander soi-même.

— En tout cas, je ne porterais pas cette robe. Une vraie micro.

La jupe était si courte qu'au moindre mouvement, on voyait la culotte de l'employée. Des haut-parleurs crachaient les derniers succès américains ou britanniques, à un volume si élevé que chacune parlait directement dans l'oreille de l'autre.

— Viens-tu souvent ici ?

— Depuis le début de l'été, une fois par semaine environ.

France balayait la salle des yeux, visiblement à la recherche de quelqu'un. Le désir de rencontrer un autre habitué expliquait donc cette assiduité.

— As-tu rendez-vous avec un garçon ?

— Non, mais un étudiant de l'école des métiers de l'automobile vient ici régulièrement. Un de ces jours, il s'intéressera peut-être à moi pour plus longtemps qu'une danse.

Aucune fille ne faisait d'invitation. Tout au plus, elle se plaçait à un endroit assez éclairé, bien en vue. Si cela ne suffisait pas, deux amies pouvaient toujours danser entre elles pour se mettre encore plus en évidence. Toutefois, dans ce cas, un garçon devait affronter le risque de se faire rabrouer devant témoin.

Elles échangèrent encore quelques mots, puis France se leva en disant :

— Viens, je veux me dégourdir les jambes.

Sans attendre son accord, elle la tira par la main. Marie-Andrée ne se sentait pas plus habile qu'au moment de sa première sortie dans un endroit de ce genre, à Saint-Hyacinthe. Que ses jambes et ses bras suivent le même rythme la satisfaisait amplement, même si la musique en suggérait un autre. Surtout, Buffalo Springfield ne lui rendait pas les choses trop difficiles.

What a field day for the heat
A thousand people in the street
Singing songs and carrying signs
Mostly saying, « Hooray for our side »

Cette chanson devenait un classique des grandes manifestations américaines contre la guerre du Vietnam. *For What It's Worth* retentissait donc assez souvent dans les rues au cours de l'été 1967. Bientôt, deux garçons s'approchèrent, l'un se pencha pour parler à France directement dans l'oreille, si près que ses lèvres esquissaient une caresse. L'autre se tint un peu plus loin pour demander à la châtaine :

— C'est quoi, ton p'tit nom ?

Après une hésitation, elle le lui dit. Le *Turn, Turn, Turn* des Byrds emplit la pièce. Cela donna le temps à Marie-Andrée d'examiner son partenaire. Il portait un veston avec un col mao de couleur rouille, un pantalon à peu près assorti. « Arrive-t-il d'un mariage ? » se demanda-t-elle. Cette tenue était un peu trop habillée pour cet endroit, et dans la chaleur ambiante, des taches de sueur risquaient de marquer le dessous de ses bras.

Le garçon aussi la soumettait à un examen du même genre. La conclusion dut s'avérer positive, car quand la musique faiblit, il lui dit :

— Moé, c'est Christian.

Il considérait certainement qu'une fois les prénoms échangés, ils étaient de vieilles connaissances, car lorsque commencèrent les premières mesures de *Nights in White Satin*, il la prit dans ses bras. Comme il gardait relativement ses distances et que ses mains ne s'aventuraient pas trop vers ses fesses ou ses seins, Marie-Andrée accepta de bonne grâce le contact. Sa lotion après-rasage était acceptable. Puis il s'était tout de même mis en frais, endimanché.

Cela valait une petite récompense. Elle accepta de demeurer sur la piste de danse au moment de *Crimson and Clover*. Il se montra alors un peu plus entreprenant, la tenant d'assez près pour lui faire sentir son érection. Il devait prendre les paroles de la chanson au pied de la lettre :

But I think I could love her

Avant que sa vigueur juvénile ne s'exprime trop ouvertement, Marie-Andrée éprouva une envie soudaine de se rendre aux toilettes, et France ne pouvait absolument pas la laisser seule. Bons princes, leurs cavaliers proposèrent de faire la queue près du bar pour leur apporter de quoi boire.

— Tes amis sont de vraies cartes de mode, se moqua la châtaine en s'éloignant d'eux.

— Ne sois pas cruelle. Les pauvres se sentent obligés de se mettre beaux pour sortir à l'ouest de la rue Saint-Laurent, chez les Anglais.

À cet endroit, de rares personnes parlaient français, et toujours assez bas pour ne pas attirer l'attention sur elles. Marie-Andrée ne se montrait pas sensible à ce mur invisible séparant l'est et l'ouest de la ville. La question ne se posait pas à Saint-Hyacinthe, on entendait les grands succès de la musique anglo-américaine dans des versions françaises interprétées par les Baronets, la Révolution française ou Donald Lautrec. Élevée dans les deux langues, elle passait de l'une à l'autre sans vraiment s'en rendre compte.

— Je te promets de ne pas le faire pleurer.

Dans les toilettes, elles se heurtèrent à une véritable foule. En attendant leur tour, les amies demeurèrent silencieuses. D'autres ne partageaient pas la même discrétion et, l'alcool aidant, se livraient à des confidences étonnantes.

— Si tu danses avec ce grand brun, tu vas voir. Une queue grosse comme ça.

Avec ses mains, une blonde indiquait une longueur impressionnante.

— Le mien doit être un fif, j'sens rien.

— Ce n'est pas le cas de Christian, murmura Marie-Andrée dans l'oreille de son amie.

— Ni d'Yves.

Deux filles sortirent ensemble de la même cabine. Toutes les autres échangèrent des regards surpris, ou entendus.

— Y en a un qui est v'nu me d'mander pour danser. Il sentait ces maudites cigarettes françaises.

Les Québécois faisaient la découverte des Gitanes – des Celtiques, pour les plus audacieux –, et les Québécoises, des bouches empestées de leur compagnon.

— Coudon', les gars icitte, c'est-tu toutes des Squiddly Diddly?

La pieuvre violette conçue et dessinée par la firme Hanna-Barbera occupait les petits écrans depuis l'année précédente, à l'heure du retour de l'école des enfants. Dans une scène servant d'ouverture au dessin animé, le céphalopode jouait en même temps de la guitare, du saxophone et du tambour. Cela ouvrait d'infinies possibilités au moment de danser un *plain* avec une jeune fille.

— Yves, c'est un ami à toi? demanda Marie-Andrée.

— Je l'ai rencontré ici régulièrement depuis le début juin.

Il s'agissait donc de celui dont elle avait parlé plus tôt.

— Il danse avec moi, me paie un verre, mais ça ne va jamais plus loin.

La brunette revenait sans cesse à cet endroit dans l'espoir d'un changement d'attitude. Son amie jugea préférable de ne pas formuler son opinion à haute voix : un intérêt véritable ne mettait jamais autant de temps à s'exprimer.

Enfin des cabinets se libérèrent. Un pour chacune.

Le duo de jeunes filles devint un quatuor mixte pour le reste de la soirée. Quelques verres – des boissons gazeuses pour les dames –, quelques passages sur la piste de danse, puis Marie-Andrée commença à consulter la montre à son poignet, discrètement d'abord, puis avec ostentation. Finalement, elle dit :

— Je vais rentrer, maintenant.

— Vas-tu à la messe demain matin ? se moqua Christian.

— Non, mais je vais travailler.

Comme elle faisait mine de se lever, le garçon offrit :

— Je vais t'accompagner.

— Ce ne sera pas nécessaire.

La châtaine s'imaginait un retour mouvementé, seule dans un véhicule avec un gars de plus en plus entreprenant d'une danse à l'autre.

— Bon, bin moé, je vais profiter du *lift*, intervint Yves en quittant son siège.

Les histoires d'horreur évoquées plus tôt dans la soirée revinrent à la mémoire de Marie-Andrée. Faire le trajet avec deux garçons ! Elle s'apprêtait à protester de toutes ses forces quand le garçon enchaîna :

— France, montes-tu avec nous ?

La jeune fille donna son assentiment. À cette heure, La Cage devenait plus chaude, les danses plus langoureuses, la foule plus compacte, la fumée des cigarettes plus étouffante. La châtaine se découvrit l'audace de jouer des coudes pour atteindre la sortie. Une fois à l'air libre, elle inspira profondément à plusieurs reprises.

— Mon char est un peu plus bas, sur Drummond, les informa Christian.

Chemin faisant, il saisit le bras de sa compagne de la soirée. Le geste lui parut un peu trop envahissant, mais protester l'aurait fait passer pour une niaiseuse. La crainte de cette étiquette brimait encore ses comportements.

Bientôt, le petit groupe arriva près d'une Chevrolet Corvair bleue. L'auto du père du jeune homme.

— Je vais m'asseoir derrière, déclara tout de suite Yves.

De cette façon, il s'assurait de la présence de France à ses côtés. La brunette récolterait peut-être l'invitation qu'elle attendait de ce garçon. En conséquence, la châtaine s'installa à côté de Christian. Celui-ci annonça :

— Nous allons passer par le mont Royal.

— V'là une bonne idée, approuva son compagnon.

La scène paraissait avoir été répétée à l'avance. Tout le monde savait à quels jeux se livraient les gens stationnés près du belvédère. Marie-Andrée se retourna pour consulter du regard son amie assise derrière. Elle se trouvait en diagonale, le contact visuel était ainsi facilité.

— Pas plus de quelques minutes, avertit France. Nous travaillons toutes les deux demain matin.

L'impression d'être trahie envahit Marie-Andrée. L'envie lui vint de quitter le véhicule, mais son voisin démarrait déjà. La question paraissait définitivement réglée.

La montagne était tout près. Dix minutes plus tard, le garçon se stationnait devant la balustrade de pierre. Les voitures s'alignaient de part et d'autre, phares éteints.

— C'est beau, hein ? remarqua le conducteur en se tournant vers elle.

Oui, le coup d'œil valait le déplacement. Sur la ville, la multitude des lumières créait une espèce de halo. Au-delà, elle distinguait les îles de Terre des Hommes. S'ils demeuraient là assez longtemps, ils verraient le feu d'artifice de minuit.

— Approche-toé, disait Yves derrière eux. Tu verras mieux entre leurs têtes.

France se plaça contre le bras de son compagnon, posé sur le dossier de la banquette. Le panorama ne les occupa pas longtemps. De sa main gauche, Yves la tenait contre lui, pendant que la droite avait le champ libre. La future infirmière abandonna ses lèvres avant qu'une minute ne soit écoulée, ses seins avant la seconde. Devant eux, Christian se glissa en direction de sa voisine. Marie-Andrée se pressa contre la portière. Elle localisa la poignée afin de pouvoir l'ouvrir précipitamment.

— Toute la soirée, j'ai voulu t'embrasser.

Sa façon de se pencher sur elle témoignait de son désir de rattraper le temps perdu. Il trouva sa bouche avec la sienne tout en lui entourant les épaules de ses bras. Une main s'aventura sur sa poitrine. La châtaine se raidit. Sa bouche demeurait résolument close, et des deux mains, elle tenait celle du garçon, s'efforçant de la repousser.

— Fais pas ta *stuck up*.

La jeune fille s'arcbouta pour l'éloigner. De l'arrière venaient les premières petites plaintes, non pas de protestation, mais de plaisir. En jetant un coup d'œil, Marie-Andrée vit la main d'Yves quitter la poitrine pour passer sur la cuisse. Christian paraissait résolu à mimer tous ces gestes.

— Je ne veux pas, protesta-t-elle, laisse-moi tranquille.

— Tout le monde le fait.

— Pas moi.

Pour le calmer, il lui aurait fallu trois ou quatre seaux d'eau glacée.

— Ta copine est pas mal plus dans le vent que toé.

Une plainte énamourée vint comme une confirmation.

— Tu as donc été malchanceux.

Sur la banquette avant, ils ressemblaient à des lutteurs. Son érection devenue douloureuse rendait Christian de plus en plus entreprenant, mais il n'irait pas jusqu'au bout sans une invitation.

— Si je danse avec un gars, ça ne veut pas dire qu'il peut mettre sa main entre mes jambes.

Ces mots ressemblaient à une condamnation de la légèreté des mœurs de son amie, à l'arrière. Peut-être qu'un bout de conversation une fois par semaine et quelques danses enlacées, six samedis d'affilée, constituaient à ses yeux la base d'un rapport amoureux... La caresse contre son sexe, les baisers goulus la faisaient gémir de plaisir.

Christian s'éloigna finalement un peu, posa une main sur son propre sexe. « Il va se masturber devant moi », songea sa voisine. Si le garçon le fit, ce fut très discrètement, en appliquant des pressions successives. Un « Jésus-Christ » vint dans un souffle, puis il se montra plus détendu. Il parut mieux accepter son refus, au point de se déplacer vers la gauche, jusque derrière son volant.

Les plaintes s'intensifiaient sur la banquette arrière. Tournée à demi sur elle-même, fascinée, Marie-Andrée vit Yves descendre sa braguette. France y glissa la main de bonne grâce pour amorcer un va-et-vient. Le jeune homme arriva à l'orgasme ; les gémissements de sa compagne suivirent ensuite un crescendo, puis s'arrêtèrent.

Le calme revint dans le véhicule. Pendant un long moment, tout le monde sembla s'abandonner à la contemplation de la ville. Puis la future infirmière proposa d'une voix un peu voilée :

— Déposons Marie-Andrée la première.

Cette dernière formula un « Pas trop tôt » muet.

Christian démarra, elle lui donna son adresse. Un peu passé minuit, la voiture s'arrêta devant la maison de la rue Saint-Hubert. Son « Bonne nuit », en descendant, manquait terriblement de conviction, et elle n'entendit pas leur réponse. Peut-être ne dirent-ils rien. En montant les marches conduisant à la porte, elle s'inquiéta pour France, laissée seule avec ces deux garçons. Puis elle se sentit affreusement vieux jeu.

Nicole Tanguay était partie tôt ce matin-là pour une journée interminable, beaucoup plus longue qu'elle ne s'y était attendue. À quatre heures du matin le jour suivant, elle descendait d'un taxi devant sa demeure. Son entrée ne se fit pas en silence. Une fois dans la chambre, elle demanda :

— Marie-Andrée, est-ce que tu dors ?

Quand elle répéta la question pour la troisième fois, la jeune fille répondit d'une voix ensommeillée :

— Là, je ne dors plus.

— Je vais allumer la lumière.

Le plafonnier la força à enfoncer son visage dans l'oreiller pour éviter d'être aveuglée.

— Tiens, regarde ça.

— Je peux te parler sans voir.

Sa cousine lui plaça quelque chose dans la main droite.

— Regarde, ça vaut la peine.

Il lui fallut une bonne minute pour s'habituer à la clarté. Puis elle vit la liasse de billets de banque formant un rouleau retenu par un élastique. Des billets d'un ou de deux dollars, et quelques coupures de cinq.

— Tu te rends compte ? Il y a un peu plus de cent piastres.

Marie-Andrée calcula rapidement : cinq cents dollars par semaine, vingt-cinq mille dans une année. Le salaire d'un ministre.

— Quand je vais montrer ça à maman, elle va perdre son air fâché.

Marie-Andrée n'en était pas certaine. Une liasse de billets ne compensait pas le dilemme moral. Aux yeux de la ménagère, faire le service en maillot de bain demeurait une activité condamnable.

— Bien sûr, ce ne sera pas comme ça tous les jours. Aujourd'hui, c'était l'inauguration, tous ces parvenus voulaient flasher auprès des autres en donnant de gros pourboires.

« Même divisé par deux, ou même trois, c'est beaucoup plus que mon salaire », songea la châtaine.

— Quel genre de parvenus ?

Nicole enlevait son chemisier crème, dans un instant ce serait le tour de la minijupe. Marie-Andrée souhaitait voir sa cousine se coucher rapidement afin de renouer avec le sommeil. En attendant, autant satisfaire sa curiosité.

— Des professionnels surtout. D'autres sont dans les affaires. Voilà un mot qui ne veut rien dire. Certains de ceux-là ressemblaient aux « pègreux » des films américains.

Le soutien-gorge se retrouva sur la commode. Après avoir enfilé un t-shirt, la brunette rejoignit sa cousine sous le drap.

— Je suis trop fatiguée pour aller me laver les dents.

— Alors, n'essaie pas de m'embrasser.

La répartie lui valut un coup de coude dans les côtes. Maintenant, Marie-Andrée était tout à fait éveillée.

— Dans le groupe, il y avait deux joueurs de hockey du Canadien. Je ne les connaissais pas. Des Anglais... Je t'ai dit que le club se trouve dans Mountain Street.

— Tes joueurs de hockey n'étaient pas les seuls à parler anglais, je suppose.

— C'était juste des *blokes*. Tu sais comment ça fonctionne, là?

Le «humm» de Marie-Andrée devait signifier: «Non, mais je rêve que tu me l'expliques à quatre heures trente du matin.»

— Seuls les membres peuvent entrer, ou encore quelqu'un qui accompagne un membre. Certains sont venus avec leur blonde.

— Les chanceuses ont dû s'amuser à voir leur chum baver sur les lapines!

— Oh! Des fois tu parles comme ma mère.

«Plus on approchera de cinq heures, moins je serai dans le vent», songea la jeune fille.

— Ça coûte vingt-cinq piastres par année pour être membre. Au début, ils montraient une petite clé dorée. Maintenant, c'est une carte de plastique. Ça se loge mieux dans un portefeuille.

Nicole lui avait déjà donné ces informations. Toute à son excitation, elle ne s'en souvenait guère.

— Fallait y penser, ronchonna Marie-Andrée.

Le ton moqueur échappa totalement à sa cousine. Celle-ci éteignit enfin la lumière en disant:

— Je suis si énervée, je me demande si je vais dormir.

— ... Moi aussi.

Marie-Andrée allait être gênée. Après le babillage, un ronflement se fit entendre. Un peu trop d'alcool avait cela comme effet sur Nicole.

Chapitre 19

Le dimanche 16 juillet, Marie-Andrée eut du mal à s'arracher du lit. Sa cousine avait ronflé pendant la courte partie de la nuit où elle avait partagé le lit, puis le souvenir de sa petite séance de *necking* continua de la préoccuper. Son amie France ne reculait pas devant le *heavy petting*. Ça devait être le cas pour toutes les autres jeunes filles. Devait-elle se compter parmi les scrupuleuses?

«Mais ce gars ne me disait rien», se répéta-t-elle pour la centième fois en passant dans la salle de bain. Son désir de «faire comme les autres» la tenaillait toujours, afin de ne pas attirer l'attention. D'un autre côté, ce genre de caresses ne représentait pas un jeu pour elle, le sentiment amoureux devait les accompagner. Son romantisme demeurait indéfectible.

À dix heures, sa jeunesse et sa bonne santé lui permirent de se diriger vers Terre des Hommes d'un pas rapide, presque joyeux. En sortant de la station de métro, elle aperçut Robert Duquet assis sur la selle de son pédicab, un sourire plutôt engageant sur les lèvres. «Dans une auto, celui-là doit se montrer très entreprenant», songea-t-elle.

— Eh bien, une apparition! remarqua-t-elle, un peu taquine. Les visiteuses doivent prendre tout ton temps.

— Tu dis ça parce que tu m'as vu une fois avec une autre… Elle ne signifiait rien.

Curieuse façon de l'amadouer ! Si l'autre n'avait pas d'importance aux yeux de ce Don Juan, elle-même ne devait guère compter davantage. Marie-Andrée ne se sentait pas l'envie de reprendre la discussion là où ils l'avaient laissée, sous le minirail de La Ronde.

— Ce n'est pas gentil de dire cela d'une fille avec qui tu as passé la soirée entière.

— … Monte, je te donne un *lift*.

La brièveté de sa nuit la poussa à accepter pour économiser ses pas. La matinée était radieuse. Les Québécois remerciaient le Ciel : non seulement le monde entier vantait Expo 67, mais la météo demeurait exceptionnellement belle.

— Voudrais-tu que nous fassions quelque chose, l'un de ces soirs ?

L'invitation était vague à souhait. Ou le garçon ne tenait pas vraiment à sa compagnie, ou il désirait lui laisser toute la liberté de choisir le moment et le lieu de leur prochaine rencontre.

— Je ne dis pas non, si Clément devient trop occupé pour sortir avec moi.

Robert n'eut soudain plus envie de faire la conversation, mais il se montra tout de même assez bon prince pour la conduire à la porte du pavillon L'Homme à l'œuvre.

— Bonne journée, le salua-t-elle en descendant du véhicule.

— Bonne journée.

Aucun des deux n'ajouta : « À bientôt », encore moins : « À ce soir. »

En s'approchant de l'édifice, Marie-Andrée reconnut France Delisle près de l'entrée. La voir en un seul morceau l'amena à estimer ridicules ses craintes de la veille. Sans doute devrait-elle se dénicher des lectures moins angoissantes que *Allô Police*, ou alors brider son imagination.

— Tu vas bien ? demanda la future infirmière.

— Seulement un peu endormie. Et toi ?

— La même chose.

Le malaise se lisait sur son visage. Visiblement, elle désirait continuer sur le sujet de leur sortie de la veille, peut-être pour justifier son abandon aux mains d'Yves, ou s'excuser de l'avoir entraînée dans cette aventure. La pudeur la fit changer totalement de sujet :

— Tu es arrivée avec Robert. Souhaites-tu renouer avec lui ?

— Non. Je viens de lui faire savoir que je pourrais le rencontrer les jours où Clément est absent.

— Quelle cruauté !

France semblait particulièrement amusée de la voir rendre la monnaie de sa pièce à ce garçon. Surtout, sa collègue paraissait suffisamment affranchie pour ne pas lui tenir rigueur des événements de la veille.

Finalement, Marie-Andrée se réjouit d'avoir rabroué Robert Duquet. Le soir même, Clément Marcoux téléphonait à la maison. Sous les yeux amusés de sa marraine, elle accepta le combiné. Après les échanges de salutations, il demanda :

— Connais-tu Raymond Lévesque ?

— … Je l'ai vu à la télévision quelques fois.

Cet artiste apparaissait dans quelques téléromans, mais aussi dans des émissions musicales.

— Nous pourrions aller le voir ensemble. Le seul problème, c'est que le spectacle commence à dix heures. C'est peut-être un peu trop tard pour toi.

— … Bon, alors je ferais mieux d'aller au lit tout de suite.

Puis elle craignit que sa réponse ne soit pas assez limpide :

— Je serai heureuse de t'accompagner.

La conversation se poursuivit quelques instants, puis elle raccrocha.

— J'ai reconnu la voix du garçon si poli, commenta Mary Tanguay. Chaque fois qu'il me parle, je me prends pour une *lady*.

— Vous êtes une *lady*.

Sa marraine lui adressa son meilleur sourire, désireuse de la prendre au pied de la lettre. Marie-Andrée profita de l'effet produit pour disparaître avant qu'une avalanche de questions ne suive.

À neuf heures le lendemain, Clément Marcoux attendait Marie-Andrée à la porte du pavillon L'Homme à l'œuvre. La jeune fille salua France, puis marcha dans sa direction. Les bises demeuraient un peu empruntées, mais son plaisir de la revoir l'enchanta.

— J'ai invité mes amis à se joindre à nous. Ceux qui étaient au Café Campus. Ai-je bien fait?

Pierre Brousseau et Louise Niquet l'avaient mise bien mal à l'aise la semaine précédente. Cependant, pour ne pas passer pour une sotte, elle répondit:

— Tu as bien fait. Ce sont des personnes sympathiques.

Sans doute était-ce vrai, mais sa propre timidité l'empêchait de les apprécier vraiment. Les hommes discuteraient encore de politique. Avec la jeune femme, elle devrait s'en tenir à des banalités, comme la météo. L'étudiante en science politique lui paraissait tellement instruite comparée à elle-même. Impossible d'aborder les livres ou la musique qu'elle connaissait sans se sentir un peu «colonne». Eux ne s'abaissaient pas à écouter de la musique populaire – ils disaient volontiers «commerciale», comme si les artistes dignes de leur intérêt vivaient de l'air du temps. À part le jazz et le classique, seuls les chansonniers trouvaient grâce à leurs yeux, même ceux dont la voix ne lui semblait pas très harmonieuse. Ils marchèrent côte à côte en direction de La Ronde, sans se tenir la main toutefois. Lui demeurait trop timide, et jamais Marie-Andrée ne prenait l'initiative. La boîte à chansons à cet endroit pouvait recevoir pas loin de deux cents personnes. Tous les artistes les plus connus y étaient venus au moins une fois : Jean-Pierre Ferland, Pauline Julien, Gilles Vigneault, Renée Claude, Claude Gauthier et les autres.

Clément chercha ses amis des yeux, les découvrit bientôt ; Pierre Brousseau leur adressait de grands gestes pour attirer leur attention. Ce dernier commença par embrasser Marie-Andrée, puis serra la main de son camarade. Louise les accueillit tous les deux avec des bises sur les joues.

— Tu connais Raymond Lévesque ? s'enquit-elle.

— Le comédien ? Un peu.

Clément lui avait demandé exactement la même chose. Ce petit trio pensait-il qu'elle arrivait d'une autre planète ?

— Les tournées des chansonniers doivent négliger Saint-Hyacinthe, ricana Pierre.

— C'est vrai, les vedettes ne viennent pas. Le printemps dernier, j'ai dû me contenter du spectacle de Jacques Brel, dans mon petit village.

La répartie les amusa, surtout à cause de la colère pointant sous les mots.

— Je ne suis pas tellement friande de la voix de Lévesque, continua Marie-Andrée. Je suis venue à cause de la qualité de la compagnie.

Cela lui valut un sourire plus engageant. Mais le moment de confort ne dura pas. Brousseau plissa le nez, remarqua à voix basse :

— Sentez-vous quelque chose ?

— Ça doit être moi, convint-elle. Le poulet...

Avec un meilleur éclairage, les autres auraient vu le rouge sur ses joues. Souvent dans la journée, elle portait une main à son nez pour se rassurer sur son odeur, chaque fois pour retrouver la fragrance du St-Hubert.

— Voyons, reprit le futur avocat, il ne s'agit pas de cela.

Il aurait pu évoquer la fumée très dense des cigarettes et des pipes, ou alors les rivières de bière répandues sur le plancher. Puisqu'il ne le fit pas, Marie-Andrée continua de s'en vouloir de ne pas pouvoir se laver au détergent avant de rejoindre qui que ce soit.

Heureusement, l'arrivée du serveur lui changea les idées. Cette fois encore, elle s'en tint à un verre de bière qui lui durerait au moins deux heures. Les autres se distinguèrent en demandant des marques étrangères non disponibles à cet endroit, pour se rabattre sur des produits Labatt tout en protestant contre la pauvreté des approvisionnements.

Avez-vous remarqué sur les trottoirs
Les petits enfants s'amusent ?
Avez-vous remarqué sur les trottoirs
Les gens passent et les usent ?

Marie-Andrée ne pouvait s'empêcher de sourire. En fin de compte, le grand gaillard sur la scène, un curieux chapeau sur la tête, lui plaisait bien. Déjà, la chanson commençant avec la ligne «Mon oncle Albert, c'est un millionnaire» l'avait divertie. *Quand les hommes vivront d'amour* lui tira une larme. À ses yeux, cette découverte justifiait de se coucher tard ; infiniment plus que la discothèque la veille. Peut-être tournerait-elle le dos à la musique yé-yé d'ici la fin de l'été. Cela en ferait une auditrice exclusive de Radio-Canada, et une infidèle de Télé-Métropole.

Comme prévu, son verre était à moitié vide au moment où le chanteur commençait la dernière chanson de son spectacle.

Il flottait dans son pantalon
De là lui venait son surnom
Bozo-les-culottes

Dans la salle, tout le monde se leva, le tonnerre d'applaudissements couvrit tout le reste. La jeune fille imita les trois autres personnes à sa table. Bientôt, le battement des mains cessa, autrement personne n'aurait compris la suite.

Un jour quelqu'un lui avait dit
Qu'on l'exploitait dans son pays
…
Que les Anglais avaient les bonnes places
Et qu'ils lui riaient en pleine face…

Plusieurs personnes chantaient aussi, comme pour un hymne. Il ne s'agissait plus d'un spectacle, mais d'une manifestation politique. Le couplet sur le vol de la dynamite suscita une recrudescence de l'enthousiasme. Quand ce fut fini, Lévesque se dirigea vers les coulisses. Comme les applaudissements ne tarissaient pas, ni les cris « Encore, encore », l'artiste revint devant le micro pour entonner une seconde fois *Quand les hommes vivront d'amour*. Ensuite, il disparut pour ne plus revenir.

Quelques minutes passèrent avant que l'excitation retombe, que les conversations reprennent. Cela ressemblait à une espèce d'hébétude après un orgasme violent. À la fin, ce fut Pierre Brousseau qui rompit le silence.

— Vraiment, il a du courage de venir chanter *Bozo* sur le terrain de l'exposition.

— La police ne peut tout de même pas emprisonner tous les indépendantistes par mesure préventive.

Marie-Andrée ne comprenait pas du tout ce dont il était question, mais jamais elle ne l'aurait admis. Heureusement, Louise Niquet se montra plus audacieuse :

— Franchement, je ne vois pas pourquoi la police s'intéresserait à Lévesque. Il ne fait que chanter.

— Une chanson à la gloire du Front de libération du Québec suffit pour attirer l'attention de la police provinciale. Même moi, à titre de membre du Rassemblement pour l'indépendance nationale, je dois faire l'objet d'une certaine surveillance.

Au ton de Clément, la châtaine devina qu'il en tirait une fierté certaine. Le petit ajout à sa plaque d'immatriculation indiquait combien il aimait son étiquette de militant politique.

— Vraiment, à la gloire du FLQ ? interrogea Louise, visiblement sceptique.

— Il a commencé à la chanter en 1964, juste après que la police a ramassé tous les membres des premières cellules. Puis ça s'est répété l'automne dernier. Il y en a combien en prison maintenant ? Plusieurs dizaines, dont Pierre Vallières et Charles Gagnon.

Marie-Andrée se souvenait très bien de cette vague d'arrestations. L'année 1966 avait été propice aux attentats terroristes. Une femme était morte en ouvrant un colis piégé, un adolescent avait sauté avec sa propre bombe. L'événement avait suscité un certain émoi dans sa classe, au couvent. Le militant malchanceux allait avoir dix-sept ans deux ou trois jours après l'accident.

— Si Lévesque risque de se faire arrêter, continua Louise, ce sera le cas aussi pour de nombreux autres chanteurs. Claude Gauthier, Pauline Julien, Gilles Vigneault.

Le trio d'universitaires supputa quelques minutes le nombre de membres de la colonie artistique susceptibles d'intéresser la PP – l'appellation « police provinciale » demeurait, même si l'on parlait de Sûreté du Québec depuis 1938 – ou la Gendarmerie royale du Canada. Marie-Andrée se retenait de regarder sa montre, mais connaître de nouveau une nuit écourtée ne lui disait rien.

Ce fut Louise Niquet qui traduisit sa préoccupation :

— Ceux parmi nous qui ne vivent pas dans l'oisiveté doivent aller dormir.

Les deux garçons vidèrent les quelques onces de bière toujours dans leur verre, puis se levèrent pour se diriger vers la sortie, leurs compagnes les suivant.

— Tu occupes aussi un emploi ? demanda la châtaine.

— Vendeuse dans une boutique de l'ouest de la ville. Toute la journée à dire : « *May I help you ?* Puis-je vous aider ? » Cet été, il y a tellement de touristes, je ne me donne plus vraiment la peine de poser la question en français.

— Ça me plairait plus que de vendre du poulet, je pense.

— Ah ! Le fameux poulet !

Marie-Andrée se retint de s'excuser encore de l'odeur. En fait, peut-être était-elle la seule à la remarquer.

La durée des spectacles à La Ronde s'alignait sans doute sur l'horaire des feux d'artifice. Le petit groupe s'immobilisa au son de la première explosion pour le contempler jusqu'à la fin. Marie-Andrée n'osa pas protester. De toute façon, elle commencerait à onze heures demain et Louise à neuf heures. Les récriminations devaient revenir à cette dernière.

En se remettant en route, Pierre Brousseau désigna une façade toute sombre en disant :

— Pourquoi ne pas s'arrêter un moment à l'Antre du diable ?

Comme les autres continuaient de marcher, il insista :

— Ces jours-ci, Mara se donne en spectacle.

La semaine du 17 juillet, cette dame se dévêtait au son d'une musique langoureuse, pour le plus grand plaisir des voyeurs.

— Franchement, là tu deviens un peu lourd, déclara sa compagne.

Le jeune homme se le tint pour dit : assister à un *strip-tease* n'intéressait en rien ses compagnons. Louise ralentit le pas, formula à voix basse :

— Je me demande ce que les gars trouvent d'agréable à regarder une vieille se déshabiller. Surtout qu'à ce sujet, Pierre n'a pas à se plaindre.

« Eux, ils le font ! » Bien sûr, des étudiants universitaires ! Ces gens-là étaient dans le vent, insensibles aux règles étriquées de la société d'antan, dominée par les curés. Aucune répartie ne vint à Marie-Andrée.

La conversation ne reprit pas vraiment pendant le trajet en métro. Lorsqu'ils se séparent, l'échange de bises et de poignées de main, souligné par des « À bientôt », dura quelques secondes. Clément prit le bras de son amie pour sortir de la station Berri-de-Montigny. Sa voiture était garée dans l'une des rues environnantes. Une fois dans le véhicule, Marie-Andrée demanda :

— Étais-tu sérieux, tout à l'heure ?

— … À quel sujet ?

— La surveillance de la police.

Clément prit le temps de démarrer et de parcourir un pâté de maisons avant de répondre :

— Le fédéral ne veut pas que nous retrouvions notre liberté, l'Union nationale ne vaut pas vraiment mieux à

Québec. Alors, c'est certain qu'ils mettent la police après nous.

Le « nous » ne signifiait pas nécessairement « moi ». La jeune fille se moquait bien de ce que Pierre Bourgault fasse l'objet d'une surveillance. Elle se faisait toutefois du souci pour ce Clément Marcoux un peu renfrogné.

— Daniel Johnson vient de publier son programme, *Égalité ou indépendance*, dit-elle.

— Ça ne donnera rien, tu vas voir. Ottawa dira non, puis les unionistes passeront à un autre dossier. Pour que ça bouge au Québec, il faudrait une véritable révolution.

Sans doute celle proposée par le Rassemblement pour l'indépendance nationale, afin d'obtenir un Québec indépendant et socialiste, du point de vue de ce militant.

— Que penses-tu du Front de libération ?

Clément haussa les épaules, comme pour signifier son indifférence. Cependant, il déclara :

— Peut-être que le bruit de la dynamite va réveiller ce peuple d'endormis.

Il était mêlé à ces mouvements, il essayait de changer les choses. Tandis qu'elle l'écoutait, Marie-Andrée se sentait encore plus jeune que ses dix-sept ans. Les musiciens à la mode l'intéressaient plus que les soubresauts politiques. Elle préféra cesser cette conversation plutôt que de dire des sottises.

Ils furent bientôt rue Saint-Hubert, devant sa demeure.

— Ça te dirait de m'accompagner au théâtre, cette semaine ? proposa Clément en se tournant vers elle.

— Je ne suis libre que le mercredi.

— Alors, nous irons mercredi soir.

La jeune fille acquiesça d'un signe de la tête. Clément avait étendu son bras sur la banquette depuis l'arrêt du véhicule. Sans doute ne s'en tiendrait-il pas à une bise timide sur la joue, cette fois. Sa main se posa sur l'épaule de Marie-Andrée pour l'approcher de lui, puis sa bouche chercha la sienne. Il aspira un peu sa lèvre inférieure, la caressa avec sa langue. Les doigts dans ses cheveux la rendirent plus languide encore.

La jeune fille ressentait une impression nouvelle. La main sur son sein lui tira une plainte à peine audible. Clément tenta d'insérer ses doigts entre les boutons, en détacha un, puis deux, et glissa sa main à l'intérieur du bonnet du soutien-gorge, pour serrer un peu la pointe du sein entre son majeur et son index.

— Clément…

Le mot « arrête » ne passa pas ses lèvres, mais l'autre le prit bien ainsi :

— Désolé, je ne voulais pas te bousculer.

— Ne sois pas désolé, je me sens si… innocente.

Ses lèvres se posèrent de nouveau sur les siennes, cette fois légèrement.

— Je passerai te prendre vers quatre heures, mercredi. Nous pourrons manger ensemble, peut-être au restaurant du pavillon de la France, pour aller ensuite au théâtre La Poudrière.

Cette petite salle se situait dans l'île Sainte-Hélène. Marie-Andrée finirait par aller à Terre des Hommes tous les jours de la semaine.

— D'accord. À bientôt.

Comme elle allait descendre, il la retint en plaçant sa main sur sa nuque pour l'embrasser encore, puis lui dit, un peu moqueur :

— Tu fais mieux de fermer ça. Tante Mary a un regard inquisiteur.

Elle baissa les yeux pour regarder les boutons défaits, lui adressa un dernier sourire en les rattachant, puis regagna la maison.

Toute la journée du mardi, Maurice se sentit hésitant. En soirée, ses yeux se posèrent souvent sur le téléphone. L'envie de se rendre à Montréal afin de revoir Agathe Dubois le tenaillait. Pourtant, le côté glauque de cette aventure le dégoûtait maintenant de plus en plus. Sauf quand elle écartait les jambes, cette femme ne lui disait rien.

À la fin, il ne fit qu'un seul appel, à Marie-Andrée, afin de confirmer leur rendez-vous pour le lunch du lendemain. Puis, vers onze heures, il se rendit au café de la gare routière. Diane Lespérance le regarda entrer, un peu surprise de le voir. Deux clients se morfondaient, chacun à leur table. Des conducteurs d'autobus, probablement. Maurice marcha directement vers le comptoir, occupa un tabouret.

— Voilà longtemps que tu n'es pas venu ici, remarqua la serveuse. Comme d'habitude ?

Il hocha la tête pour accepter. Elle posa d'abord un café devant lui, puis un morceau de tarte aux pommes.

— Alors, tu t'ennuyais, seul à la maison ?

— En quelque sorte. Tu sais que demain, je me rends à Montréal pour dîner avec Marie-Andrée.

Elle hocha la tête. Ces absences la rendaient un peu jalouse.

— Que dirais-tu de m'accompagner ? Avec Antoine, évidemment.

Ainsi, la tentation de contacter Agathe Dubois s'estomperait. Une femme en chassait une autre, en quelque sorte.

— Tu es certain ?

Les manières à table d'Antoine laissaient beaucoup à désirer, au point que Maurice s'en sentait visiblement embarrassé, parfois.

— Pourquoi pas ? Je sais bien que rouler deux heures pour un dîner de quatre-vingt-dix minutes semble un peu exagéré, mais au moins, nous nous tiendrons mutuellement compagnie.

La proposition touchait Diane profondément. Son compagnon ne venait-il pas de donner un caractère officiel à leur relation ? L'invitation chez sa mère n'avait pas encore eu de contrepartie. Elle avait compris qu'une visite chez les Berger n'aurait pas lieu avant une éternité. Marie-Andrée représentait le meilleur compromis.

— À quelle heure penses-tu partir ?

— Dix heures trente ?

— Ce sera parfait pour nous.

L'un des deux clients esseulés se dirigea vers la caisse. Diane alla recevoir son paiement, puis s'occupa de débarrasser la table. L'enseignant la vit glisser le pourboire dans sa poche, vingt-cinq cents sans doute, cinquante si le quidam voulait se faire passer pour un parvenu.

Quand elle revint, ce fut pour proposer :

— Si tu m'invites, je pourrais passer la nuit chez toi.

Une nuit complète, ce serait la première fois. L'hésitation de son amoureux fit disparaître totalement le sourire de la femme.

— Tu es toujours la bienvenue, mais Antoine…

La précision la ramena à ses bons sentiments. Il allait parfois passer quelques heures chez sa maîtresse, car l'enfant dormait chez la grand-mère. Toutefois, Diane était toujours dans la maison quand le garçon se réveillait.

— J'irai m'occuper de son petit déjeuner demain matin. Il ne s'apercevra même pas de mon absence.

— Dans ce cas, parfait. Je vais attendre pour te donner un coup de main de l'autre côté.

Ce rappel du début de leur relation acheva de la rassurer.

La nuit se révéla torride. Maurice ne perdait pas au change, il ne repensa pas à Agathe avant le matin. Diane fit comme elle l'avait annoncé. Elle quitta la rue Couillard un peu avant huit heures, et à dix heures et demie elle se tenait sur le trottoir, devant chez elle, avec Antoine. Le garçon réservait toujours une étreinte au professeur. Toutefois, comme il était plus habitué maintenant à l'amant de sa mère, l'émotion devenait moins vive.

Le baiser avec Diane demeura chaste, comme il convenait dans un endroit public. Peu après, le moteur émettait son bruit distinctif, et un «Vroummm» un peu baveux vint de l'arrière. L'enthousiasme d'Antoine pour les balades en automobile demeurait le même.

— Ta fille sera surprise de nous voir, avança la serveuse.

— Pas du tout, puisque j'ai annoncé votre présence hier.

Une heure plus tard, après un trajet sans histoire, la Volkswagen s'arrêtait rue Saint-Hubert.

— Je reviens dans un instant, prévint Maurice en descendant.

Ainsi, il n'entendait pas présenter sa maîtresse à sa parenté. «Bon, je ne tiens pas vraiment à connaître la sœur de sa défunte femme», se consola Diane. Quand Marie-Andrée apparut sur le perron, Antoine réclama de descendre, en multipliant les «belle, belle». Il la prit dans ses bras pour un long câlin, si long que la jeune fille fut bientôt mal à l'aise.

— Antoine, viens t'asseoir derrière avec moi.

— Non, avec elle.

— Viens.

Sa mère le prit par la main. Il résista bien un peu, puis se laissa entraîner.

— J'aurais pu accepter… intervint la châtaine.

— Antoine est gentil, mais parfois son amour est un peu envahissant.

Quand tous eurent pris leur place, Maurice demanda :

— Si nous allions rue du Mont-Royal ?

— Du moment où ce n'est pas le St-Hubert, ton choix sera le mien, approuva sa fille.

— Le mien aussi, renchérit Diane.

Maintenant assise à l'arrière, la serveuse se sentait un peu mise à l'écart. Bientôt, tous les quatre s'entassaient sur une banquette en forme de fer à cheval, dans un restaurant. Maurice se plaça d'un côté de la table avec sa fille, Diane fit en sorte de s'asseoir de l'autre côté, près de son fils.

— Que penses-tu du métier de serveuse ? demanda-t-elle.

Un instant, Marie-Andrée ne sut que répondre, puis paria sur l'honnêteté :

— Je ne suis pas vraiment serveuse, je reste debout derrière la caisse. À part la fatigue dans les jambes, ça va.

— Moi, je fais le service aux tables, et je déteste chaque minute de ma soirée.

— Je peux le comprendre. Obligée de me faufiler avec un plateau dans les mains, je finirais par tout laisser tomber sur la tête d'un client.

Heureusement, aucun malheur de ce genre ne survint ce jour-là, et tous se déclarèrent satisfaits de la viande fumée. La conversation demeura empruntée, mais avec la bonne volonté de chacun, tout se déroula bien. De retour sur le trottoir, Maurice demanda à sa fille :

— Souhaites-tu courir les magasins ou te consacrer à une autre activité pressante ?

— Je vais rentrer… faire une petite lessive.

— Dans ce cas, je te dépose chez toi.

Il ne lui fallut que quelques minutes pour faire le détour. Après les bises et les souhaits de bonne semaine à l'intention de Marie-Andrée, le chauffeur demanda à ses deux passagers :

— Ça vous dit de passer par le tunnel ?

Dans l'autre sens, le pont Jacques-Cartier avait procuré de nombreuses émotions à Antoine, principalement la peur. Si on ne lui expliquait pas que des tonnes d'eau s'entassaient au-dessus de sa tête, passer sous le fleuve ne l'impressionnerait pas trop.

— OK. Ce sera la première fois. C'est dans l'est ?

La conversation porta un moment sur la configuration de l'île de Montréal.

— Alors, si nous passons près de Place Versailles, précisa Diane, j'aimerais m'y arrêter.

Son compagnon accepta, tout de même un peu mal à l'aise. Sur la route, il passerait tout près de la rue de Marseille. Et puis Diane, lui demanderait peut-être de prendre un café à l'endroit où il avait vu sa première correspondante de l'agence de rencontres...

Chapitre 20

Quand les coups sur la porte se firent entendre dans l'appartement de la rue Saint-Hubert, Mary Tanguay regarda sa filleule en réprimant une envie de rire.

— Ça doit être ton chevalier servant, alors c'est pas la peine que je me déplace.

Marie-Andrée contemplait sa silhouette dans les carreaux de verre de la porte du salon. L'effet miroir demeurait imparfait, mais elle n'avait pas d'autre moyen de se regarder des pieds à la tête. De nouveau elle portait sa petite robe bleue.

— C'est décidé, demain après-midi, je profiterai de mes heures de liberté pour aller m'en acheter une autre. Je fais pauvre, avec toujours la même chose sur le dos.

— Tu pourrais mettre un pantalon, mais bien sûr, ça cacherait tes belles jambes.

Il s'agissait bien de cela. Même ses pantalons capris lui semblaient en cacher trop.

En ouvrant, la jeune femme se réjouit de voir Clément avec ses vêtements habituels, sans cravate. S'il avait eu la mauvaise idée de quitter son jeans et de nouer une parure de ce genre au cou, elle se serait sentie gênée de sa propre tenue.

— Bonjour! Décidément, tu es très ponctuel.

Spontanément, elle tendit une joue, puis l'autre, pour recevoir des bises.

— La politesse des rois, il paraît.

Voilà qui n'allégerait pas l'impression qu'avait la jeune fille d'être issue d'un rang social trop modeste.

— Nous y allons ? En arrivant tôt, nous éviterons les files d'attente. Nous en serons quittes pour prendre un apéritif.

De la tête, elle donna son assentiment. En descendant les trois marches du perron, son premier mouvement fut de prendre son bras, mais elle pensa : « Ça ne se fait pas », alors elle se retint. Poliment, il lui ouvrit la portière du côté passager, puis regagna sa place derrière le volant.

— La meilleure option demeure de nous stationner à la Cité du Havre, et de faire le reste du trajet avec l'Expo-Express.

Marie-Andrée approuva d'un signe de la tête.

À cause de l'heure de pointe, la circulation se révéla lourde. Un 19 juillet, bien des travailleurs profitaient d'un congé, mais l'abondance des touristes empêchait de constater leur absence. Dans le stationnement de la Cité du Havre, la petite Austin logea tout juste entre une Chevrolet et une Chrysler. Heureusement, les deux jeunes gens étaient assez minces pour sortir du véhicule.

À titre d'employée dans un commerce de l'exposition, Marie-Andrée possédait une carte d'identité lui permettant d'entrer et de sortir du site à sa guise. Son passeport pour la saison donnait à Clément le même privilège.

Au premier coup d'œil, le pavillon de la France faisait toujours une forte impression. La structure en béton et les murs de verre témoignaient des progrès de l'architecture, et la multitude de lames pare-soleil en aluminium, posées à la verticale, en faisaient une sculpture magnifique.

Une fois à l'intérieur, le garçon proposa :

— Ça te dirait de visiter Paris avant le repas ?

Devant la surprise de sa compagne, il précisa en riant :

— Malheureusement, nous ne prendrons pas l'avion, mais l'exposition nous en donnera une petite idée.

Pour présenter la grande métropole, l'espace disponible au rez-de-chaussée du pavillon s'avérait un peu juste. Cependant, dès l'entrée, on avait l'impression de marcher dans la ville. De grands écrans et de nombreux projecteurs montraient les lieux les plus connus. Des boutiques offraient des bijoux, des parfums et des vêtements. Marie-Andrée contempla un moment un petit miracle de chiffon, une microrobe. Puis, en voyant le prix, elle s'exclama:

— Mon Dieu!

— Moins il y a de tissu, plus c'est cher, commenta son compagnon.

Il ne s'agissait pas d'une règle absolue, mais elle se vérifiait souvent.

La présentation de Paris comme centre du rayonnement intellectuel eut un effet assez semblable sur Clément. L'université La Sorbonne, les grandes écoles faisaient rêver un mandarin en devenir.

— Si je pouvais aller là pour mon doctorat… murmura-t-il en secouant la tête.

— C'est cher?

Marie-Andrée eut subitement l'impression d'avoir formulé une sottise.

— La vie là-bas ne doit pas être très chère, mais cela signifierait vivre encore quatre ou cinq ans aux crochets de mon père.

La jeune fille se promit de s'informer sur le cheminement des études universitaires. Son ami possédait une licence, il travaillait à son mémoire de maîtrise, et il affirmait qu'un doctorat lui prendrait encore autant d'années. Pouvait-on vraiment poursuivre des études jusqu'à l'âge de trente ans sans «redoubler» cinq ou six fois en cours de route?

Le restaurant se situait à l'étage inférieur, tout comme le cinéma. Pour Marie-Andrée, le mot «apéritif» ne signifiait rien de précis.

— Je ne sais pas du tout quoi prendre, confessa-t-elle. Je ne bois jamais d'alcool.

— Alors, pourquoi ne pas commencer par un verre de vin ?

D'un signe de la tête, elle donna son accord. Ce serait donc un chardonnay. Clément opta pour un pineau des Charentes, tout en précisant à l'intention de sa compagne :

— Je n'ai aucune idée de ce que c'est.

Qu'il ne connaisse pas la liste des alcools en entier la rassura un peu. Quand vint le temps de choisir le repas, elle s'en remit à lui. Ainsi, elle n'étalerait pas une nouvelle fois son ignorance, et il pourrait croire qu'elle se souciait de ne pas lui vider les poches, car il réglerait l'addition. Le trouvant dans de bonnes dispositions, la jeune fille demanda bientôt :

— Peux-tu me décrire les différents diplômes offerts à l'université ?

Voilà qui lui épargnerait une fastidieuse recherche, surtout qu'elle ne savait pas par quel bout la commencer. Les explications vinrent tandis qu'ils mangèrent. Marie-Andrée se surprit à admirer les longues mains du garçon, tout en se demandant si elles s'aventureraient dans des endroits discrets de son anatomie. Cette pensée l'amena à croiser les jambes et à les serrer très fort.

En revenant de Montréal, Maurice avait déposé Diane et Antoine à leur domicile avant de rentrer chez lui. Un bref instant, il songea à téléphoner à Agathe Dubois. Après tout, rien ne l'empêchait de brûler de l'essence pour faire un nouvel aller-retour vers la grande ville. Même s'il arrivait sans s'être annoncé, cette femme l'inviterait à entrer, pour reproduire le même scénario que les trois premières fois.

Ce désir lui faisait honte, bien sûr. Après une vie à respecter scrupuleusement tous les commandements de Dieu, à se fustiger pour chacune de ses mauvaises pensées, son comportement devenait débridé. Ces années de frustration semblaient lui donner un permis de mentir, et de jouir. Cette logique aurait été parfaite sans les victimes, les personnes trompées. Le courage lui manquait de cesser de voir l'une avant de séduire l'autre, comme si sa confiance pouvait se bâtir sur la présence simultanée de plusieurs femmes dans sa vie.

Quel rôle jouait la satisfaction de ses sens, dans cette frénésie de séduction ? Aucun, sans doute. En fin de soirée, Maurice jeta à la poubelle l'exemplaire du journal *Nos Vedettes* traînant dans son bureau, puis se dirigea vers le café de la gare routière. Il pourrait bavarder avec Diane, et très probablement s'attarder une heure ou deux chez elle au moment du retour.

Le théâtre La Poudrière était un établissement comptant seulement cent quatre-vingts sièges. Comme le couple arriva longtemps avant le début de la représentation, Clément emmena sa compagne faire un tour rapide des vieux édifices militaires.

— C'est ici que le chevalier de Lévis a brûlé ses drapeaux au lieu de les remettre aux Anglais.

La colère dans le ton du militant du RIN aurait pu laisser croire que l'événement datait de la veille.

— C'est arrivé en 1760, jugea-t-il utile de préciser.

Marie-Andrée se retint de lui rappeler que même les manuels scolaires du cours primaire contenaient cette information. Un peu avant vingt heures, ils entraient dans la vieille poudrière construite au XVIIIe siècle.

— As-tu déjà vu cette troupe de théâtre ? demanda Clément.

— Non… C'est même un peu étonnant, parce qu'elle se produit six fois par jour au pavillon L'Homme et la santé.

— D'un autre côté, dans la journée, ton travail ne te laisse pas tellement de temps.

Quand il la laissa s'engager dans la rangée pour regagner sa place, sa main se posa sur son flanc, juste au-dessus de la hanche. Ce simple geste la troubla plus que de raison. Leur conversation se déroula à voix basse jusqu'à la levée du rideau. La pièce *Un couple parfait* racontait l'histoire d'une séparation. Rien de tellement passionnant pour une personne qui rêvait encore de son premier amour.

Tout de même, Marie-Andrée se força à écouter de ses deux oreilles, chercha un commentaire intelligent à formuler lors du retour à la maison de façon à se montrer brillante, et n'en trouva pas. Elle ne devait pas trop souffrir de cette lacune. En sortant de La Poudrière, après une hésitation, Clément prit sa main. Elle trouva sa paume moite, malgré la fraîcheur du soir. La nervosité, sans doute.

Sur le quai de la gare de l'Expo-Express, le garçon la tint par la taille, garda son bras autour d'elle pour monter dans le wagon. Cependant, il évitait de la regarder dans les yeux, de crainte d'être rabroué. Tous les sièges étant occupés, le couple dut demeurer debout. Le mouvement d'oscillation du train pouvant la déséquilibrer, elle s'appuya contre lui pour le laisser la soutenir.

— Tu… tu as aimé la pièce ?

La voix de Clément devenait hésitante. «Il a passé trop de temps dans les livres. Même Jeannot était plus assuré dans cette situation», songea sa compagne. À la télévision, les intellectuels se montraient souvent exagérément timides... Le professeur dans *Les joyeux naufragés* en incarnait le parfait stéréotype. Cette réflexion lui tira un sourire discret. Mieux valait chercher des renseignements sur le comportement masculin dans des émissions plus sérieuses.

— Les grandes querelles, répondit-elle après une longue pause, les tromperies, la décision de se quitter, pour se rapprocher à la toute fin, tu n'as pas trouvé ça un peu tiré par les cheveux?

Voilà que l'improvisation, et non un commentaire soigneusement préparé, lui permettait de formuler une opinion dont elle se sentait plutôt fière. Finalement, autant s'en tenir à la candeur plutôt que de chercher à épater son ami.

— Oui, je pense que tu as raison.

Son bras demeurait autour de sa taille, son trac s'amenuisait pour laisser toute la place au plaisir. À la Cité du Havre, il reprit sa main pour retourner dans le stationnement maintenant à moitié désert.

— Es-tu certaine de vouloir rentrer tout de suite?

Lui offrait-il de l'emmener chez lui? Le moteur tournait déjà et elle demeurait silencieuse.

— Nous pourrions nous arrêter dans un café...

Au moins, il ne parlait pas du mont Royal. En même temps, elle s'en voulait de ses frayeurs de petite fille.

— J'aime mieux pas. Demain, une tonne ou deux de poulets m'attendent.

L'exagération tira un sourire à Clément. Il ne la prenait pas au sérieux. Puisque sa journée ne commençait que vers onze heures, difficile de croire qu'il y avait urgence à se mettre au lit.

L'Austin était arrêtée juste en face de la maison de Mary Tanguay. Clément Marcoux se tourna à demi pour faire face à sa passagère.

— Tu ne m'en as jamais reparlé après mon invitation, mais viendras-tu à la manifestation de lundi prochain ?

Comme la jeune fille ouvrait de grands yeux, il précisa :

— La visite du général de Gaulle à Terre des Hommes.

— … Honnêtement, je me suis sentie trop timide pour en parler à mon patron. Mais demain, je le ferai, je t'assure.

— Nous ne passerons pas toute la soirée à manifester. Ensuite, nous irons manger quelque part. Il y aura sans doute des gens du parti. Tu en connais deux, les autres ne sont pas tous sympathiques, mais je serai là.

Cette façon de présenter les choses eut l'heur de la toucher.

— J'essaierai de me montrer convaincante.

Marie-Andrée ne s'inquiétait pas trop à ce sujet. Une robe montrant un bout de ses cuisses et un air d'ingénue feraient sans doute l'affaire. Depuis un moment, Clément avait mis sa main sur le dossier de la banquette, et elle savait que dans la tête de son compagnon, le compte à rebours était commencé. Bientôt, il se pencherait pour l'embrasser. Ses doigts vinrent dans ses cheveux, puis ses lèvres sur les siennes.

La châtaine n'opposa aucune résistance, au contraire, sa bouche se montra accueillante. Pendant une bonne minute, les langues exécutèrent un petit ballet. L'autre main de Clément caressa son visage, glissa sur son cou. L'attraction terrestre devait agir, car sa paume continua de descendre pour s'attarder sur son sein droit, puis à l'intérieur de la cuisse gauche.

Placée elle aussi un peu de biais, elle écartait légèrement les jambes. Une fois en contact avec la peau très douce, Clément se sentit terriblement fébrile. Sa bouche coupa le souffle de sa compagne, et elle eut soudain l'impression que sa langue atteignait ses amygdales. Son empressement maladroit lui parut attendrissant. Voilà un domaine où les meilleurs livres ne servaient à rien.

Puis la chaleur de la paume à l'intérieur de sa cuisse l'affola totalement. Sa tête lui disait de serrer les jambes, de protester. Au contraire, elles s'ouvrirent quand le bout des doigts toucha le fond de sa culotte. À cet instant, Clément aurait pu lui demander n'importe quoi. Mais il laissa échapper un gémissement, sa bouche cessa de s'agiter, la main se retira lentement.

« Qu'est-ce que j'ai fait ? » se demanda-t-elle. Le changement d'atmosphère ne pouvait tenir qu'à sa maladresse, son innocence. Aussi, les mots de son compagnon la prirent totalement au dépourvu :

— … Je m'excuse. Je ne sais pas ce qui m'a pris.

« Qu'est-ce qu'il veut dire ? » Comme Clément ramenait ses mains sur le devant de son pantalon, elle baissa les yeux, puis comprit ce dont ses camarades de couvent parlaient à voix basse en laissant entendre des rires nerveux. La honte de son compagnon l'émut. Elle risquait de ne plus jamais le revoir.

— Je suis contente que tu me trouves jolie à ce point.

Marie-Andrée posa sa main droite sur sa joue, l'embrassa doucement puis lui murmura dans l'oreille :

— Rappelle-moi avant lundi prochain, sinon je penserai avoir fait quelque chose de mal.

Après lui avoir souhaité bonne nuit, elle descendit de voiture et se sauva vers l'appartement de sa marraine.

Presque la moitié des grandes vacances était déjà passée. Maurice songeait à la nécessité de renouer avec un horaire plus régulier. Occupée en soirée, Diane lui consacrait régulièrement une partie de ses nuits. En son absence, des romans lui tenaient compagnie. Il se levait rarement avant dix heures, et tous ses repas étaient décalés.

L'un de ses premiers gestes était d'entrouvrir la porte et de tendre la main jusqu'à la boîte aux lettres. Ce matin-là, une enveloppe attira son attention. Dans le coin supérieur gauche, il lut: «Collège Édouard-Montpetit.» L'adresse seule, sur le chemin de Chambly, lui permit de comprendre. Il s'agissait du nouveau collège d'enseignement général et professionnel.

— Ils sont tout de même gentils de me répondre dans une belle lettre, grommela-t-il.

Dans la cuisine, Maurice jeta l'enveloppe sur la table, s'en désintéressant le temps de se préparer un café. L'idée de manger des œufs lui levait le cœur. La boisson chaude suffirait pour le moment. Finalement, il se décida à regarder la lettre. Quand il posa les yeux sur la feuille, un «Sacrement!» incrédule passa ses lèvres.

Monsieur Berger,
Vous êtes invité à venir rencontrer le directeur de l'établisse-
ment le 24...

— Mais c'est lundi prochain, ça!

La tête lui tournait. L'idée de tout reprendre à zéro le grisait. Puis, très vite, son excitation retomba. Rencontrer un directeur, ce n'était pas obtenir un emploi.

Comment se préparait-on à un entretien d'embauche? Dans une situation normale, Maurice aurait pu se plonger dans le programme des cégeps, imaginer des leçons pour permettre d'en atteindre les objectifs. Il n'en existait pas encore, tellement ces collèges étaient inédits. Impossible de s'inspirer de ceux des collèges classiques, puisque les nouveaux établissements devaient rompre avec les contenus du passé.

Alors, il ne lui restait qu'à imaginer divers scénarios fictifs, pour constater sans doute dans trois jours que la réalité ne ressemblait en rien à ses projections. Autant s'en tenir à ne rien faire. Dans ces circonstances, il accueillit l'appel de Jeanne Trottier comme une bénédiction.

— Puis-je avoir recours à tes services une nouvelle fois? s'enquit-elle.

— Tu as une autre rencontre avec le médecin? J'espère qu'il s'agit simplement d'une visite de routine.

Sa pudeur lui interdisait de demander tout simplement: «Comment vas-tu?» Les détails d'une grossesse ne concernaient pas le collègue de son époux.

— Selon le médecin, tous mes petits malaises sont normaux. S'il avait accouché à quelques reprises, je lui prêterais une plus grande compétence à ce sujet.

La femme marqua une pause, mal à l'aise. Elle répondit enfin:

— En réalité, je voudrais aller faire des courses. Comme je suis seule…

— Bien sûr. Quelle heure te conviendrait?

Si Jeanne remarqua le manque d'intérêt dans le timbre de la voix, elle n'en laissa rien paraître.

— Pourquoi pas maintenant?

Maurice consulta sa montre, vit qu'il serait bientôt onze heures.

— Je viens à peine de me lever, dit-il. J'aimerais d'abord prendre une douche et manger un peu.

— Tu pourrais bien venir ici…

«Pour prendre une douche?» Il s'en voulut de cette pensée aussi grivoise.

— Je pourrai me rendre chez toi en début d'après-midi. Vers une heure.

Jeanne donna son assentiment. Cette amie se montrait envahissante; ou alors il devenait de plus en plus misanthrope. Après tout, la plus grande partie de ses journées se passait dans la solitude et l'inaction. Après la douche, il mangea un morceau.

Jeanne ouvrit au moins trois minutes après ses derniers coups contre la porte.

— Je devrais te donner une clé. M'extirper de mon fauteuil me prend une éternité.

Depuis leur dernière rencontre, son ventre lui sembla s'être encore arrondi. Il embrassa ses joues en échangeant les salutations.

— Pouvons-nous y aller maintenant?

Son empressement s'avérait un peu indélicat, mais cette excursion ne lui disait rien.

— Bien sûr. Je peux tout de même aller chercher mon sac dans ma chambre?

Son sourire contraint valait des excuses. Un instant plus tard, Jeanne s'appuyait lourdement contre son bras pour descendre l'escalier.

Quand il démarra la voiture, elle expliqua:

— Je souhaite passer au Steinberg afin de refaire mes réserves. Il y a un mois, cela représentait une promenade agréable, mais maintenant, j'ai peur de débouler l'escalier. Je m'excuse d'abuser de ta gentillesse.

— Ça ne fait rien, je suis content de sortir de chez moi. Autrement, je passerais parfois deux jours sans mettre le nez dehors.

— Ah bon! Tu ne vois plus cette femme?

Sa façon d'évoquer Diane Lespérance contenait une pointe de mépris.

— Je la vois toujours, mais pas nécessairement tous les jours.

Le commerce d'alimentation se situait à un demi-mille environ. Dans le stationnement, Maurice dut l'aider à deux mains pour l'extraire de la Volkswagen. Pour les passants, ils formaient sans doute un couple charmant: une grossesse tardive, un homme aux petits oignons. Jeanne s'appuya au bras de Maurice tout en marchant avec un dandinement de canard. Il poussait le chariot, prenant les produits qu'elle lui désignait.

Finalement, des spaghettis, des conserves, des légumes s'y accumulèrent. Rien d'urgent: la famine ne menaçait pas. Ces courses ressemblaient à un prétexte. Quand il se s'arrêta devant la maison, elle demanda:

— Veux-tu m'inviter à prendre un café quelque part? Nous sommes vendredi, et je ne suis pas sortie depuis dimanche dernier.

Sa voix chevrota un peu sur les derniers mots. Cet isolement lui pesait visiblement beaucoup.

— Les provisions?

— Peux-tu les monter? Après tout, ce serait dommage de perdre les légumes, il faut les mettre dans le frigidaire. Avec cette chaleur, ils ne tiendront pas.

Elle lui tendit les clés, en affichant un sourire forcé.

— Laisse tout le reste sur la table.

Évidemment, la pauvre ne voulait pas avoir à monter et descendre l'escalier.

Le professeur grimpa les marches deux par deux. Le frigidaire contenait des provisions pour plusieurs jours encore. En particulier, le casier à légumes débordait.

— Où aimerais-tu aller ? questionna-t-il en revenant derrière le volant.

— … Pourquoi pas au café de la gare routière ?

Son interlocuteur se vexa d'abord un peu, puis s'amusa du petit défi.

— Je suis certain que tu n'aimeras pas. Puis comme Diane ne travaille pas pendant la journée, ta curiosité serait déçue. Allons au restaurant près de l'autoroute. En plein après-midi, nous serons tranquilles.

L'endroit devenait son lieu habituel de rencontre, tout simplement parce que la clientèle se composait de voyageurs de passage. Personne ne l'y reconnaîtrait.

De nouveau, Maurice dut soutenir sa compagne jusque dans l'établissement. En marchant, il remarqua ses chevilles enflées et quelques varices sur ses jambes. Cela faisait certainement partie des inconvénients de la grossesse. Il avait regardé cette femme assez longuement au cours des dernières semaines pour savoir que ces marques étaient nouvelles.

À l'intérieur, ils commandèrent un café, puis attendirent qu'on pose les tasses devant eux pour reprendre leur conversation.

— Émile quitte la maison avant huit heures, pour ne revenir que passé six heures. Je ne vois jamais personne pendant toute la journée, et ma condition m'inquiète tout de même un peu.

« Comme elle doit se sentir seule », songea son compagnon.

— Et le soir, les garçons à qui il donne des cours de rattrapage prennent presque tout son temps. La fin de semaine, il fait les lectures et les travaux liés à ses cours. C'est bien simple, j'ai l'impression d'être veuve une nouvelle fois, dans une condition pire encore.

Dans un instant, des larmes couleraient sur ses joues. Maurice tendit la main pour prendre la sienne.

— Ça se terminera bientôt.

— Qu'est-ce que je ferai au moment de l'accouchement ? Je te téléphonerai pour me faire conduire à l'hôpital ?

Le professeur se souvenait que son collègue lui avait précisé que sa belle-mère serait disponible à ce moment. Il convenait toutefois que cela ne remplaçait pas l'attention d'un conjoint. Surtout, il n'entendait pas lui promettre de prendre le relais d'Émile.

— Ces cours sont nécessaires pour un enseignant. Depuis le début de la commission d'enquête sur l'éducation, notre incompétence est commentée dans les journaux et à la télévision.

— Il aurait pu attendre un an, il n'y a pas urgence.

— Les premiers cégeps ouvriront cet automne. J'aurais dû faire la même chose, maintenant j'ai peur de demeurer toute ma vie avec des élèves de onzième année, dans une école secondaire.

Dans sa bouche, cela ressemblait à une condamnation aux flammes éternelles. L'argument ne convainquit toutefois pas son interlocutrice, autant abandonner ce plaidoyer en faveur de son collègue.

— Peux-tu me parler de ses cours ?

Jeanne laissa échapper un soupir lassé.

— Aujourd'hui, c'est sur les méthodes pédagogiques. Les travaux en équipe, les débats, l'apprentissage par problème... Je ne sais pas trop, après tout, c'est lui qui prend les cours.

— Il y en a d'autres ?

— La psychologie, la philosophie de l'éducation, même la littérature.

« Tout ce que je ne sais pas », songea l'enseignant. Que dirait-il le lundi suivant, lors de son entrevue au collège Édouard-Montpetit ? Seulement qu'il était plein de bonne volonté, disposé à tout apprendre.

Sa compagne présentant un air fatigué, il proposa :

— Veux-tu que je te raccompagne chez toi ?

Elle acquiesça d'un hochement de la tête. Sortir de sa banquette se révéla difficile, il dut lui venir en aide. Une fois qu'ils furent dans l'automobile, elle prononça à voix basse :

— Des fois, je regrette que mon garçon n'ait pas été dans ta classe.

« Ainsi, peut-être serais-je tombé amoureux d'elle », songea Maurice. Jeanne rêvait de réécrire l'histoire de sa vie.

L'enseignant demeura silencieux. Deux ou trois ans plus tôt, il ne l'aurait même pas remarquée, tout à sa peine de la mort d'Ann et préoccupé des soins à apporter à sa fille. Il s'en voulait d'avoir tellement louché sur elle quelques mois plus tôt. Son intérêt très perceptible d'alors semblait maintenant se retourner contre lui.

Le couple idéal battait de l'aile, et il s'en sentait responsable.

— Tu n'aurais pas gagné au change, crois-moi.

Le trajet du retour ne dura que quelques minutes. En gravissant les marches, Jeanne reprit la parole :

— Je sais bien que je ressemble à une baleine en ce moment. Mais quand tu es venu à la maison la première fois, j'ai bien vu que tu étais amoureux de moi.

— Il ne faut pas faire attention à l'attitude d'un gars privé de sexe depuis des années.

— Ce n'était vraiment que ça ?

Que pouvait-il répondre ? Son acharnement à rencontrer quelqu'un tenait à son désir de vivre la même situation que son meilleur ami.

Dans l'entrée de l'appartement, elle reprit :

— Jamais tu ne m'abandonnerais comme il le fait. Ta fidélité à ta fille le montre bien.

— Si tu dis vrai, tu sais bien que je ne trahirai pas un ami.

Maurice tourna les talons et, sans jeter à Jeanne un dernier regard, descendit les escaliers. Dorénavant, lors des appels à l'aide de cette femme, il entendait se faire invisible.

Chapitre 21

Les avances de Jeanne – impossible d'interpréter autrement ses paroles – avaient secoué Maurice. Après tout, le printemps précédent, il rêvait d'une union aussi solide, aussi gratifiante que celle de son ami. Quelle naïveté ! Émile s'absentait huit semaines à cause de l'obligation de prendre des cours, et voilà que sa femme remettait tout en question. Tandis que Maurice se fustigeait pour ses infidélités, elle rêvait de renier son engagement, alors que son mariage avait moins de deux ans.

Pendant toute la journée du samedi, l'enseignant s'était interrogé sur l'opportunité d'avertir son ami de la situation. Une chose l'enrageait : Jeanne faisait de lui un traître, quelle que soit sa décision. Parler blesserait Émile, et ce serait avouer que son attitude avait encouragé les sentiments de sa femme. Se taire, c'était le laisser dans l'illusion au sujet de sa vie conjugale.

Heureusement, Diane lui fournit une heureuse diversion. Le samedi, Antoine leur tenait compagnie, et le dimanche, ils passaient l'après-midi en tête-à-tête. Comme d'habitude, la fin de la matinée s'était passée au lit.

Après avoir dîné légèrement, ils en étaient à discuter du programme du reste de la journée quand le téléphone les interrompit. Chaque fois, quand sa maîtresse était à la maison, il craignait qu'Agathe Dubois ne vienne le relancer.

Jamais il ne lui avait donné son numéro, mais les Berger n'étaient pas si nombreux dans la ville.

— Tu ferais mieux de répondre, dit Diane.

Son agacement transpirait dans sa voix. Maurice décrocha.

— Allô ?

— Maurice, je me sens très mal à l'aise depuis vendredi.

Jeanne le relançait encore.

— J'étais excédée… Jamais je n'aurais dû te dire ce que je t'ai dit.

— Ça va, je ne répéterai rien.

La répartie la laissa interdite, comme si elle réalisait pour la première fois que ses paroles auraient pu atteindre les oreilles de son mari.

— Mais tu sais, dans ma situation, les choses ne sont pas faciles…

— Jeanne, je m'excuse de t'interrompre, mais je ne suis pas seul.

— … Elle est là ?

— Oui, Diane est avec moi.

Sur le canapé, sa compagne esquissa un sourire de satisfaction. L'importun à l'autre bout du fil se faisait signifier qu'une femme était dans sa vie. Elle voyait ça comme un engagement entre eux.

— Je m'excuse, laissa tomber Jeanne.

Elle raccrocha avec une certaine violence, sans la moindre salutation. De son côté, Maurice posa le combiné tout doucement, haussa les sourcils en regardant sa maîtresse.

— L'un de tes parents ? voulut-elle savoir.

— Non, la femme d'Émile. Comme elle est enceinte de huit bons mois et que son mari passe la majeure partie de sa semaine à Montréal, elle semble imaginer que je suis là pour ses relevailles.

— Les relevailles, c'est après la naissance.

Son sourire lui parut moqueur.

— Dans ce cas, utilise le mot que tu juges le meilleur.

Diane n'en suggéra aucun. À la place, elle nota une incohérence dans l'explication :

— Il ne prend pas de cours le dimanche.

Déjà, l'enseignant avait évoqué devant elle le désir de son ami de faire du rattrapage, et son propre malaise de ne pas faire la même chose. Dans ses meilleurs jours, Diane croyait qu'il avait sacrifié cette formation afin de pouvoir la voir tous les jours de l'été.

— Il en donne. Des parents le paient pour qu'il aide leurs rejetons à passer leur secondaire.

— C'est ce dont j'aurais eu besoin.

Les études de la jeune femme demeuraient un sujet tabou entre eux. Maurice comprenait qu'elle avait déserté l'école en neuvième année. Cela la condamnait à occuper toute sa vie des emplois manuels.

Elle préféra revenir à un sujet plus intime.

— Tu es content que je prenne maintenant la pilule ? Ça n'a pas été facile, tu sais.

En 1967, il existait toute une panoplie de médicaments, mais les mots « la pilule » désignaient une seule chose : un contraceptif oral.

— Si tu avais entendu la leçon de morale du docteur… "Mademoiselle, c'est pour les femmes mariées." Un peu plus et il me traitait de salope.

La chute rapide de la natalité prouvait la grande popularité de la contraception. Pourtant, un nombre considérable de médecins confondait leur propre fonction avec celle de confesseur.

— Enfin, nous n'avons plus besoin de capotes.

Elle présentait cette nouveauté comme un véritable cadeau de Noël. Maurice devait en convenir : débarrassé de cette couche de latex, les sensations s'avéraient bien meilleures. D'ailleurs, il en avait eu la preuve avec Agathe Dubois.

— Nous aurions pu commencer plus tôt, précisa Diane, mais paraît que pour être certaine de l'effet, mieux vaut attendre.

— Oui, je sais, j'ai lu la même chose dans les journaux.

— Viens me rejoindre ici.

Diane caressait la place à côté de la sienne, sur le canapé. L'évocation de ces sensations plus intimes semblait la prédisposer à un nouvel échange amoureux.

Se fixer un rendez-vous pour assister à une manifestation politique était très optimiste. Ces événements-là ne se tenaient guère à heure fixe. Et si la visite d'un dignitaire devait en être le clou, alors celui-ci demeurait le seul maître du programme.

Aussi, Clément Marcoux téléphona à Marie-Andrée dans la matinée afin de planifier une rencontre à la Hutte suisse, un café-restaurant situé rue Sherbrooke, un peu à l'ouest de Bleury. La jeune fille avait finalement obtenu la permission de prendre congé de son travail. Pour la première fois, elle bénéficierait de deux jours de relâche dans la même semaine.

Comment s'habiller pour une activité de ce genre ? Après le dîner, Nicole avait bien voulu la conseiller :

— Ça risque de barder. Si tu te fais jeter dans un panier à salade avec ta mini, tu donneras un joli spectacle.

— … Pourquoi la police ferait-elle cela ? Ce rassemblement n'a rien d'illégal.

— Dans le groupe, il y aura des gens du RIN, mais aussi du Front de libération du Québec, de l'armée de libération, du Parti socialiste, et de tous les autres groupes dont on ne parle même pas dans les journaux.

Toutes deux lavaient la vaisselle, tandis que la maîtresse de maison passait le balai.

— Dans le temps, mon mari me parlait de tous ces excités-là, raconta Mary. Ça n'a pas le nombril sec, et ça veut faire la révolution.

Les mouvements clandestins étaient apparus au début de la décennie. Régulièrement, des bombes faisaient exploser des statues de politiciens de langue anglaise, des lieux liés à l'armée ou au milieu des affaires. Mary Tanguay faisait toutefois référence à des événements précis : parmi les membres du FLQ mis en état d'arrestation depuis le début des années 1960, plusieurs n'avaient même pas dix-huit ans. Des dizaines de militants croupissaient dans des cellules, y compris les chefs Pierre Vallières et Charles Gagnon.

— T'es sûre que tu veux aller là ? insista la marraine de Marie-Andrée.

— … C'est ce que j'ai promis à Clément tout à l'heure.

— Un gars si poli qui fait des folleries de même.

Mary rangea son balai et quitta la pièce en secouant la tête, pestant en silence contre les excès de la «jeunesse d'aujourd'hui». Un fossé d'incompréhension se creusait entre les générations. Marie-Andrée en profita pour demander à voix basse :

— Pour une fois que j'ai la chance de te parler à un autre moment qu'au milieu de la nuit, peux-tu me dire comment les choses se passent au club Playboy ?

— Maintenant, je sais préparer un *singapore sling*.

— C'est le seul avantage de cet emploi ?

Nicole se montrait rieuse. Son pantalon capri et son chemisier léger lui donnaient l'air d'une vacancière condamnée à laver la vaisselle chez sa logeuse.

— Ça ne paie pas autant que le premier soir, mais je me suis tout de même arrêtée chez un concessionnaire Ford afin d'essayer une Mustang.

Son interlocutrice arrondit les yeux. Cette voiture servait à marquer le statut des jeunes professionnels. La brunette continua :

— Cela ressemble à ce que j'imaginais : des gars avec de l'argent viennent boire quelques cocktails tout en reluquant le cul des filles portant des oreilles de lapin et une petite queue.

— Les règlements sur les rapports avec les clients sont appliqués ?

Ils interdisaient pratiquement tout contact entre ceux-ci et les employées.

— Mieux que je ne le pensais, mais rien ne peut empêcher deux personnes de se passer un numéro de téléphone.

Marie-Andrée la regardait avec une interrogation dans les yeux, sans oser formuler de question.

— Je suis sortie avec deux d'entre eux… Pas le genre de relation qui va donner des enfants forts.

Quand elles eurent fini leur corvée, la *bunny* dit à sa cousine :

— J'étais sérieuse tout à l'heure. Habille-toi comme pour aller faire du sport, et si ça tourne mal, déguerpis.

Venu d'une personne aussi affranchie que Nicole, l'avertissement troubla sa cousine. Toutefois, pas question de rater ce rendez-vous.

— *Tout le long du chemin du Roy, des milliers de personnes se massent sur les abords afin d'acclamer Charles de Gaulle, le président de la République française.*

Les commentateurs de toutes les stations de radio accessibles de la petite Volkswagen répétaient la même chose depuis neuf heures trente, ce lundi 24 juillet. Maurice, un peu lassé de la répétition, cherchait des journalistes ayant autre chose à dire.

— *Ce sont vingt arcs de triomphe qui ont été construits sur la route. Les matériaux sont toujours les mêmes : des branches de sapin. Et au-dessus se dressent des fleurs de lys géantes.*

— *Tu as raison, Georges. Partout le même enthousiasme. Partout on voit des drapeaux. Celui du Québec bien sûr, et celui de la France.*

— *Et dans ces milliers de fleurdelisés et de tricolores, pas un seul drapeau du Canada. Les politiciens d'Ottawa doivent rager. C'est le premier ministre Daniel Johnson qui a décidé de les bannir tout à fait.*

Depuis le début des années 1960, les querelles de drapeaux entre les deux paliers de gouvernement ne faiblissaient pas. La visite du politicien français élevait l'intensité de cet affrontement à un nouveau sommet.

Cependant, l'attention du professeur se portait sur un autre sujet. Son entrevue au collège d'enseignement général et professionnel Édouard-Montpetit aurait lieu au milieu de l'après-midi. La nervosité l'avait amené à se mettre en route juste après midi, « au cas où surviendrait un incident ». Ainsi, même s'il subissait une ou deux crevaisons, il arriverait à l'heure.

Comme le trajet se déroula sans anicroche, il gara sa voiture dans la cour de ce qui avait été jusque-là l'externat classique de Ville-Jacques-Cartier. Il s'agissait d'une grande bâtisse d'un mauvais jaune, ou d'un mauvais brun, selon la perception de chacun, avec un saint encastré dans la façade.

Parce qu'il avait eu la sagesse de prendre un roman avec lui, ses deux heures d'avance passeraient plus rapidement. Mal à l'aise, il s'agita un peu sur son siège, tiraillant sur sa fourche.

À trois heures moins le quart, il entra dans le grand édifice pour chercher le bureau de la direction. Là, une secrétaire visiblement fâchée de ne pas être en congé en juillet lui désigna une chaise. Un petit ventilateur créait un ouragan miniature sur son pupitre, soulevant les papiers épars. La pluie était tombée en matinée, maintenant il régnait une chaleur humide. Combinée à sa nervosité, elle produisait un filet de sueur coulant au creux des reins de Maurice.

À l'heure prévue, un père franciscain sortit de son bureau.

— Monsieur Maurice Berger, je présume?

— Oui, mon père, confirma le candidat en se levant pour lui serrer la main.

Ce «mon père» venait tout naturellement, un réflexe automatique devant un religieux. Ce dernier était un petit homme affublé d'un mauvais complet, l'air sympathique malgré ses lunettes d'acier et son visage émacié.

— Veuillez entrer, le convia-t-il en s'effaçant pour le laisser passer.

Maurice demeura debout pendant que le franciscain entretenait sa secrétaire d'un candidat malchanceux reçu pendant la matinée. Le visiteur n'osa s'asseoir que lorsque le religieux regagna sa place derrière son pupitre. Il tendit la main pour baisser le volume de la radio, tout en remarquant:

— Voilà bien le drame des moyens de communication modernes. Nous suivons en direct les grands événements pour entendre la même chose huit heures durant: le grand politicien fait une balade sur le chemin du Roy en Lincoln Continental.

Le visiteur ignorait si le directeur attendait une réponse ou non. Dans ces circonstances, autant se contenter d'un sourire et d'un acquiescement de la tête.

— Bon, enchaîna le franciscain, maintenant, revenons à nos affaires. Vous enseignez depuis plus de vingt ans à Saint-Hyacinthe, et tout à coup, vous voilà candidat dans un collège de Ville-Jacques-Cartier. Pourquoi ?

Cette municipalité avait été séparée de Longueuil en 1947, elle s'y rattacherait bientôt.

— Je souhaite passer au niveau collégial. Je pense avoir plus d'affinité avec des classes de jeunes adultes.

— Vos élèves actuels ont dix-sept ans, vous croyez que ce sera différent s'ils en ont dix-huit ou dix-neuf ?

— Un an ou deux, à cette période de la vie, ça compte.

Le religieux hocha la tête, même s'il avait des doutes à ce sujet. Il prit une lettre portant le nom du collège Saint-Joseph dans le coin supérieur gauche.

— Le frère Jérôme a une bonne opinion de vous.

Finalement, à sa demande et avec l'appui d'Émile Trottier, son directeur actuel lui avait fourni une lettre de recommandation. Maurice soupçonnait que son ami en avait largement dicté le contenu.

— Il abonde dans le même sens que vous. Des élèves plus âgés et un enseignement plus axé sur la littérature vous conviendraient mieux.

Le frère de l'instruction chrétienne n'avait certainement pas évoqué ses relations difficiles avec ses collègues plus jeunes. Peut-être souhaitait-il se simplifier la vie en appuyant son départ.

— Pourquoi diable n'attendez-vous pas un an ou deux ? Vous aurez bientôt chez vous un établissement comme celui-ci.

Répondre qu'il trouvait trop incultes certains membres du personnel recrutés depuis peu, que ses rapports avec sa famille se dégradaient, qu'il comptait sur un nouveau départ pour se débarrasser de sa morosité n'aurait pas aidé sa cause. Il ne lui restait qu'à miser sur son image de père exemplaire et de veuf éploré.

— Ma femme est décédée il y a peu de temps, ma fille de dix-sept ans doit commencer son cours normal en septembre. Je la trouve un peu jeune pour vivre seule en chambre, puis à Saint-Hyacinthe, tout me rappelle… ma perte.

Le directeur hocha la tête. Des motifs tirés de sa vie privée donneraient peut-être à Maurice un certain capital de sympathie, ou même susciteraient la pitié.

— Oui, je peux comprendre… Le monde recèle bien des dangers pour une personne aussi jeune.

Cette fois, ce fut son trop court curriculum vitae que le religieux prit dans ses mains.

— Je comprends qu'en 1944, des jeunes hommes obtenaient des postes d'enseignant avec leur seul diplôme d'études classiques. Toutefois, dans le rapport Parent, on parle de professeurs d'instituts – vous savez que ce sont les cégeps – possédant des maîtrises ou des doctorats.

Depuis le début, Maurice se doutait bien que la pauvreté de sa formation serait le principal obstacle à son embauche. D'un autre côté, ce franciscain ne pouvait l'avoir convoqué uniquement pour lui dire de vive voix qu'il rejetait sa candidature.

— Ces maîtres et ces docteurs n'auront aucune expérience, et je doute que leur nombre soit bien grand. Moi, je vous offre une expérience pertinente de vingt-trois ans. Puis je suis déterminé à prendre tous les cours dont j'aurai besoin.

— Jusqu'à maintenant, vous n'en avez suivi aucun.

Effectivement, cela ne démontrait pas une grande détermination de sa part. Il ne lui restait plus qu'à bluffer.

— Je pense que je pourrais vous résumer assez bien l'offre de cours de l'Université de Montréal cet été.

Si le directeur le prenait au mot, les quelques informations reçues d'Émile ou de Jeanne ne lui permettraient qu'un exposé de soixante secondes.

— Jusqu'ici, la distance et la présence de ma fille m'ont empêché de m'inscrire. Dès septembre, j'aurai plus de liberté.

— Vous n'aviez aucun parent à qui la confier?

— Mon frère est curé, ma sœur religieuse.

Le voilà qui utilisait la stratégie de sa mère : se construire une sainteté par procuration en se servant des vocations de ses proches. Son interlocuteur hocha la tête plusieurs fois, puis s'informa de sa disponibilité dès la fin août. Maurice se montra disposé à installer un écriteau «À vendre» devant sa propriété avant l'heure du souper. Bientôt, le directeur se levait pour l'accompagner à la porte de son bureau. En lui serrant la main, il lui dit :

— Je vous ferai connaître ma décision d'ici une semaine.

Dans la poigne du franciscain, et dans son sourire aussi, Maurice crut percevoir la promesse d'un emploi. Dans l'antichambre servant de bureau à la secrétaire, il aperçut un autre candidat. Malgré ses salutations affables à la jeune femme et un «Bonne chance» très *fair play* à ce dernier, il quitta les lieux de nouveau pessimiste.

Au cours des dernières minutes de son entrevue, Maurice Berger avait trouvé le temps long à cause d'un besoin pressant. Aussi emprunta-t-il le grand couloir allant de la majestueuse porte d'entrée principale jusqu'au fond du bâtiment. De chaque côté s'ouvraient des bureaux et des classes. Il s'agissait d'un bâtiment datant des années 1950, plutôt moderne avec des planchers de terrazzo et de grandes fenêtres. Quelques centaines d'élèves fréquentaient cet établissement. Les finissants du cours classique se soumettaient à l'examen de l'Université de Montréal afin de recevoir le baccalauréat ès arts. L'enseignant avait obtenu le sien de la même institution en 1944.

Une cafétéria se trouvait sur sa droite, de même que les toilettes. Une demi-douzaine d'urinoirs s'alignaient, exceptionnellement propres en raison de l'absence des étudiants. Quand le flot d'urine atteignit son pénis, la sensation de brûlure lui fit serrer les dents. Il avait l'impression d'un fer chaud introduit de force dans l'urètre. La douleur s'avérait si vive que de la sueur perla sur son front, à la racine des cheveux.

— Jésus-Christ, grommela-t-il.

Le scénario du matin, à son lever, se répétait. En conséquence, impossible maintenant de se dire : « Ça va passer. » Finalement, la chaude-pisse portait très bien son nom. Bientôt, il lui faudrait passer chez le médecin. Déjà, la honte lui pesait. Devant un inconnu, il évoquerait un aspect méprisable de sa vie privée, peut-être devrait-il se rendre à l'hôpital pour qu'une infirmière fasse des prélèvements. Une religieuse ou l'une de ces gamines diplômées depuis le mois de juin précédent : l'une ou l'autre le gênerait tout autant. Il se faisait déjà l'impression d'avoir le mot « fornicateur » tatoué sur le front.

Durant ses années de collège, son directeur de conscience lui décrivait les affres des maladies vénériennes afin de le décourager du péché de la chair. Littéralement, ces affections ressemblaient à l'enfer sur terre, l'argument visait à l'amener à une pratique rigoureuse de la chasteté. Puisque, dans les années 1930, aucun traitement médical ne permettait de se débarrasser tout à fait de ces affections, la description des symptômes produisait un grand effet. Mais au cours des vingt dernières années, la pénicilline avait levé la menace, la peur n'était plus le soutien de la vertu.

Pour un homme élevé par une bigote, la honte demeurait toutefois un puissant maître.

Se vêtir comme pour faire du sport! Marie-Andrée demeurait très sédentaire, pour une personne de son âge. Toutefois, un jeans lui donnerait la liberté d'action requise. Une paire de souliers à talons plats – en réalité, elle ne possédait pas de chaussures à talons hauts – et un chemisier compléteraient sa tenue.

Pour un établissement surtout fréquenté par des jeunes, parmi lesquels se trouvait une bonne proportion de hippies, la Hutte suisse avait une curieuse allure. De jolies petites tables couvertes de nappes à carreaux blancs et rouges, des bougies fichées dans le goulot de bouteilles de vin permettaient sans doute à la clientèle de se sentir comme chez soi. La plupart des demeures où logeaient des jeunes comptaient les mêmes éléments dans leur décoration. Certaines marques de vin recevaient davantage la faveur de ces amateurs de beaux aménagements intérieurs ; les bouteilles un peu pansues, couvertes de paille, gardaient la meilleure note.

Quand elle entra dans l'établissement, la jeune fille trouva la place terriblement enfumée et pleine. Une très large majorité des personnes présentes étaient des garçons âgés de moins de vingt-cinq ans. Quelques-uns traînaient une petite amie dans leurs aventures politiques. À tout le moins, elle l'imaginait ainsi.

— Marie-Andrée, je suis ici !

Clément avait quitté une table tout au fond pour venir vers elle. Il devait surveiller la porte depuis un moment. Les retrouvailles demeurèrent embarrassées : ils se voyaient pour la première fois depuis les échanges torrides dans la voiture, cinq jours auparavant. Il posa la main sur son cou pour l'approcher et l'embrasser sur la bouche.

— Je suis heureux de te revoir, affirma-t-il. Ça fait longtemps.

— Voilà la difficulté de sortir avec une fille qui travaille le soir et la fin de semaine.

Elle lui rendit son baiser, troublée par le souvenir de ses mains sur son corps.

— Tu en as encore pour un peu plus d'un mois. Ensuite nous aurons le même horaire.

Donc, il entendait poursuivre cette relation au-delà de quelques semaines, plutôt que de faire comme Robert Duquet : chercher un autre entrejambe après avoir visité le sien. Clément se pencha un peu pour murmurer à son oreille :

— Je me sens juste très gêné de la façon dont ça s'est terminé, l'autre fois.

Le sourire de Marie-Andrée le rassura. Il prit son bras pour la conduire vers ses amis. La présence des familiers de Clément la rassura. Louise Niquet se leva la première pour lui faire la bise, Pierre Brousseau l'imita. L'idée de se trouver au milieu de ce groupe d'adultes la grisait. Ensuite, son compagnon lui présenta les trois autres hommes assis à la table, un autre étudiant et deux travailleurs dans des services gouvernementaux.

— Tu étudies dans quoi ? demanda l'un d'eux.

— J'entrerai à l'école normale en septembre.

De nouveau, elle redevint une adolescente. Il lui sembla que les autres montraient un sourire moqueur à Clément, comme si se trouver avec une fille aussi jeune était ridicule. Louise eut certainement la même impression, car elle tendit la main pour lui toucher le bras. Les conversations reprirent jusqu'à l'arrivée d'un personnage attendu par tous ces gens.

Pierre Bourgault alla d'une table à l'autre, serrant des mains, échangeant quelques paroles. Il connaissait déjà la plupart des personnes présentes; les nouveaux convertis à la cause du Ralliement pour l'indépendance nationale recevaient des mots de bienvenue. Marie-Andrée lui fut présentée en bonne et due forme. Le politicien garda une main sur son épaule tout en lançant à la ronde, d'une voix forte:

— Le général est en train de reconquérir la Nouvelle-France. Depuis ce matin, la foule se masse des deux côtés du chemin du Roy. Si tout ce monde-là avait voté pour nous il y a un an, Danny Boy ne serait pas au pouvoir aujourd'hui.

Les partis indépendantistes avaient obtenu ensemble dix pour cent des votes. C'était peu, et c'était beaucoup. La fantaisie de la carte électorale avait fait en sorte que Daniel Johnson, à la tête de l'Union nationale, formait un gouvernement majoritaire avec un peu moins de quarante et un pour cent des suffrages, alors que les libéraux de Jean Lesage en avaient obtenu plus de quarante-sept pour cent.

— Alors, arrangez-vous pour être devant l'hôtel de ville. N'oubliez ni les pancartes ni les drapeaux.

Bourgault exerça une pression sur l'épaule de la jeune fille, puis se dirigea vers une autre table.

— Tout de même, murmura-t-elle dans l'oreille de Louise, il a la main longue.

Louise réprima d'abord un fou rire, puis elle murmura:

— Ne t'en fais pas avec lui. Ça ne l'intéresse pas.

— Que veux-tu dire?

Cette fois, Louise ne se retint pas, son rire attira l'attention des autres. Puis Marie-Andrée comprit enfin. Ensuite, elle suivit le politicien des yeux un long moment, comme une petite fille découvrant la complexité de la vie adulte.

— Veux-tu manger quelque chose ? proposa Clément. Je n'ai aucune idée de l'heure où nous terminerons notre petite fête.

Présentée de cette façon, la manifestation parut un peu moins stressante à Marie-Andrée. Un sandwich et des frites lui permettraient de se rendre jusqu'en fin de soirée.

Un peu après six heures, tout ce monde se mit en route vers le Vieux-Montréal. Ils portaient un assortiment de pancartes dont le message se résumait à : « Le Québec aux Québécois. »

Chapitre 22

Le parvis de l'hôtel de ville était noir de monde, la foule débordait sur la place Jacques-Cartier. Les médias évoqueraient une quinzaine de milliers de personnes, les policiers présenteraient une estimation plus modeste. La vérité se trouvait sans doute entre les deux. Les pancartes et les drapeaux s'agitaient de droite à gauche, comme un champ de blé sous l'effet du vent.

La limousine s'était arrêtée devant la porte du grand édifice municipal, le politicien géant avait salué la foule avant de disparaître. Depuis, le président français se faisait attendre.

Marie-Andrée se sentait un peu inquiète au milieu de cette foule. Des policiers à cheval, à motocyclette ou à pied se tenaient tout autour de la place. S'ils se mettaient dans la tête de charger, des personnes mourraient écrasées.

— Le Québec aux Québécois !

Clément hurlait, comme tous les autres. Sa compagne se contentait de faire du *lip-sync*, à l'image des artistes à *Jeunesse d'aujourd'hui*. Elle se sentait comme un imposteur au milieu de ces gens. Peu de temps auparavant, elle donnait toute son attention à *Nos Vedettes*, pas aux pages politiques du *Devoir*. Puis le silence revint rapidement quand De Gaulle se présenta au balcon. Des micros étaient restés là, branchés, depuis les discours précédents.

— *C'est une immense émotion qui remplit mon cœur en voyant devant moi la ville de Montréal française.*

La clameur s'éleva, intense. Les cris « Vive De Gaulle », « Vive le Québec » ou « Vive la France » imposèrent le silence à l'orateur pendant un instant.

— *Au nom du vieux pays, au nom de la France, je vous salue. Je vous salue de tout mon cœur ! Je vais vous confier un secret que vous ne répéterez pas…*

Un rire partagé par quinze mille personnes pouvait mettre mal à l'aise une jeune fille timide.

— *… ce soir ici, et tout le long de ma route, je me trouvais dans une atmosphère du même genre que celle de la Libération.*

Le visiteur évoquait la libération de la France après la longue occupation allemande. Reprendre ces mots en contexte canadien, c'était assimiler la fédération canadienne à un joug militaire.

— Juste ces paroles vont nous sauver dix ans de lutte ! cria Clément à sa compagne pour couvrir le vacarme ambiant.

Elle hocha la tête, alors qu'elle ne savait guère à quoi s'en tenir. Inutile de lui rappeler qu'en 1966, le RIN avait reçu moins de six pour cent des voix. Même si l'enthousiasme permettait de tripler ce chiffre, on serait encore loin du compte. Le général vanta un long moment les progrès de la Révolution tranquille et les promesses des programmes de coopération bilatéraux entre le Québec et la France. Puis, il conclut :

— *Voilà ce que je suis venu vous dire ce soir, en ajoutant que j'emporte de cette réunion inouïe de Montréal un souvenir inoubliable. La France entière sait, voit, entend ce qui se passe ici et je puis vous dire qu'elle en vaudra mieux. Vive Montréal! Vive le Québec!*

Les cris éclatèrent en parfait unisson. Les gens secouaient leurs pancartes et leurs drapeaux comme s'il s'était agi de gourdins. Les policiers se regardèrent, éberlués. Une multitude chauffée de cette façon pouvait se livrer à bien des excès.

— *Vive le Québec... libre!*

Cette fois, l'ovation se gonfla, puis se prolongea pendant quelques minutes. Après cela, difficile de faire monter la fébrilité générale encore d'un cran.

— *Vive le Canada français! Et vive la France!*

Puis De Gaulle se retira après de longues minutes d'acclamations et d'applaudissements, en adressant un salut de la main à la foule. Après cette apogée, la fièvre baissa assez lentement. Dans l'excitation du moment, ces gens auraient pu envahir les rues et tout saccager sur leur passage. Cependant, une satisfaction béate cadrait mal avec des accès de violence. Des éclats de rire, des conversations animées satisfaisaient tous les besoins d'action.

Clément Marcoux entraîna ses amis dans la rue de la Commune afin de boire un verre. Un peu après neuf heures, il remarqua :

— Comme Marie-Andrée travaille demain matin, nous allons rentrer. Souhaitez-vous que je vous dépose chez vous ?

Pierre Brousseau consulta sa compagne des yeux, puis répondit :

— Nous allons célébrer l'alliance de la France et du Québec indépendant, puis rentrer en métro.

— Bon, dans ce cas, je vais emporter vos pancartes, ce sera moins encombrant dans les transports en commun.

Après l'échange de bises, le jeune homme sortit avec deux pancartes et un drapeau fleurdelisé. Bien des passants se promenaient avec le même attirail. La multitude des manifestants profita à tous les commerces de la place Jacques-Cartier et des rues environnantes.

Après de longues minutes de marche, le garçon suggéra :

— Nous devrions prendre un taxi jusqu'à ma voiture.

— Si tu es fatigué, je peux porter ça.

La jeune fille tendit la main pour prendre les écriteaux.

— Je blaguais, l'interrompit Clément. Mais tu es vraiment une gentille fille.

Il tendit le bras pour le mettre sur ses épaules.

— Et toi, un gentil garçon, répondit-elle, pour proposer ainsi de me raccompagner plus tôt.

Il s'arrêta pour la faire pivoter et l'embrasser.

— Désolé de te décevoir, mais je voulais surtout passer un moment seul avec toi.

Voilà qu'il entendait reprendre là où ils s'étaient arrêtés le mercredi précédent. Il le lui confirma quand il se mit enfin derrière le volant.

— Aimerais-tu que nous nous arrêtions sur le mont Royal ?

— ... D'accord.

Cette fois, elle ne s'y laissait pas entraîner par un inconnu, mais acceptait d'y accompagner Clément, « pour qu'il se passe quelque chose ».

La fois précédente, Marie-Andrée n'avait pas vraiment apprécié la vue de la ville depuis le belvédère du mont Royal. La présence d'un garçon frustré à ses côtés l'avait rendue plutôt inattentive.

La ville s'étendait sous ses yeux en un grand tapis lumineux. Pourtant, une présence sympathique détourna bientôt son attention de ce spectacle. Comme la dernière fois qu'ils s'étaient quittés, garés devant la maison de Mary Tanguay, Clément s'installa de biais tout en posant son bras sur le dossier de la banquette. Quand les bouches entrèrent en contact, elle accepta sans hésiter sa langue contre la sienne. De ses deux mains, il tint son visage, amorça une caresse sur ses oreilles, descendit jusqu'à son cou, puis sur son sein droit.

La chaleur dans son bas-ventre lui enleva toute idée de s'opposer à son entreprise. Même quand le jeune homme défit un premier, puis un second bouton de son chemisier, sa réponse se limita à une plainte légère. Elle s'amplifia quand ses doigts agacèrent son mamelon. La main ne passait pas dans l'ouverture, elle lui donna un meilleur accès en défaisant elle-même un autre bouton. Les secondes écoulées la rendaient moins passive. Elle effleura son visage.

Toute son envie de résister s'était envolée. Une voix lui criait de faire attention. D'un autre côté, elle souhaitait porter sa propre main à son entrejambe afin de soulager sa tension. Finalement, la transmission de pensée fonctionna : Clément abandonna sa poitrine pour toucher la couture entre ses jambes et exercer un mouvement de va-et-vient. Le tissu épais du jeans rendait le contact décevant pour tous les deux.

Machinalement, les genoux de Marie-Andrée s'écartèrent, il chercha la tirette de la braguette pour descendre la fermeture. L'étroitesse de l'ouverture lui permit tout juste d'y glisser deux doigts. Tout de même, le contact de la culotte de coton ajouta à sa frénésie. Malgré son effort, le bouton de la braguette se révéla récalcitrant. Dans un automatisme, Marie-Andrée glissa sa main pour le détacher. Le bout des doigts de son compagnon alla plus bas, jusqu'à toucher le début de sa fente. Elle eut une espèce de hoquet, de surprise et de plaisir.

Quand la main quitta son entrejambe, l'envie lui vint de protester. Puis le son d'une braguette que l'on ouvre se fit entendre. « Mon Dieu ! Que fait-il ? » Elle le savait très bien, au point de se raidir un peu. Clément interrompit le baiser pour lui murmurer directement dans la bouche :

— C'est insupportable, tu sais.

D'abord, elle ne comprit pas, puis songea qu'une érection confinée dans un tissu rugueux pouvait devenir douloureuse. Quand sa main revint contre son bas-ventre, ce fut cette fois pour se glisser sous la culotte. D'abord il toucha le poil, puis la fente mouillée. Le passage sur le bouton au sommet de celle-ci tira une plainte de plaisir à Marie-Andrée. Malheureusement, au lieu de s'arrêter là, le garçon continua, chercha à la pénétrer avec un doigt. Une petite douleur la fit sursauter, très vite elle saisit son poignet.

— Non, je suis…

Le mot « vierge » ne passa pas ses lèvres, comme si cet aveu lui pesait. Pourtant, elle eut l'audace de le guider :

— Un peu plus haut.

Venue dans un souffle, la demande le laissa d'abord interdit, puis il chercha de nouveau le contact de son clitoris. Marie-Andrée mit fin au baiser pour déposer son visage dans son cou, haletante. Un peu pour ne pas se sentir tout à fait gourde, un peu parce que faire ce geste l'excitait au plus haut point, elle glissa la main gauche vers le corps de son compagnon, posa sa paume sur le sommet de son pénis. La moiteur du tissu du sous-vêtement la surprit. La proximité de son propre orgasme la rendait audacieuse. Elle chercha l'ouverture dans le slip, prit la tige brûlante dans sa main. Leur posture, tous les deux de biais pour faire un angle de quatre-vingt-dix degrés, rendait la manœuvre difficile. L'excitation demeurait toutefois le meilleur stimulant. Quand la jouissance la prit, elle sentit un premier jet de sperme dans sa paume, puis un second, et d'autres encore. La simultanéité de l'orgasme les laissa tous les deux essoufflés.

Bientôt, tous deux se redressaient, affreusement mal à l'aise. Clément l'embrassa doucement tout en retirant sa main. Marie-Andrée s'inquiéta que la sienne soit poisseuse, son compagnon éprouvait la même gêne.

— Je suis désolé, c'est plutôt... salissant. J'ai un mouchoir.

Il cherchait dans sa poche. En le lui tendant, il précisa :
— Il est propre.

La remarque tira un rire léger à la jeune fille. Quand elle eut à peu près nettoyé ses doigts, il reprit le carré de tissu pour enlever quelques traces de sperme sur son pantalon. Ils remirent de l'ordre dans leurs vêtements. Maintenant, la gêne s'installait entre eux, les rendant silencieux.

Bientôt, Clément descendit la longue pente du mont Royal pour emprunter la rue du même nom.

En s'arrêtant à un feu rouge, de la main il exerça une pression sur la cuisse de son amie. Le geste la rassura. Depuis un instant, elle se demandait s'il ne la traiterait pas comme une dévergondée. Ce genre de récit se retrouvait partout, dans les confidences entre filles et dans les courriers du cœur : un homme arrivait à ses fins avec une femme pour ensuite la rejeter et en épouser une vertueuse.

Mais à chaque intersection, Clément refit le même geste, en y ajoutant une véritable caresse. En se stationnant dans la rue Saint-Hubert, il se plaça de nouveau de biais pour lui faire à peu près face.

— Bonne nuit, Marie-Andrée. Je souhaite te revoir très bientôt.

— Je serai libre mercredi.

— Pense à ce que tu aimerais faire. Je t'appellerai demain soir à dix heures précises. Comme ça, tu pourras décrocher avant ta tante Mary.

Sa marraine s'intéressait trop à cette idylle, Clément préférait éviter les questions. La main gauche du jeune homme se trouva contre son visage quand il l'embrassa. Elle reconnut l'odeur de son sexe sur ses doigts. Après des «bonsoir, à bientôt» murmurés, elle quitta le véhicule. En montant les trois marches conduisant au perron, elle chercha la fragrance du sperme dans sa paume. Le mélange de gêne devant leurs gestes, d'excitation à leur souvenir et à la perspective d'une récidive dans quarante-huit heures tout au plus, et du sentiment d'avoir enfin quitté l'enfance la grisait.

Le lendemain du discours du général de Gaulle sur le balcon de l'hôtel de ville de Montréal, Marie-Andrée avait des raisons plus personnelles de se sentir bouleversée. Lors de son passage sur le mont Royal la veille, bien que profondément intimidée, elle s'était montrée très réceptive aux caresses de Clément Marcoux, et un peu moins passive que d'habitude. L'excitation avait miné sa réserve coutumière. La prudence exigeait de consulter un médecin afin de se faire prescrire la pilule. Toutefois, pareille visite lui semblait impossible : demander à un inconnu de lui procurer le moyen de faire l'amour à sa guise la ferait mourir de honte.

Au moment du déjeuner, Nicole Tanguay commenta avec un sourire moqueur :

— Le grand De Gaulle a dû faire un discours interminable, hier.

— Non, quelques minutes seulement.

— Pourtant, je pensais bien...

— À huit heures, tout était terminé.

Nicole lui adressa un clin d'œil appuyé. Près de sa cuisinière, tante Mary les regardait, assises à table, curieuse de connaître les activités de sa filleule.

— Après, nous sommes allés prendre une bière dans les environs.

— Comme tu es revenue à la maison après moi, ça devait être plus qu'une.

La *bunny* se rendait au club Playboy cinq soirs par semaine. Lors de ses moments de relâche, la quête du bon parti la tenait occupée souvent jusqu'à minuit.

— Tu serais surprise du temps que je mets à boire une bière. Je ne coûte vraiment pas cher à mes cavaliers.

— Tant mieux, commenta sa marraine, parce que les gars, ça se rembourse.

Ses interventions dans ce domaine demeuraient rares. Souvent, Marie-Andrée reconnaissait les mots déjà prononcés par Nicole, dans une version moins explicite toutefois.

— Avec ton gars du RIN, questionna encore sa cousine, ça devient sérieux ?

— Nous nous sommes vus moins de six fois.

Un peu de rouge monta sur ses joues. Le souvenir du sexe jutant dans sa paume lui donnait envie de croire en une relation sérieuse, autrement cela signifierait qu'elle était devenue une bien mauvaise fille. L'amour justifiait toutes les intimités, la recherche du plaisir pour le plaisir, aucune. Puis, le souvenir des attentions de Robert Duquet, généreusement distribuées à plus d'une, la rendait prudente.

— Finalement, hier, y a pas eu de casse, remarqua Mary.

— Rien du tout. Les manifestants ont applaudi tout leur saoul, puis sont partis avec leur pancarte sous le bras.

— Ce matin, à la radio, les nouvelles parlaient juste de ça. Paraît que les Anglais ont mal digéré leur souper. Un Français qui vient dire aux Québécois de se séparer… ils disent la même chose dans les journaux.

Lors d'une visite au Perrette, la ménagère avait pu voir quelques-unes des pages titres.

— Pour ça, Bourgault et sa gang devaient être excités comme des puces.

Nicole ne leur accordait pas beaucoup de crédit, à en juger par son ton irrévérencieux.

— Hier, j'ai rencontré Bourgault. Il a mis sa main sur mon épaule.

— Pis ?

La *bunny* voulait sans doute dire : « Ça t'a fait quel effet, de croiser un gars connu ? » Marie-Andrée songea à la remarque de Louise Niquet, jugea inutile de la répéter tellement cela lui paraissait improbable.

— Il est tout petit, et… je ne sais pas comment dire. Intense ?

— En tout cas, intervint sa tante, c'était pas pareil, hier à Detroit. Les Noirs sont en train de mettre le feu partout.

À titre de veuve d'un policier, Mary s'investissait d'une mission quant à la préservation de l'ordre public.

— Quand on maltraite les gens pendant des siècles, leur colère ne devrait pas surprendre. Il y a une vingtaine d'années encore, on les pendait aux arbres dans les parcs.

Marie-Andrée ne se trompait pas en rappelant les lynchages des Afro-Américains, et la référence à cette atroce réalité donnait froid dans le dos.

— Et mettre le feu à mille autos va arranger les choses, je suppose.

La discussion sur le mouvement de revendication des droits civiques aux États-Unis ne les intéressa pas longtemps. Marie-Andrée revêtit son pantalon et son chemisier et prit la direction de son travail, son sac aux couleurs de l'Expo sur l'épaule.

En sortant de la station de métro de l'île Sainte-Hélène, Marie-Andrée perçut l'atmosphère électrique qui régnait sur le terrain de l'exposition, attribuable en grande partie à la quantité impressionnante de policiers présents, en uniforme et en civil. Elle connaissait maintenant très bien les uniformes des agents de la Gendarmerie royale du Canada, de la Sûreté du Québec et de la Ville de Montréal. Les policiers en civil s'avéraient tout aussi facilement reconnaissables à leur carrure, à leurs vêtements mal coupés et à leur arrogance.

La visite des chefs d'État rendait cette présence habituelle, mais celle du général Charles de Gaulle multipliait son ampleur. Ce jour-là, Marie-Andrée distingua aussi des personnages tout aussi inquiétants, s'exprimant avec un accent français. Les services secrets de leur pays respectif n'allaient pas abandonner la sécurité des chefs d'État aux seuls Canadiens.

Devant le pavillon L'Homme à l'œuvre, la châtaine retrouva France.

— Je me demandais si la police ne t'avait pas ramassée sur le chemin pour venir ici, mentionna celle-ci.

— J'ai reçu ma part de regards insistants, mais je ne pense pas qu'on me soupçonnait de vouloir attenter à la vie du président.

Depuis son arrivée à Montréal en juin, Marie-Andrée ne s'étonnait plus des regards masculins gluants posés sur son corps, ni des sifflements de certains. Depuis que Keith Hefner lui avait donné l'assurance que sa silhouette n'était pas vilaine, elle comprenait leur intérêt, mais de là à se livrer à de pareilles démonstrations !

Toutes deux entrèrent dans le pavillon thématique pour se rendre au restaurant et endosser leur hideux uniforme. Pendant l'heure du dîner, un seul sujet domina les conversations des visiteurs canadiens, anglophones et francophones : le discours du président de Gaulle. Les premiers condamnaient sans réserve une intrusion dans la politique intérieure du pays. Les plus âgés rappelaient combien des leurs étaient morts pendant la dernière guerre pour chasser les occupants allemands de France. Pareil manque de reconnaissance les révoltait. Les opinions des seconds étaient partagées. Le plus souvent, les plus jeunes se réjouissaient du coup de pouce à la cause séparatiste. Les plus vieux se montraient incertains.

Vers deux heures, Marie-Andrée vit Clément Marcoux marcher vers le comptoir. Tous deux se sentaient mal à l'aise après les jeux de la veille. Les audaces permises dans l'obscurité d'une petite automobile devenaient embarrassantes, une fois le jour revenu.

— Bonjour, la salua-t-il.

Son amie lui répondit de façon aussi réservée. Ni l'un ni l'autre ne prirent l'initiative de se pencher au-dessus du comptoir pour s'embrasser.

— Peux-tu venir marcher avec moi ?

— Dans trois minutes, le patron m'enverra visiter l'Expo.

— Je t'attends dehors.

Quelques instants plus tard, les jeunes gens purent échanger un baiser, puis ils se tinrent par la main.

— Tu as vu toute cette excitation, ce matin ? commenta le garçon. Je te le dis, De Gaulle a fait avancer la cause de l'indépendance du Québec.

— Si tu parles des journaux, oui, j'ai vu. De même que les policiers sur le terrain.

Plantés devant la porte du pavillon L'Homme à l'œuvre, ils nuisaient à la circulation des visiteurs. Clément dit bientôt :

— Suivons le courant vers le pavillon de la France.

Marie-Andrée ne remarqua qu'à ce moment la direction du mouvement de foule. La présence du président français à Terre des Hommes attirait les curieux. Clément passa son bras dans son dos pour la tenir par la taille. Plus ils approchaient de leur destination, plus la foule devenait compacte et les policiers, nombreux.

La châtaine remarqua un trio en pleine conversation, l'un en uniforme de gendarme fédéral, les autres portant celui de la police de Montréal. Bien vite, elle constata que sa silhouette les laissait indifférents. Quand les agents vinrent vers eux, Clément se raidit un peu.

— T'es Marcoux, toé ? s'enquit l'un.

— … Je n'ai pas à vous répondre. Le Canada est encore un pays libre.

L'ironie de l'argument échappa totalement au policier.

— Tu r'vires de bord, ou on te ramasse.

— J'ai le droit d'aller où je veux.

Clément avait lâché la taille de sa compagne dès qu'il avait remarqué l'intérêt des policiers. Son effort pour rester impassible ne suffisait pas à empêcher sa voix de chevroter. Surtout, il ne se montra pas assez convaincant. L'un des agents se saisit de son bras. Son effort pour se dégager entraîna l'intervention du second, qui bouscula un peu Marie-Andrée au passage.

— Viens avec nous aut' sans faire de problèmes, sinon on t'met les menottes.

La menace le convainquit de se tenir tranquille. Alors qu'ils l'entraînaient, Clément tourna la tête vers elle pour lui dire :

— Je te téléphone ce soir.

— Envoye, avance, mon tabarnak.

Le ton ne tolérait pas la réplique. Marie-Andrée les regarda s'éloigner, révoltée par cette intervention, mais surtout intimidée à cause de tous les yeux fixés sur elle. Les forces de l'ordre arrêtaient des coupables, et la compagne du criminel méritait des regards lourds de reproches.

Elle n'était pas encore revenue de ses émotions quand le troisième larron, le gendarme fédéral, s'approcha :

— Parles-tu anglais ?

Elle répondit sans aucun accent, tout en s'informant des motifs de cette arrestation musclée.

— Tiens-toi loin des gars comme lui, sinon tu vas te ramasser dans le trouble.

Après ce conseil paternel, l'officier tourna les talons pour s'éloigner, très raide dans son uniforme rouge.

Marie-Andrée erra sans but dans l'île Notre-Dame, les larmes aux yeux. Son évocation du lynchage des Noirs américains, ce matin au moment du déjeuner, lui revenait en mémoire. Elle s'imaginait qu'on pendrait Clément sous la monumentale sculpture de Calder appelée *L'Homme*, située à l'entrée de l'Expo.

Pendant les dernières heures de sa journée de travail, Marie-Andrée conserva un visage inquiet, au point que ses collègues soupçonnaient un chagrin d'amour. Comme France se trouvait dans la cuisine, impossible pour elle de s'informer de la situation. À neuf heures, elle l'attendait à la sortie du pavillon L'Homme à l'œuvre.

— Que se passe-t-il ? s'informa-t-elle, inquiète.

— Les policiers ont arrêté Clément.

— … Que veux-tu dire ?

La brunette prit Marie-Andrée par le bras et l'entraîna vers la station de métro.

— Nous sommes allés dans la direction du pavillon de la France pour voir le général de Gaulle, et les policiers se sont emparés de lui.

— Si ce gars va dans toutes les manifestations, en plus de se présenter aux élections pour le RIN, les services d'ordre possèdent certainement son portrait. Avec le président français sur le site, des militants comme lui devaient être tenus à l'œil.

Évidemment, les pouvoirs publics surveillaient les révolutionnaires. Que Clément figure parmi eux troublait beaucoup Marie-Andrée. Après un moment d'hésitation, elle demanda :

— Penses-tu qu'ils peuvent le mettre en prison ?

— À moins qu'il ne mette des bombes ou vole des banques pour le Front de libération du Québec, ça n'ira pas plus loin qu'une visite au poste.

La jeune fille se souvenait de la promesse de son ami de lui téléphoner. Avait-il l'habitude de ces arrestations ?

Chapitre 23

Une fois rendue à la maison, Marie-Andrée avait à peine passé la porte quand elle demanda :

— Clément a-t-il appelé ?

— Ton cavalier ?

Tante Mary veillait dans le salon, devant son appareil de télévision, avec son beau Roméo à côté d'elle. Le chambreur du moment se promenait sans doute encore à Terre des Hommes, cela permettait à la ménagère de poser ses pieds sur un pouf et de savourer la programmation de Télé-Métropole. Sa filleule se planta dans l'entrée de la pièce. Après avoir salué Roméo, elle enchaîna :

— Oui, mon cavalier.

— Pas de nouvelles de lui.

— Si ça sonne, je vais répondre.

— Ne crains rien, je te le laisse. J'ai déjà le mien.

Le collègue du défunt époux de Mary portait bien son prénom. Il regarda son hôtesse avec un sourire en coin. Sa cour se faisait si discrète que la jeune fille ne connaissait pas ses traits. Comme il travaillait pour la police de Montréal, Marie-Andrée se demanda un bref instant si cet homme pouvait la renseigner sur le sort de son ami.

Cette démarche ne se révéla pas nécessaire. Elle achevait tout juste son souper léger quand la sonnerie se fit entendre.

Après avoir placé une chaise sous l'appareil accroché au mur, elle porta le combiné à son oreille.

— Clément, c'est bien toi ?

— … Oui, c'est moi. Voilà le genre d'accueil qui fait plaisir à un homme.

Son effort pour prendre les événements à la légère sonnait tout de même un peu faux.

— J'étais si inquiète. Que t'est-il arrivé ?

— Rien. J'ai eu droit à une visite du poste de police. Ils m'ont laissé sortir au début de la soirée.

— … Tu n'auras pas à passer devant un tribunal, n'est-ce pas ?

— Pourquoi, mon Dieu ? Je n'ai pas commis de crime, je me promenais avec ma blonde.

Cette façon de la désigner fit plaisir à la jeune femme.

— Ils n'ont pas le droit de ramasser les gens comme ça.

— Oui et non. S'ils soupçonnent quelqu'un de vouloir commettre un crime, ils peuvent l'arrêter.

— Quel genre de crime ?

Décidément, son aptitude à s'angoisser ne connaissait pas de frein. De nouveau, l'idée de fréquenter un scélérat la mettait terriblement mal à l'aise.

— Comme le monde a les yeux fixés sur Montréal, crier « Vive le Québec libre » sur le terrain de l'Expo semble devenu un grand sujet d'anxiété.

Quelques semaines plus tôt, Clément lui disait à peu près la même chose. Alors, il lui expliquait que les nationalistes devraient se faire discrets lors de la visite de la reine Elizabeth II, ou risquer une arrestation préventive. Il enchaîna :

— Remarque, si un de mes meilleurs amis n'était pas là pour m'expliquer les questions de droit, je le prendrais moins bien.

Il faisait allusion à Pierre Brousseau. Au moins une personne dans ce petit groupe connaissait la frontière entre les protestations politiques légales et les comportements susceptibles d'entraîner des poursuites.

— Ces policiers te connaissaient déjà. Ils sont venus directement dans ta direction.

— Tous les matins, ils doivent s'installer devant les photos des membres du RIN pour en mémoriser les traits. Comme j'étais candidat l'an dernier, ils me connaissent.

Il lui présentait les mêmes explications que France. Une nouvelle fois, Marie-Andrée se sentit si jeune, si mal informée.

— J'étais tellement inquiète.

L'expression réitérée de ce sentiment rendit Clément un peu plus audacieux.

— De mon côté, je m'ennuie de toi, j'ai hâte de te revoir… seul à seule.

Exactement vingt-quatre heures plus tôt, tous deux se livraient à des jeux coquins sur le mont Royal. Ce souvenir lui fit chaud au bas-ventre.

— Malheureusement, demain et après-demain, je ne pourrai pas me libérer. Si tu veux, le 28, je t'attendrai à la Cité du Havre.

Il ne disait pas son programme, mais après l'allusion précédente, Marie-Andrée le devinait bien. Elle fut heureuse que sa marraine ne voie pas le rouge sur ses joues.

— Oui, ça me fera plaisir.

La conversation se poursuivit pendant quelques minutes, puis chacun raccrocha avec l'impression que ces journées d'attente seraient bien longues.

Certaines maladies s'avéraient très respectables. Du petit rhume à la tuberculose, comment reprocher quoi que ce soit aux personnes affligées ? Cela se contractait par les voies aériennes ou par une poignée de main. Personne ne rougissait de les attraper. Déjà, les douleurs au foie ou à l'estomac laissaient deviner des excès de table : une souffrance imposée par de mauvaises habitudes, une preuve de la faiblesse de la volonté.

Cependant, une affection en bas de la ceinture et en haut des cuisses inspirait la honte. Maurice consultait le docteur Marois, d'habitude. Dans les circonstances, c'était impensable : habitant tout au plus à six maisons du praticien, il le croisait plus d'une fois par semaine. Il en allait de même pour tous les autres docteurs de la ville. Impossible d'établir un contact visuel franc avec celui qui vous avait manipulé le sexe en le tenant à quelques pouces de ses yeux.

— Je ne vois rien, monsieur Berger.

Pour éviter un plus grand inconfort, l'enseignant avait roulé jusqu'à Drummondville pour consulter un parfait inconnu. Il se tenait en face de lui, le pantalon et le sous-vêtement descendus jusqu'aux genoux. L'autre lui avait d'abord manipulé les testicules, puis de nouveau, il décalottait le gland.

— Pourtant, la douleur est vraiment insupportable au moment d'uriner.

Le cabinet lui rappelait ceux des docteurs de son enfance. Sur le pupitre de chêne massif, un crâne était utilisé comme presse-papier. Des livres s'entassaient sur des étagères au mur, une armoire contenait des médicaments.

— Je veux bien vous croire sur parole, mais je ne vois rien. Alors, ce n'est pas la syphilis. Aucun écoulement ?

Enfin, le médecin lui lâcha la verge, il put remettre ses vêtements et reprendre sa place sur le fauteuil en face du bureau.

— Non, je n'ai rien remarqué.

— Pas de trace dans les sous-vêtements ?

Maurice secoua la tête de droite à gauche. En viendrait-il à prendre une loupe pour recommencer son examen visuel ?

— Alors, on peut éliminer la gonorrhée. Je parierais pour la chlamydia. Souvent, les femmes n'ont aucun symptôme. Il se peut donc que votre… compagne ne se sache même pas atteinte.

Le choix du terme lui avait demandé un instant de réflexion.

— Pour en avoir le cœur net, il faudrait aller passer des tests à l'hôpital. Ce ne sera pas une partie de plaisir. Quand la chair est à vif, on sent très bien passer le Q-tip dans l'urètre, je vous assure.

Le gros bonhomme au teint rougeaud paraissait se réjouir de lui prédire une si grande douleur, comme s'il se faisait l'auxiliaire de Dieu en imposant ce genre de souffrance à ses patients pervers.

— Non, je ne veux pas…

L'enseignant s'arrêta. L'idée de cet examen lui faisait honte. Il poursuivit :

— De toute façon, quelle que soit la maladie, le remède est toujours le même, non ?

— … De la pénicilline. Bon, je vous trouve très pudique, mais si vous y tenez. Toutefois, si jamais les symptômes ne disparaissent pas en trois jours, vous n'y couperez pas.

Le praticien sortit son bloc d'ordonnances et commença à écrire.

— Si vous retournez… dans l'endroit infecté avant ou après la fin du traitement, ça ne donnera absolument rien. Alors, si jamais vous la revoyez, la capote s'imposera.

Le « si jamais » était nécessaire, car on attrapait souvent ce genre de chose avec une prostituée. Dans ce cas, une nouvelle rencontre devenait bien hypothétique.

— Vous ne portez pas d'alliance, mais tous les hommes mariés dans votre situation l'enlèvent pour venir me voir. Alors, si une épouse existe, elle devra prendre la même médication, et d'ici la fin du traitement, la capote s'imposera avec elle aussi.

Depuis la première manifestation des symptômes, Maurice revisitait la chronologie des événements. L'infection venait d'Agathe, puisque jusqu'au dimanche précédent, il avait utilisé un condom avec Diane.

— Dans ces circonstances, je vous remets une seconde ordonnance.

Le silence de son patient convainquit le praticien de l'existence de cette seconde femme.

— Cela ne s'est passé qu'une fois avec… elle, la médication ne sera pas nécessaire. Je prendrai un condom, à l'avenir.

Diane trouverait certainement très étrange qu'il revienne à cela alors qu'elle prenait la pilule. Sans doute existait-il une infection que l'on pouvait contracter autrement qu'en baisant, et transmettre de cette façon. Le médecin pourrait le lui dire.

— Ne faites pas courir ce risque à cette personne, si elle vous est chère. Je sais que ce sera difficile de le lui apprendre, mais vous n'avez pas le choix.

De nouveau, Maurice sentit dans la voix du praticien la froideur du bourreau, responsable de l'exécution des sentences.

— Alors voilà, dit-il en lui tendant les ordonnances, et soyez prudent.

Cela ressemblait à une injonction paternelle. Maurice plaça les feuillets dans son portefeuille, puis sortit de quoi payer la consultation.

Toujours par souci de discrétion, le professeur prit la précaution d'acheter les médicaments avant de quitter Drummondville. À son retour à la maison, il avala un premier comprimé avec l'espoir que la pénicilline fasse un effet rapide. Toute envie d'uriner lui pesait comme une promesse de souffrance insupportable. Puis écrasé devant la télévision, jambes écartées, il ne lui restait qu'à attendre les informations. Quand le téléphone sonna, il tendit la main pour atteindre le combiné.

— Hello, Maurice, fit Diane d'une voix enjouée. Ta fille a été heureuse de te voir, aujourd'hui ?

— … Du moins, je l'espère. Sinon, je serais un père très déçu.

Avec Émile, Marie-Andrée partageait le douteux privilège de servir de caution à ses mensonges. Bientôt, il s'emmêlerait certainement dans ses histoires.

— Crois-tu que nous pourrons nous voir ce soir ?

Sur la table basse du salon, deux petites boîtes de carton témoignaient de l'étendue de ses turpitudes. Il lui faudrait en remettre une à son amie au plus tôt.

— Tu sais, je me sens un peu fiévreux.

Au moins, cette fois il disait l'entière vérité.

— Qu'est-ce que tu as ? Des gens attrapent de vilains rhumes en plein été, parfois.

— Oui, sans doute un rhume.

Diane resta silencieuse un court instant, espérant qu'il trouve autre chose à proposer qu'un mauvais diagnostic.

— Demain, peut-être ?

Qu'il retarde ou non cette rencontre, le dénouement demeurerait le même. Alors, après avoir rassemblé son courage, il déclara :

— Bien sûr. Si tu veux, je pourrai passer chez toi demain matin.

— … D'accord, si tu préfères venir ici. Mais Antoine sera à la maison.

«Justement, songea l'enseignant, comme ça les réactions seront un peu plus mesurées, de part et d'autre.» Il craignait une scène susceptible d'attirer l'attention des voisins, s'il l'invitait rue Couillard.

Les salutations furent très brèves.

Les condamnés devaient se sentir dans le même état d'esprit au moment de marcher vers l'échafaud. Malgré la faible distance, Maurice préféra prendre sa voiture, afin de pouvoir fuir plus vite au besoin. Un moment, il se tint au pied de l'escalier extérieur conduisant à l'étage. Si longtemps en fait que Diane sortit sur le balcon pour lui lancer, moqueuse :

— Franchement, je t'ai déjà vu plus enthousiaste.

Le professeur franchit les marches, embrassa sa compagne en y mettant bien peu de chaleur. Une fois à l'intérieur, Antoine lui fit l'accueil habituel, se pressant contre lui.

— Veux-tu un café ? demanda la jeune femme. Pour moi, nous sommes presque au milieu de la nuit.

Elle exagérait, mais à peine. Pour elle qui se couchait tard, le lever venait toujours trop tôt.

— Pourquoi pas.

Quand il prit place à table, Antoine vint s'asseoir à ses côtés. Pendant que Diane préparait le café, il la regarda à la dérobée. Son pantalon soulignait très bien ses formes, tout comme la chemisette. Cet examen lui valut un sourire de son amie. Bientôt, les deux adultes eurent une tasse devant eux, le garçon un verre de lait.

— Que proposes-tu pour la journée ?

Comme Maurice ne répondait pas, l'inquiétude marqua son visage. Puis elle remarqua la petite boîte de carton dans sa main.

— Qu'est-ce que c'est ?

Depuis la veille, il cherchait une maladie plausible. Machinalement, il lui tendit la boîte. Devant son regard interrogateur, il commença :

— J'ai une infection. Le médecin pense que je peux te l'avoir donnée. Alors, voilà de quoi t'en débarrasser.

La serveuse lut le nom compliqué à haute voix.

— De la pénicilline.

Le temps qu'elle prenne connaissance de la posologie, un pli marqua son front.

— Quel genre d'infection ?

Il se résolut à se jeter à l'eau.

— La chlamydia.

Peut-être ignorait-elle de quoi il s'agissait. Dans ce cas, il s'en tirerait. Toutefois, après des années de travail dans un café de gare routière, certains mots lui étaient devenus familiers.

— Ça, c'est une chaude-pisse !

Son cri le surprit. Quand elle se leva, son mouvement brusque renversa sa chaise. Antoine commença à pleurer. Il geignait, pitoyable, tout en regardant à tour de rôle les deux adultes.

— Tu couches avec une pute !

Ce jugement à l'égard d'Agathe Dubois s'avérait tout de même un peu sévère.

— Elle n'a pas d'importance.

— Pis, quand tu couches avec elle, tu lui dis la même chose de moi ?

— Non, ça n'a rien à voir.

— Dehors. Va-t'en !

La scène atteignait un pathétisme insupportable, surtout avec les pleurs d'Antoine. Le garçon gémissait de façon continue, des larmes lui coulaient des yeux, de la bave sortait de sa bouche.

— Je t'assure, elle ne compte pas du tout pour moi.

— Dehors ! Fous le camp !

Maurice s'était levé pour s'approcher d'elle. Une violente claque marqua aussitôt sa joue. Peut-être que ses années comme serveuse lui procuraient de multiples occasions de s'entraîner à la gifle… La joue tourna rapidement au violet, un filet de sang coula de son nez.

— Dehors, salaud. Dehors !

Puis elle le poussa de toutes ses forces vers la porte. Résister, tenter encore de se justifier ne donnerait rien. Son comportement était inexcusable, Maurice le savait bien. Quand il fut sur la galerie, il entendit Antoine demander :

— Qu'est-ce qu'y a ?

Il les devinait enlacés maintenant. Comment l'un pourrait-il consoler l'autre ?

Dans son état de détresse, Diane Lespérance n'avait pas été en mesure de se rendre au travail. Son patron avait accueilli son désistement avec trois ou quatre jurons bien sentis, et même avec une menace explicite de la congédier. Comme très peu d'employées accepteraient de s'astreindre à son horaire en échange du salaire minimum, la menace ne l'effraya pas du tout.

En revenant à la maison, sa mère la trouva prostrée dans l'appartement du rez-de-chaussée, les yeux rougis, un mouchoir un peu souillé dans la main.

— Bin que c'est qu'y a ? fit-elle en se plantant dans l'entrée du salon.

Comme la jeune femme ne répondait pas, Antoine y alla de son explication.

— Maurice, y est méchant.

La mégère comprit ce qu'il y avait à comprendre. En secouant la tête de droite à gauche, elle commença par ranger sa boîte à lunch de tôle dans l'armoire de la cuisine, puis se rendit dans sa chambre pour se défaire de sa salopette. Des quintes de toux la plièrent en deux, son crachat blanchâtre paraissait contenir de la poussière de coton.

À son retour dans le salon, elle demanda :

— Tu vas m'en dire un peu plus, j'espère. J'ai compris qu'y t'a laissée, pis encore ?

La jeune femme renifla un bon coup, puis commença :

— Le salaud m'a donné la chaude-pisse.

— T'es pas sérieuse, là.

— Il m'a même amené des r'mèdes.

Le juron qui suivit valait tous ceux de n'importe lequel des camionneurs passant par le café de la gare. Sa mère alla dans la cuisine afin de commencer le repas.

— Y pouvait bin te r'luquer, l'aut' fois, quand y est venu icitte. Moi, j'y ai jamais fait confiance. J'te l'ai dit, c'est pas de not' monde, ça.

Aux yeux de cette ouvrière, un professeur du secondaire représentait un parti inaccessible.

— Pis y s'prenait pour un autre, à parler comme un curé.

Diane elle-même reconnaissait la distance entre eux, qui n'avait jamais diminué. Pendant un temps, elle avait espéré que sa vie deviendrait meilleure grâce à lui. Avec un mariage avantageux, finies les heures interminables payées une misère, l'inquiétude sur la façon dont elle survivrait quand sa mère ne serait plus en mesure de se rendre à la manufacture. La petite maison de la rue Couillard lui faisait miroiter un havre de paix. En échange de ce bien-être et de celui d'Antoine, il s'agissait seulement de se soumettre aux exigences d'une libido découverte sur le tard. Une transaction dont bien des femmes s'arrangeaient, dans la province.

— Pis pendant qu'y mangeait une poule à ma table, y allait en fourrer une autre.

Dans une autre circonstance, cette façon de présenter la situation aurait tiré un sourire à Diane.

— J'sais pas c'que t'attends des hommes, c'est toutes des cochons. Viens rester icitte avec moé, avec le loyer d'en haut, on va être correctes.

Toujours la mégère revenait à la même proposition : à deux femmes et un infirme, ils arriveraient bien à faire échec à la misère du monde. Après quelques secondes, Diane bougea la tête de haut en bas.

En fin de compte, la concupiscence apportait parfois sa punition. Après vingt-quatre heures à prendre de la pénicilline, le fait de pisser ne lui donnait plus l'impression qu'un démon lui entrait une aiguille rougie au feu dans l'urètre. Toutefois, la douleur de Diane ne lui sortirait pas de sitôt de l'esprit, ni la plainte hébétée d'Antoine. Perpétue lui avait appris que toute activité sexuelle était péché. Même si la morale se faisait moins contraignante, le discours ambiant voulait tout de même que l'on s'engage avec la personne qui nous accordait ses faveurs. Cette serveuse lui avait permis de jouir d'elle, aller « voir ailleurs » était une trahison. Certains de ses contemporains réussissaient à saisir toutes les occasions sans état d'âme.

Lui demeurait enclin à se sentir coupable... une fois sa faute découverte.

Pour le seul plaisir de baiser, il se découvrait capable de traiter deux femmes avec mépris. Diane avait compté sur son engagement. Le respect aurait exigé de la mettre au courant de ses attentes : jouir d'un corps plus jeune et plus beau que le sien. Depuis le début, il savait que la meilleure façon de la garder dans un excellent état d'esprit était de faire un bon accueil à Antoine. Pour s'assurer de la complaisance de la mère à l'égard de toutes ses envies, le moyen de choix demeurait de gâter un peu le fils.

Le souvenir d'Agathe n'entraînait aucune émotion particulière. Pourtant, sa chlamydia tenait à l'imprudence de cette femme. Le savoir-vivre le plus élémentaire aurait voulu qu'il la mette au courant de la situation, pour lui permettre de se soigner. L'idée de lui prodiguer cette marque d'estime ne lui viendrait même pas. En lui parlant de nouveau, il craignait de s'emporter. Après tout, la conséquence de leurs rencontres venait de chambouler sa vie.

Il appartiendrait à un nouvel amant rencontré grâce à l'agence de rencontres du journal *Nos Vedettes* de l'aviser de son état.

Selon tous les spécialistes du comportement humain – psychologues, courriéristes du cœur, confesseurs –, le désir sexuel des hommes s'exprimait avec beaucoup plus de force que celui des femmes. Toutefois, Marie-Andrée constatait ne pas en être dépourvue. Dès le matin du vendredi, une chaleur tenace s'empara de son bas-ventre. L'enseignement reçu des religieuses et de ses confesseurs l'amenait à se sentir vaguement coupable, mais elle essaya de repousser ce sentiment en ressassant les nouveaux discours à la mode : la sexualité était belle, épanouissante. L'année de l'amour représentait un changement permanent, et profondément bénéfique, des attitudes à cet égard.

Un peu après neuf heures du soir, elle sortit de la station de l'Expo-Express à la Cité du Havre un peu inquiète : Clément et elle n'avaient pas convenu d'un lieu précis où se rencontrer. Puis elle le vit se tenant en retrait, posté à un endroit où personne, dans ce flot humain, n'échapperait à son regard. Quand elle fut contre lui, sa main caressa sa nuque, le baiser se révéla un peu plus insistant que ne le permettaient des retrouvailles dans un lieu public. Les autres passagers jetaient sur eux des yeux parfois sévères.

La jeune fille recula la première pour dire :

— J'espère que tu vas bien.

La scène de l'arrestation lui restait en mémoire. Une part d'elle s'inquiétait pour un homme exposé au zèle de la police, une autre l'admirait de courir ces risques pour faire valoir ses convictions.

— Très bien, et toi ?

Tout en écoutant sa réponse, Clément la prit par la taille pour l'entraîner en direction du grand stationnement. La voiture fournissait une certaine intimité, malgré les gens allant récupérer leur véhicule. Là, le baiser permit un long échange de salive. La main gauche du garçon passa de la joue pour atteindre les seins, exercer une pression du bout des doigts sur la pointe turgide perceptible à travers les couches de tissu superposées du chemisier et du soutien-gorge.

La plainte énamourée qu'elle laissa échapper dans la bouche de son compagnon signifiait « continue », non « arrête ». Celui-ci l'entendit bien ainsi et poursuivit pendant une bonne minute. Puis Marie-Andrée lâcha un petit cri en se raidissant. Clément regarda dans la même direction qu'elle, pour voir un visage écrasé contre le pare-brise. Un gamin d'une douzaine d'années paraissait très heureux de parfaire son apprentissage des choses de la vie, à en juger par son sourire béat.

— Bon, allons nous stationner dans un meilleur endroit, avant que deux vaillants policiers ne nous embarquent.

L'allusion à ce risque refroidit immédiatement les ardeurs de Marie-Andrée. Elle ne jugea pas utile de lui préciser que son dernier repas, très léger, datait de l'après-midi. Le mont Royal lui semblait une meilleure destination.

Pendant tout le trajet, entre les changements de vitesse, Clément posait sa main sur sa cuisse. Sa position assise faisait remonter l'ourlet de la minirobe jusqu'à l'angle de son corps. En se retournant juste un peu, il voyait le fond de sa culotte. Son érection ne faiblit pas avant qu'il se gare de nouveau.

À cette heure de la journée, la lumière les privait de la discrétion nécessaire. Heureusement, la pluie s'était mise à tomber au cours du dernier mille. Le baiser reprit là où il s'était arrêté vingt minutes plus tôt. Cette fois, la main gauche ne s'attarda pas sur les seins mais vint se poser à l'intérieur de la cuisse, pour esquisser un mouvement de haut en bas, un peu plus audacieux chaque fois. La jeune fille attendait avec un peu de crainte et beaucoup d'excitation le contact avec son sexe. Sa première réaction fut de se plier un peu vers l'avant.

Clément savait profiter du moment opportun. Dans cet état, sa compagne ne le priverait pas de ses caresses. De manière un peu fébrile, il ouvrit sa braguette et sortit son sexe, prit la main droite de Marie-Andrée pour la poser dessus. Ce faisant, il la forçait à se tenir de trois quarts en face de lui, son genou gauche sur la banquette. En conséquence, ses cuisses écartées offraient son sexe.

Moins fiévreux que la fois précédente, tous les deux apprécièrent à la fois la caresse reçue et celle donnée. Les lèvres dans son cou, puis sur son oreille ajoutèrent à la langueur de Marie-Andrée, qui jouit bientôt en gémissant. Pour ne pas demeurer en plan, il posa sa main sur la sienne, accompagna sa manipulation. Le plaisir les laissa bientôt haletants. Après l'orgasme, elle retrouvait des pudeurs de vierge, soucieuse d'essuyer sa main avec le mouchoir de son ami, puis de remettre de l'ordre dans sa tenue pour reprendre une posture de jeune fille sage. Clément fit de même.

— J'ai pensé à toi, dit-il en se penchant vers la banquette arrière pour récupérer un sac de papier brun. Je l'ai fait au jambon.

Bientôt, il lui tendit un sandwich. Elle apprécia d'autant plus l'attention qu'il avait pris la peine de le préparer lui-même.

— Comme boisson, j'ai pris du Coke, mais après tout ce temps dans la voiture, il sera chaud.

Marie-Andrée l'accepta tout en remarquant :

— Ça vaudra mieux que rien, mais as-tu pensé au décapsuleur ?

— Pas nécessaire.

Le garçon récupéra la clé de sa voiture, puis fit sauter le bouchon avant de lui tendre la première bouteille, pour répéter les mêmes étapes avec la seconde. Après quelques bouchées, elle revint à sa préoccupation de la semaine :

— La police possède donc un dossier sur toi.

— Comme sur tous les autres membres du RIN. Ne t'en fais pas avec ça, c'est un parti politique tout à fait légal.

— Tu ne fais pas des choses… plus dangereuses ?

À chaque bouchée, l'odeur de sperme sur sa main entrait en conflit avec celle du jambon, lui mettant à l'esprit un autre genre de caresse. «Non, je n'oserais pas», pensa-t-elle. Pourtant, quand Clément avait tenu le lobe de son oreille entre les dents, son sens des convenances s'était complètement émoussé.

— Là, tu parles de ce qui s'est passé hier.

Le Front de libération s'était fait discret depuis les arrestations de Pierre Vallières et de Charles Gagnon, l'année précédente. Pourtant, au cours de la nuit de mercredi à jeudi, un bâton de dynamite avait endommagé la façade de l'hôtel de ville de Greenfield Park, une toute petite municipalité de la rive sud du fleuve Saint-Laurent.

— Les gens qui posent des bombes vont en prison pour longtemps. Puis, c'est sans compter les risques de tuer ou d'estropier quelqu'un.

— En pleine nuit, il n'y avait personne dans ce coin.

— Mais l'an dernier, cette pauvre femme...

La pénombre l'empêcha de discerner la petite grimace impatiente de son compagnon. Difficile de croire que la vieille secrétaire de la manufacture Lagrenade avait représenté une menace pour la nation. Pourtant, elle était morte.

— Dans une guerre, il y a toujours des victimes innocentes. Tiens, depuis deux siècles, combien des nôtres sont morts dans les manufactures ou les mines possédées par les Anglais? Ils nous font crever de misère, puis ils se surprennent quand un vieux monument explose.

La colère dans le ton incita Marie-Andrée à changer de sujet. Chez les jeunes hommes ambitieux, l'impression que toutes les bonnes places leur échappaient alimentait une colère tenace. Les journaux annonçaient que la ville de Detroit rentrait dans le calme après des jours de violence, grâce à la présence de l'armée. Les Canadiens français partageaient avec les Noirs américains le triste statut de citoyens de seconde zone.

Soudain, des coups contre la fenêtre du côté passager les firent sursauter tous les deux, le faisceau d'une lampe de poche les aveugla.

— Jésus-Christ, grommela Clément.

Tout de même, en se cachant les yeux d'une main afin d'éviter d'être aveuglé, il baissa sa vitre pour découvrir un policier à l'imperméable dégoulinant.

— Qu'est-ce que vous faites ici ?

— Vous le voyez bien, nous pique-niquons en regardant notre belle ville.

Parmi toutes les voitures alignées sur le belvédère, une seule contenait une jeune fille mangeant un souper très tardif. L'agent dirigea sa lampe vers elle, promena le cercle de lumière sur ses jambes.

— Bien, faites pas aut' chose. Son père aimerait pas ça la récupérer au poste avec une accusation de grossière indécence.

Le bonhomme paraissait déçu de les trouver si sages. Il s'intéressa aux occupants des autres automobiles. Quand Marie-Andrée eut terminé son sandwich, Clément s'approcha d'elle, visiblement assez vigoureux pour reprendre les activités de la demi-heure précédente.

— Non, s'il te plaît, le pria Marie-Andrée. Demain, je dois travailler.

Surtout, le passage du représentant des forces de l'ordre avait ressuscité sa pudeur de couventine.

— D'accord, ma belle, si tu me promets de me réserver ta soirée demain.

Le garçon comptait donc n'ajourner que de vingt-quatre heures sa recherche de plaisir.

Elle accepta de bonne grâce, heureuse de constater son pouvoir d'attraction. Parfois, elle se surprenait à rêver d'un avenir avec lui, puis se reprochait cet excès d'enthousiasme.

Chapitre 24

Passé quarante ans, se saouler à la bière condamnait à des lendemains difficiles. Le vendredi 28 juillet, Maurice se leva en fin de matinée la bouche pâteuse, un vague malaise à la hauteur du foie et la tête sur le point d'éclater. Selon la croyance populaire, la meilleure façon de faire disparaître ces symptômes était d'enfiler une autre bière en guise de petit déjeuner. Il en restait une dans le frigidaire, mais juste le fait de poser les yeux dessus lui donna un haut-le-cœur.

— En plus, maugréa-t-il après un juron, je suppose que je devrai recommencer le traitement aux antibiotiques.

Le pharmacien avait été formel : pas d'alcool. L'enseignant décida de se montrer le plus discipliné des malades pendant les deux semaines à venir. Il échapperait peut-être ainsi à une seconde visite chez le médecin, et surtout au coton-tige enfoncé dans son urètre. Juste imaginer la scène l'amenait à serrer les jambes.

Quelques tasses d'eau chaude avec une bonne giclée de jus de citron feraient office de repas. Cela durerait au moins jusqu'au souper. L'effort de lire le journal, ou un roman, lui parut insoutenable. Aussi, il passerait l'après-midi étendu sur le canapé du salon, les rideaux toujours fermés afin de profiter d'une semi-pénombre.

La sonnerie du téléphone, en plein après-midi, lui fit l'effet d'une vrille dans l'oreille. L'effort de se lever lui tira une grimace. Assis sur son fauteuil, son «Allô» impatient lui valut une répartie hésitante:

— Maurice, est-ce que je te dérange?

Il ne reconnut pas tout de suite la voix féminine. Un bref instant il songea à Diane Lespérance. Non, celle-là ne lui parlerait plus. Après une hésitation, il reprit, plus amène:

— Bonjour, Jeanne. Tu ne me déranges pas, mais je ne me sens pas très bien.

— … Rien de grave, j'espère.

Il hésita à répondre tout simplement: «Non, seulement une chaude-pisse. Ça arrive parfois aux courailleux.» Cela aurait pour effet de se soustraire définitivement à son attention.

— Un peu de fièvre. Sans doute un *bug* qui court ces jours-ci.

Cette façon de présenter la chose contenait une part de vérité. Sa dernière rencontre avec la femme de son collègue ne les avait pas laissés dans les meilleurs termes. En conséquence, elle ne savait pas trop quelle contenance adopter. Pour la mettre à l'aise, Maurice n'aurait eu qu'à lui demander des nouvelles de sa grossesse. Elle répondrait sans doute avec une nouvelle demande de service, comme passer prendre du lait au Perrette.

— As-tu eu des nouvelles, au sujet de ta candidature au collège?

— J'ai été reçu en entrevue, et depuis, plus rien.

La rencontre avec le directeur du nouveau cégep datait seulement du lundi précédent, mais une autre de ses croyances voulait que la personne choisie en serait avertie très vite, pendant que les candidats malheureux recevaient une lettre plus tard, ou même rien du tout.

— Il faut garder espoir.

Jeanne semblait parler d'une maladie dangereuse, quelque chose comme le cancer.

— Mon dossier n'a rien pour impressionner. Ce n'est pas comme si je prenais des cours à l'université tous les étés.

Maurice se pinçait la racine du nez, comme si cela pouvait réduire sa migraine. Au moins, le petit coup d'épingle aurait l'avantage de raccourcir cette conversation, croyait-il. Il serait déçu.

— Je le sais bien, Émile se montre très déterminé à améliorer son sort. L'an prochain, tu pourras faire la même chose. Quant à moi, je m'occuperai d'un petit enfant quand il amorcera sa maîtrise.

Maurice enregistra l'information. Ainsi, son collègue avait satisfait aux exigences de l'admission au second cycle. De nouveau, cette situation le déprima.

— Je vais te donner des nouvelles, même si tu ne m'en demandes pas. Ma mère est venue s'installer ici. Dans deux ou trois semaines, je rentrerai à l'hôpital pour mon accouchement. Si nécessaire, le médecin me dit qu'il pourra le provoquer.

Ainsi, elle n'avait plus besoin de ses bienfaits. En quelque sorte, cet appel servait à lui donner son congé comme chevalier servant. Lui aussi savait formuler des souhaits vides de sens :

— Je te souhaite que tout aille bien. Le docteur Marois me paraît très compétent.

De cela, l'enseignant ne savait absolument rien.

— Tu viendras me voir à l'hôpital, j'espère.

Jeanne renouait maintenant avec le ton joyeux, un peu aguichant, qui était le sien le printemps précédent.

— Je te le promets.

— Bon, il ne me reste plus qu'à te souhaiter de te débarrasser bien vite de ton indisposition. À bientôt, Maurice.

— À bientôt, et bonne chance.

En raccrochant, l'homme laissa échapper un long soupir. Deux ou trois aspirines arriveraient peut-être à mettre fin à sa migraine.

Déjà le mois d'août. Maurice commençait à regarder sa planification de cours pour l'année à venir. Il ne changerait pas grand-chose à celle de l'année précédente, mais des ajustements s'imposaient néanmoins. Tous les moments où ses élèves se pinçaient pour ne pas s'endormir devaient disparaître. On entrait dans une civilisation des loisirs, pas de l'effort gratuit et de la valorisation de la culture littéraire.

Cette année-là, le cœur y était encore moins que par le passé. Après avoir espéré quitter le collège Saint-Joseph, y revenir serait plus difficile encore. Déjà, il imaginait les sarcasmes de ses jeunes collègues, dans le salon des professeurs. Des petits baveux. La notion de conflit des générations se donnait des airs de concept sociologique. En réalité, l'expérience demeurait tout à fait personnelle : chacun détestait ses jeunes, ou ses vieux.

Maurice essayait de trouver un moyen d'introduire le roman *Prochain épisode*, d'Hubert Aquin, dans le programme de lecture de ses élèves de onzième année, sans encourir pour autant les foudres des commissaires d'école. Qu'un professeur propose à ses adolescents l'œuvre d'un révolutionnaire déjà emprisonné pouvait très facilement faire l'objet de la une du journal *Le Clairon*, et même du *Montréal Matin*.

Quand le téléphone sonna dans le salon, Maurice jura bien un peu. Si Jeanne le relançait de nouveau, il se promettait d'oublier toutes ses notions de politesse. Il prit l'appel d'une voix impatiente.

— Monsieur Berger ? fit une voix masculine vaguement familière.

— Oui, c'est moi.

— Ici le père Benoît, le directeur du collège Édouard-Montpetit.

L'enseignant sentit sa tête tourner un peu, au point où il se demanda s'il ne partageait pas un problème médical avec Perpétue : l'hypertension artérielle.

— Vous êtes toujours prêt à déménager vos pénates ?

— … Si j'ai un emploi, certainement.

Maurice n'arrivait pas à le croire encore, tellement il avait été convaincu que personne ne voudrait le recruter à ce niveau. Après tout, il existait des candidats comme Émile Trottier, soucieux d'accumuler des diplômes. Ceux-là raviraient tous les postes.

— Venez signer votre contrat cette semaine. Vous commencerez la troisième semaine d'août. Pendant la première quinzaine, nous devrons planifier la première année. Ensuite, ce sera la rentrée proprement dite.

— Je serai là demain matin. Vous ouvrez à huit heures trente, sans doute.

Le religieux eut un rire amusé devant pareil enthousiasme.

— Oui. Je demanderai à ma secrétaire de faire du temps supplémentaire afin que tout soit prêt à votre arrivée.

Un bref instant, Maurice eut envie de proposer neuf heures afin de permettre à la pauvre demoiselle de souper avec les siens. Puis il se douta bien que son interlocuteur se moquait de lui.

— Si les fleuristes sont ouverts à cette heure, je m'arrêterai pour lui acheter une rose, afin de la remercier. Une rose rose, bien sûr.

Évidemment, le message serait moins compromettant qu'avec une rose rouge.

— Si vous faites cela, vous obtiendrez le soutien indéfectible de tout le personnel de bureau. Alors, à demain,
monsieur Berger.

— À demain, mon père.

Après avoir raccroché, l'enseignant demeura affalé dans
son fauteuil. Pourquoi l'avoir embauché ? La pénurie de
personnel devait devenir catastrophique.

Maurice s'en était voulu d'avoir sacrifié sa visite à sa fille
le mercredi précédent, tout à son désir de faire part à Diane
Lespérance de son état de santé. Et puis, les symptômes de
la chlamydia ne lui laissaient pas beaucoup de répit.

Le 2 août, rien ne lui aurait fait rater son rendez-vous.
Marie-Andrée figurait de nouveau comme la seule femme
de sa vie, il lui redonnerait toute son attention. Puis il avait
sa part de nouvelles à lui apprendre. Après trois coups
contre la porte de l'appartement de la rue Saint-Hubert,
une Mary Tanguay resplendissante vint lui ouvrir.

— Chère belle-sœur, dit-il en lui embrassant la joue,
à voir ton sourire, je me penserais rendu au 25 décembre.
Pourtant, il fait plus de quatre-vingt-dix degrés dehors.

— Pourtant, ça ressemble à Noël. Roméo m'a officiel-
lement demandée en mariage.

— Le voilà donc digne de son beau prénom !

Elle lui fit signe de la suivre dans la cuisine. Son pas lui
parut dansant.

— Un Roméo pas mal moins romantique que l'autre.
Sa grande demande ressemblait à une proposition de
partenariat. Ça sonnait comme : "T'sais, on fait une bonne
équipe ensemble, pis j'connais toute le bloc. Si on s'mariait,
ce serait plus pratique."

Depuis le début du veuvage de Mary, cet ancien collègue de son époux s'était transformé en ami serviable, venant changer les ampoules brûlées et mettre du lubrifiant sur les charnières des portes grinçantes. Pareille générosité trahissait certainement des sentiments plus doux que ne le laissaient penser des paroles aussi raisonnables.

— Vous avez choisi une date?

— Juste avant Noël pour les fiançailles, le mariage au printemps. Je suppose qu'il va me donner un coffre d'outils en guise d'étrennes. Bon, assis-toi, je nous fais du café.

Il prit sa place habituelle à la petite table poussée contre le mur, tout en regardant la femme s'agiter devant une cafetière électrique toute neuve. Un bruit de douche se faisait entendre. Il demanda:

— Ma fille est en train de se mettre belle?

— Oui. La mienne est toujours au lit. Elle revient au milieu de la nuit depuis qu'elle travaille au club Playboy.

Marie-Andrée l'avait mis au courant de ce changement d'emploi. Quelques semaines plus tôt, il aurait eu envie de se livrer à une leçon de morale. Les derniers événements de sa vie personnelle le rendaient infiniment plus discret dans ce domaine. Le son de l'eau qui coule s'arrêta; quelques minutes plus tard, sa fille les rejoindrait.

— Les projets de mariage vont-ils remettre notre entente en cause?

— Pour la pension? Pourquoi? Tu sais, nous ne serons pas comme des tourtereaux en lune de miel. À notre âge, la présence d'une pensionnaire ne changera rien.

— Tant mieux. Depuis son départ de la maison, elle a gagné en maturité.

— Tu as raison, mais cela tient surtout au fait qu'un homme la traite comme une femme, et non à mon influence.

Si la porte de la salle de bain ne s'était pas ouverte juste à ce moment, Maurice aurait cherché à en savoir plus. Marie-Andrée vint le rejoindre dans la cuisine, vêtue d'un pantalon et d'un chemisier, ses longs cheveux encore tout mouillés.

— Tu risques d'attraper un rhume, remarqua-t-il en l'embrassant sur les joues.

— Avec cette température, ce sera sec en une minute.

La jeune fille secoua la tête pour placer sa coiffure dans un geste charmant. Son père la trouva un peu plus grande, avec une silhouette plus mûre. Mais cette impression était fausse, son corps ne changerait plus. Mary avait raison, sans doute. Ce changement venait d'un intérêt masculin.

— As-tu pensé à l'endroit où tu souhaites aller manger ?

— Pourquoi pas sur la Plaza, c'est juste un peu au nord. Nous pourrions même y aller à pied. J'aimerais faire de petits achats.

— Nous irons en voiture.

La conversation reprit pendant quelques minutes avec Mary, puis le père et la fille sortirent.

De nouveau, Maurice s'amusa à lui proposer de dîner au restaurant St-Hubert, pour se replier bientôt sur un *delicatessen*. À table, il demanda :

— Que penses-tu des projets de mariage de ta marraine ?

— Ils sont mignons, tous les deux. Elle m'assure que ça ne changera rien.

Après des années à vivre seule avec son père, son milieu tout féminin lui plaisait bien. Comme le policier se montrait affable, respectueux, sa présence ne gâcherait pas son plaisir.

— J'espère que ce sera le cas, ajouta-t-elle, car je ne voudrais pas m'habituer à un autre endroit.

— Si jamais des difficultés surviennent, tu pourras toujours venir vivre à la maison.

Comme la jeune fille haussait les sourcils, il continua :

— À ma grande surprise, le collège de Longueuil a accepté mes services.

Marie-Andrée mit un moment avant de bien comprendre toutes les conséquences possibles de ce nouveau développement. La Rive-Sud était devenue toute proche de Montréal, grâce au métro.

— Quand je t'en ai parlé il y a quelques semaines, je t'ai dit que tu pourrais continuer de vivre chez ta marraine. Ça n'a pas changé. Quand un oiseau a quitté le nid, le ramener de force n'améliore pas les relations avec les parents.

Elle posa la main sur son avant-bras, esquissa une caresse pour le remercier. Il n'avait jamais dévié d'un iota de sa décision de l'aider à acquérir son autonomie.

— Parcourir cette distance tous les jours serait épuisant. Alors, je mettrai la maison de la rue Couillard en vente pour me rapprocher de mon travail.

La châtaine éprouva une petite blessure au cœur en songeant à tous les souvenirs contenus dans cette demeure. Puis la pensée que l'on ne pouvait à la fois avancer dans la vie et s'accrocher à son passé la rendit philosophe.

— Ce sera certainement plus raisonnable. Puis, tu pourras sortir en ville.

Des mois plus tôt, Maurice avait évoqué son désir de fréquenter la Place des Arts. Puis elle se fit plus triste.

— Cependant, ce sera compliqué avec Diane. Comme elle travaille tous les soirs, sauf le dimanche, et toi tous les jours de la semaine…

— Je ne vois plus Diane, l'interrompit-il.

Pendant un long moment, ne sachant quoi répondre, Marie-Andrée se consacra à son sandwich à la viande fumée. Puis elle osa demander :

— Que s'est-il passé ? Vous sembliez bien vous entendre quand nous avons mangé ensemble, tous les quatre, il y a deux semaines.

À ce moment, Maurice trouvait tous les mots, tous les gestes convenables envers la serveuse et son garçon. Toutefois, il n'éprouvait aucun désir irrépressible de la voir... Ce n'était pas tout à fait vrai. Ce désir existait jusqu'au moment de passer dans la chambre à coucher. Ensuite, la quitter ne lui pesait pas.

— Nous ne nous sommes pas disputés. Enfin, oui, mais...

Jusqu'où pouvait-il se confier à sa grande fille ? L'honnêteté valait mieux, ne serait-ce que pour lui apprendre la vie.

— Tu viens de souligner nos horaires divergents. Je voyais une autre femme, une fois par semaine. Je...

Déjà, l'annonce d'une tromperie de ce genre le rendait honteux. Tout ce temps, il avait menti à sa fille afin de dissimuler son comportement répréhensible. Révéler la punition concoctée par le Tout-Puissant, ou les mauvais tours de la vie, ajouterait une dimension pédagogique à sa confession.

— Je me suis retrouvé avec une infection. Je ne sais pas si je l'ai passée à Diane, mais l'honneur exigeait que je le lui dise, pour qu'elle se soigne.

« Une infection. » Marie-Andrée fronça les sourcils, incertaine du sens à donner à ces mots. Devinant sa perplexité, Maurice se fit explicite :

— Une maladie honteuse.

Même à dix-sept ans, la jeune fille trouvait parfois que la remise en question des valeurs traditionnelles allait trop loin. Que son père ait une maîtresse plus jeune lui paraissait un brin romantique. Qu'il en ait deux la rendait mal à l'aise.

Que l'inconnue lui transmette une maladie vénérienne l'amenait à s'interroger sur les mœurs de l'auteur de ses jours.

— Sois très prudente, murmura-t-il en évitant ses yeux. Les condoms ne servent pas qu'à éviter les grossesses.

Le rouge aux joues, il se passionna tout à coup pour la décoration du mur du fond du restaurant. Le repas se terminait quand il osa reprendre le fil de la conversation :

— De ton côté, tu fréquentes quelqu'un, je pense.

« Tante Mary lui a fait un petit compte rendu », songea-t-elle. De toute façon, la présence de Clément dans sa vie n'exigeait pas le silence absolu.

— Oui, un étudiant de l'Université de Montréal.

— C'est sérieux ?

Jeannot Léveillé et Robert Duquet étaient passés dans sa vie sans faire trop de vagues. Son ami actuel prenait une tout autre importance.

— J'aimerais beaucoup que cela le devienne.

Pendant un moment, la maîtrise en science politique de Clément Marcoux et son projet d'enseigner « dans la deuxième université française de Montréal » retinrent leur attention. Après avoir réglé l'addition, Maurice décida d'accompagner sa fille dans une boutique voisine. La longueur des robes et des jupes sur les mannequins lui fit une forte impression. Le choix de Marie-Andrée se porta sur une petite jupe noire aussi courte que celles portées par les chanteuses de Télé-Métropole ou de Radio-Canada. Il s'interdit de formuler le moindre commentaire. Les culottes et les soutiens-gorge de dentelle ne le sortirent pas de son mutisme. Le rôle de censeur ne lui reviendrait plus jamais.

À la caisse, il offrit de régler la facture.

— Non, papa. Mon salaire me permet de vivre, et je sais que je te coûterai très cher en septembre.

Inutile de discuter sur le sujet : la prise en charge de ses propres dépenses lui procurait un plaisir si évident. Quelques minutes plus tard, Maurice déposait sa fille devant la demeure de Mary Tanguay en lui donnant rendez-vous la semaine suivante.

En fin d'après-midi, Marie-Andrée montait dans la petite Austin en fronçant les sourcils. Les confidences de son père ne cessaient de lui tourner dans la tête. Des malheurs se tenaient à l'affût à tous les tournants de la vie. Cette idée l'inquiétait beaucoup. Son compagnon ne remarqua pas son air soucieux. Il laissa plutôt échapper un petit sifflement.

— Vraiment, tu es magnifique dans cette jupe.

Le compliment ramena un sourire sur le joli visage.

— Je suis allée faire des courses, aujourd'hui.

Elle se retint de préciser qu'excepté ses sandales, tous ses vêtements étaient neufs, même les dessous. Puis son air inquiet revint.

— Tu es certain que c'est correct ?

— Voyons, je peux bien inviter quelqu'un à la maison.

— Il n'y aura personne d'autre ?

La perspective de rencontrer ces bourgeois l'aurait mise terriblement mal à l'aise. Instruits, riches, ils la regarderaient sans doute de haut. D'un autre côté, se rendre dans leur demeure en leur absence lui donnait le sentiment de commettre une indiscrétion. Puis elle se trouverait seule avec un homme.

— Je ne verrai pas mes parents avant la semaine prochaine. Ils sont partis vers la Gaspésie en entraînant ma sœur avec eux.

— Tu n'as pas eu envie de les suivre ?

— Tu sais, passer dix heures assis sur la banquette arrière d'une Oldsmobile pour le plaisir de voir une grosse roche avec un trou dedans ne me disait rien.

Par la suite, Marie-Andrée accepta de partager ses lèvres. L'échange de salive ne réduisit pas vraiment son anxiété. Elle se retenait de dire encore : « Je ne l'ai jamais fait », seulement pour se faire rassurer. Son appréhension l'amenait à se sentir bien innocente. Dans son état d'esprit, le mot devenait synonyme de niaiseuse.

Lorsque Clément se stationna le long d'une énorme maison de brique, la différence entre sa condition et celle de son ami lui parut plus grande encore. Ce dernier perçut très bien sa gêne.

— Voilà le château du docteur Marcoux. Viens, nous allons entrer par là.

Il déverrouilla la porte sur le côté de la demeure, puis posa la main sur la hanche de Marie-Andrée en la faisant passer devant lui.

— Nous descendons chez moi.

Une porte fermait l'accès au rez-de-chaussée, sans doute pour épargner aux parents d'être dérangés par les allées et venues de l'aîné. Sur la gauche, un escalier conduisait au sous-sol et débouchait dans un salon au décor étonnant. Des bardeaux de cèdre couvraient un mur, un filet de pêcheur était accroché au plafond, avec çà et là des étoiles de mer. Des casiers à homards complétaient le tout.

— Comme tu vois, les études de médecine ne garantissent absolument pas le bon goût.

Un gros téléviseur combiné à une chaîne stéréo occupaient la majeure partie d'un pan de mur. Le canapé et les deux fauteuils avaient sans doute commencé leur carrière vingt ans plus tôt dans la salle de séjour du rez-de-chaussée, avant d'être relégués à cet endroit.

— Puis ici, tu as mon antre.

Une porte donnait sur une chambre. Marie-Andrée enregistra tout de suite la présence d'un lit double. «Je ne suis pas la première à venir ici», songea-t-elle. Son compagnon ne paraissait pas bien assuré, mais impossible de croire qu'il en était à sa première expérience. On n'avait pas sa première blonde à vingt-cinq ans.

— Là, tu as la cause de mon martyr.

Il montrait la table de travail où se trouvait une grosse machine à écrire IBM Selectric, une feuille passée sous le rouleau. Des papiers encombraient tout le reste du bureau. Des journaux et des livres jonchaient le plancher.

— J'essaie de m'y consacrer une journée sur deux, mais je n'y arrive pas… surtout depuis trois ou quatre semaines.

Il parlait de son mémoire de maîtrise. Le projet lui pesait visiblement.

— Je n'arrête pas de penser à toi.

Peut-être faux, le motif invoqué lui fit tout de même plaisir. Comme pour lui en donner la preuve, le garçon l'attira contre lui pour échanger un baiser goulu. Bientôt, sa main glissa de sa hanche vers sa fesse, descendit jusqu'à l'ourlet de la jupe pour remonter ensuite. Puis une paume très chaude se glissa sous la dentelle de la culotte.

À chaque pièce de vêtement qu'il enlevait à sa jeune compagne, Clément s'extasiait sur sa beauté. L'abondance de ses compliments rendait Marie-Andrée un peu moins mal à l'aise. Même en voulant se montrer dans le vent, elle ne pouvait s'empêcher de rougir en se retrouvant nue pour la première fois devant un homme.

Pourtant, des deux, elle n'était pas la plus intimidée. Son compagnon n'avait rien d'un athlète. Maigre, poilu, son sexe en érection pointé devant lui, il était un peu ridicule. Tous deux se réfugièrent bien vite sous les draps. Dissimulé à son regard, il s'attarda à une longue exploration de ses charmes. Les lèvres passaient à tous les endroits effleurés par ses doigts. L'excitation gomma bientôt leur embarras.

Le garçon interrompit ses caresses pour se tourner vers la table de chevet et en tirer une boîte de condoms. Marie-Andrée se sentit soulagée de le voir prendre cette précaution. Il déchira l'enveloppe métallique, chercha un moment dans quel sens enfiler le morceau de latex, s'énerva au point d'échapper un juron avant de réussir.

Après cet intermède, les baisers recommencèrent, les mains caressèrent tout le dos et les fesses de la jeune fille, puis il la plaça sur le dos, se glissa entre ses cuisses. Ses coups de reins frénétiques ne donnèrent d'abord rien, le sexe buta contre les cuisses, le bas-ventre, l'entrejambe. Puis il toucha sa cible, s'enfonça d'un coup. Le cri de la jeune fille l'arrêta juste un moment.

La douleur augmenta d'abord sous les mouvements violents. Quand elle commença à s'apaiser pour enfin faire place au plaisir, Clément Marcoux laissa échapper un long râle en raidissant tout son corps, puis se retira pour s'étendre sur le dos.

— Ah! Marie-Andrée, tu es la plus belle.

Il se retourna vers sa compagne pour l'attirer contre lui et l'embrasser. Contre son ventre, elle sentit le sexe se détendre. Les caresses se faisaient douces, tendres. Quelques jours plus tôt, ses doigts l'avaient amenée au plaisir. Aujourd'hui, tout à sa satisfaction de l'avoir « prise », l'idée de cette gentillesse ne lui vint pas. Comme amant, elle aurait pu trouver plus attentif.

Ainsi, il ne s'agissait que de cela. Une douleur vive, une tache de sang sur le drap.

— Je m'excuse, fit Marie-Andrée. Je ne pensais pas…

L'autre l'embrassa une nouvelle fois, puis murmura :

— Tu n'as pas à t'excuser. Je m'occuperai de faire une petite lessive.

La jeune femme se retint d'offrir de le faire à sa place. Elle avait assez payé de sa personne, ce mercredi. Son ami paraissait bien fier d'avoir la preuve d'être le premier. Bonne fille, elle voulait le trouver attendrissant avec son peignoir bien attaché à la taille. Ses petites jambes poilues et ses grands orteils lui tirèrent un sourire.

— C'est douloureux ?

Au moins, il se montrait soucieux de son bien-être.

— Pas vraiment.

Elle portait une chemise de son ami, boutonnée jusqu'au cou. À l'avant et à l'arrière, les pans descendaient à mi-cuisse. Quelques mouchoirs en papier au fond de sa culotte permettraient de se protéger de tout épanchement.

— Je devrais remettre ma jupe.

Elle demeurait assise au bord du lit, mal à l'aise.

— Tu sais, elle n'en cache pas plus que ma chemise. Puis tu es si jolie, comme ça.

Pour la longueur, c'était vrai. Cependant, la chemise légère laissait voir la pointe de ses seins.

— De toute façon, je dois rentrer à la maison.

— Je te déposerai tout à l'heure, je te l'ai promis. Auparavant, je veux que nous mangions ensemble.

Il lui tendait la main pour l'inviter à se lever.

— Suis-moi, tu auras le plaisir d'apprécier mes talents culinaires.

L'autodérision l'amena à faire son deuil de cette autre occasion de se régaler. Décidément, la journée se terminerait sans grande satisfaction de ses sens.

— Je ne vais pas monter au rez-de-chaussée dans cette tenue.

— Personne ne nous verra dans la cuisine. Moi-même, je n'ai pas l'intention de m'habiller avant de reprendre ma voiture. Nous serons tous les deux un peu légèrement vêtus.

Aucune voisine ne se troublerait de le voir dans cet accoutrement. De son côté, si Keith Hefner la trouvait séduisante, ce serait aussi le cas pour les bourgeois d'Outremont. Soucieuse de se montrer affranchie, elle accepta de l'accompagner. Il la fit passer la première dans l'escalier, les yeux rivés sur ses fesses. Clément paraissait désireux de raviver son désir, pour recommencer, peut-être.

Au rez-de-chaussée, Marie-Andrée se fit l'impression d'être indiscrète, mais la curiosité demeurait plus forte. Le plancher de chêne au motif à chevrons témoignait de la richesse des propriétaires. Dans une pièce sur sa droite, elle vit une salle à manger meublée de la plus belle façon. Un grand buffet aux portes vitrées révélait un beau *set* de vaisselle de porcelaine anglaise. Au milieu de la table, sur un centre tout de dentelle, un vase contenait des fleurs séchées.

— Ma mère lit des revues de décoration américaines et françaises. Le résultat est parfois étrange. Ici, on se croirait dans une maison de New York, et juste à côté, quelque part dans Paris. Viens voir.

Il la prit par la main pour l'emmener dans un grand salon donnant sur la rue. Un canapé et des fauteuils couverts de soie blanche lui parurent hors de prix. Une moquette protégeait le plancher au centre de la pièce.

— Ça, c'est de style Louis quelque chose. Je ne me souviens pas du chiffre, tu as le choix entre quatorze, quinze et seize.

— Ça fait bien vieillot, commenta-t-elle.

Puis tout de suite, elle se sentit gênée.

— Je ne veux pas discuter de ses goûts, ta mère connaît certainement la décoration mieux que moi.

— Je suis heureux de voir que nous partageons la même opinion, comme en politique. Les conceptions vieux jeu ne nous conviennent pas.

Dans le domaine politique, leur bonne entente reposait surtout sur son silence, se dit-elle.

Son attention se porta sur la grande fenêtre. Sa tenue la troubla de nouveau. Clément remarqua son malaise.

— Avec les lumières éteintes, on ne voit rien depuis la rue. Viens.

Il la précéda dans la cuisine. Celle-ci donnait sur la cour. Cette pièce était au goût du jour, avec des électroménagers dernier cri et des comptoirs couverts d'arborite.

— Assieds-toi à cette table, je m'occupe de tout.

De son poste d'observation, Marie-Andrée le regarda ouvrir le tiroir sous le four de la cuisinière pour en tirer une poêle à frire. Elle aurait droit à un steak accompagné de fèves en conserve. Celui-là ne retiendrait jamais une femme près de lui par le ventre. Dans un moment, il voudrait l'entraîner encore dans la chambre du sous-sol. La perspective de nouveaux ébats ne la réjouissait qu'à demi.

Chapitre 25

Maurice se refusa à croire à sa chance jusqu'au moment d'apposer sa signature au bas du contrat. Le salaire serait à peine meilleur que dans son école secondaire – on les établissait en fonction de la scolarité –, mais au moins, les heures de travail moins nombreuses et l'année plus courte représentaient une amélioration réelle de son sort. La secrétaire avait obtenu sa rose, et avant de revenir à Saint-Hyacinthe, il connaissait la liste des cours de littérature et de pédagogie qui seraient offerts à l'Université de Montréal en soirée, à compter du mois de septembre.

Deux jours plus tard, l'enseignant avait décidé de brûler ses navires, à la façon de Cortés. L'agent d'immeuble prétendait pouvoir vendre rapidement sa propriété, et en obtenir un bon prix. Le type lui rappelait les vendeurs d'autos : tout en promesses, et ensuite très imaginatifs afin d'inventer des excuses pour ne pas livrer la marchandise.

Son scepticisme lui parut fondé trois heures à peine après le passage de l'agent : la pancarte s'inclinait dangereusement vers le sol. Son coffre à outils contenait une petite masse de fer. Au troisième coup pour enfoncer plus profondément le pieu tenant l'affiche, il remarqua une femme marchant sur le trottoir. Ses vêtements rappelaient ce qu'on portait en 1960, la démarche avait quelque chose d'étrange : pas vraiment masculine, mais pas féminine non plus.

— Justine?

L'homme marcha vers elle. À l'exception de vilaines chaussures de cuir noir, il ne restait rien de son costume de religieuse. Une nouvelle défroquée s'ajoutait à toutes les autres dans la province de Québec.

— Quand même, elles auraient pu faire un effort, pour les vêtements.

Il lui embrassa les joues, lui prit la valise des mains.

— Ne tourne pas le fer dans la plaie. Même maman s'habille de façon plus séduisante.

— Tout de même, tu as une plus jolie silhouette.

Le grand frère passa un bras autour de ses épaules, l'attira contre lui en marchant. Ils s'arrêtèrent devant la pancarte.

— Tu vas déménager?

— À Longueuil.

Justine posait de grands yeux sur lui, à la fois surprise et inquiète.

— Je vais occuper un emploi dans le nouveau collège.

La femme ne put retenir quelques larmes. Son frère l'entraîna dans la maison, l'invita à s'asseoir sur le canapé.

— Je te sers un verre.

— Non, je ne bois pas.

— Maintenant, tu as moins de raisons d'afficher un comportement irréprochable. Je te sers une crème de menthe verte. Même Marie-Andrée aime ça.

Cet argument devait la convaincre du côté inoffensif de cette boisson. Maurice disparut un instant, le temps de poser la petite valise de carton dans la chambre de sa fille, puis de passer dans la cuisine. À son retour, il lui tendit le verre.

— Toi, tu ne prends rien?

— Depuis le début de l'été, j'ai un peu trop abusé des bonnes choses. Il est temps que je redevienne un modèle pour mes élèves.

Il s'installa dans son fauteuil, esquissa un sourire.

— Je me doutais bien que l'Église perdrait un serviteur chez les Berger, mais honnêtement, je m'attendais à voir Adrien dans un mauvais complet et une petite valise à la main. Pas toi.

— Je m'en doute, avec tes histoires sur sa crise de la foi.

Sa petite dénonciation, des semaines plus tôt, le mettait maintenant mal à l'aise. Chacune de ses paroles avait dû blesser sa cadette.

— Tu veux m'en parler ?

Elle haussa les épaules, comme si le sujet lui répugnait. À la fin, elle consentit à expliquer :

— Mon histoire ressemble à toutes les autres. J'aurai quarante ans bientôt, et je n'ai ni homme, ni enfants dans ma vie… même pas de vraies amies. Mes relations avec mes consœurs étaient étranges…

D'un trait, elle avala la liqueur verte. Elle réalisa qu'elle avait du mal à trouver une contenance devant les yeux de son aîné.

— Certaines s'intéressent à l'aumônier, ou alors à n'importe quel homme sur leur passage. Tiens, je suppose que nous ressemblons à un petit groupe d'adolescentes. Nous sommes émoustillées par tous les porteurs de pantalon, mais comme nous sommes entrées au couvent à douze, parfois à six ans, nous sommes toutes des gamines avec des corps de femme.

De « certaines », elle était passée au « nous ». Maurice devinait que Justine voulait dire « je ». Son discours ressemblait en tous points à celui d'Émile Trottier. Pendant l'été de l'amour, quand les prêcheurs « dans le vent », chargés de prôner de nouvelles valeurs, insistaient sur l'importance de satisfaire ses désirs, le vœu de chasteté devenait lourd à porter. Comme pour lui, l'abstinence était devenue insupportable.

— Que comptes-tu faire ? Je veux dire, pour gagner ta vie.

— Me prélasser en dépensant tout mon capital.

Le rire cynique qui vint ensuite indiqua à Maurice qu'il ne fallait pas la prendre au pied de la lettre.

— J'ai quitté la congrégation avec deux robes, deux culottes, deux soutiens-gorge et quatre paires de bas. Ah ! J'allais oublier le beau vingt dollars, en petites coupures.

De nouveau, Maurice avait l'impression d'entendre Émile commenter sa condition après plus de vingt ans chez les Frères de l'instruction chrétienne. Cependant, Justine ne répondait pas du tout à sa question. Après une longue pause, elle confia enfin :

— La province ne compte pas trop d'infirmières, je pourrai travailler à l'Hôtel-Dieu, si je le désire. Je comptais habiter chez toi...

La pancarte de l'agent d'immeuble devant la porte lui avait fait l'effet d'une gifle.

— Je ne peux pas me réfugier chez... Perpétue.

Sa voix se cassa sur le dernier mot. Étrangement, même si Ernest en était le propriétaire, tous les deux parlaient spontanément de la maison de leur mère.

— Comme Marie-Andrée vit maintenant à Montréal, j'ai pensé... Mais là, tu t'en vas.

— Ici ou à Longueuil, j'aurai une seconde chambre. Tu pourras l'occuper le temps nécessaire pour t'organiser.

Maurice venait de préciser qu'il n'entendait pas passer le reste de ses jours avec sa petite sœur.

— Puis, il y a une femme dans ta vie...

— Plus maintenant, et j'entends faire carême pendant un moment.

Au moins, depuis une semaine, il ne ressentait aucune douleur en pissant. Sa concupiscence se manifesterait sans doute bientôt.

— Que dirais-tu de venir souper avec moi au restaurant ?

— Habillée comme ça…

— Tout le monde devinera que tu es une défroquée. Et après ? Nous pourrons discuter des aspects pratiques de ta nouvelle existence.

Finalement, peut-être ragaillardie par la petite liqueur verte, Justine accepta.

Dès neuf heures, l'ancienne religieuse hospitalière demanda de regagner la chambre de sa nièce. Les derniers jours avaient été riches en émotions, le repos lui ferait du bien. Dans la pièce, les objets laissés par Marie-Andrée lui faisaient une curieuse impression. La commode et la garde-robe contenaient tous les vêtements devenus trop petits pour la grande fille. Une poupée demeurait encore bien en vue, avec une jolie robe de dentelle, un présent reçu de sa mère peu avant son décès. Sur le mur, un petit portrait de la Vierge, regard extatique dirigé vers le ciel, rappelait le jour de sa confirmation. Une autre image représentait sainte Thérèse de Lisieux, un visage rayonnant entouré de roses. Cette carmélite avait tracé la « petite voie » vers le ciel. Toutes les couventines connaissaient ce récit par cœur.

Justine s'estimait tellement plus niaise que cette jeune fille. La congrégation en avait fait une attardée dans tous les domaines, sauf au travail. Dans l'inventaire de ses maigres possessions présenté à son frère, l'ancienne hospitalière avait oublié d'évoquer une jaquette de tissu épais fermée jusqu'au cou et tombant sur les talons. En se mettant au lit, elle remarqua une pile de livres sur la table de travail. Celui du bas était *L'adolescente veut savoir*, du docteur Lionel Gendron.

— Dommage qu'elle n'ait pas *La vieille religieuse veut savoir*, murmura-t-elle d'une voix grinçante.

La situation de Justine était si particulière. Elle connaissait les fonctions du corps humain, mais ignorait tout des rapports entre hommes et femmes. Si le désir n'était pas absent, son expression représentait pour elle le plus grand des mystères.

Encore un mot

Si vous désirez garder le contact avec moi entre deux romans, vous pouvez le faire sur Facebook à l'adresse suivante :

Jean-Pierre Charland auteur

Au plaisir de vous y voir.

Jean-Pierre Charland